HET HUIS
ANUBIS

Tv-serie: Anjali Taneja
Boekbewerking: Alexandra Penrhyn Lowe
Creatie: Studio 100

uitgeverij: Studio 100
ISBN-13: 978-90-59161-91-7
ISBN-10: 90-59161-91-2
NUR: 280
D/2006/8069/27
Zesde druk: december 2007

HET HUIS ANUBIS

DE GEHEIME CLUB
VAN DE OUDE WILG

STUDIO100

1
HET HUIS ANUBIS

Nienke zat in de taxi en hield de hand van haar oma stevig vast. Ze had buikpijn van de spanning. Ze had al dagen buikpijn omdat ze afscheid moest nemen, en nu was het bijna zo ver. Ze keek naar buiten, de bomen schoten in een groen waas voorbij.

Kon de taxirit maar eeuwig duren, dacht ze somber. Dan hoefde ze niet naar het internaat. Ze wilde terug naar oma's gezellige huis aan de Berglaan waar ze twaalf jaar had gewoond. Waar het naar karamel en lavendel rook en haar oma haar elke avond nog even kwam instoppen als ze in het antieke ledikant lag in de bovenste kamer onder het gezellige schuine dak. Maar vanochtend was het de laatste keer geweest dat ze onder het schuine dak wakker werd. Het huis was verkocht.

Nienke zuchtte en verborg haar verdrietige gezicht achter haar lange bruine haar.

'Je krijgt het vast prima naar je zin,' zei oma en kneep even in Nienkes hand. 'Het is toch veel leuker om met mensen van je eigen leeftijd te wonen in plaats van met zo'n oude taart als ik?' Nienke knikte dapper.

De taxi stopte en de chauffeur draaide zich om. Hij tikte tegen zijn pet. 'Dames, we zijn er. Het Huis Anubis,' bromde hij vanonder zijn snor. Hij keek door de voorruit van de auto.

'Gezellig optrekje zeg,' zei hij sarcastisch.

Nienke keek nieuwsgierig door het zijraampje, maar haar zicht werd belemmerd door een zwart busje waarvan de deur met een klap werd dichtgetrokken. De bus trok meteen met piepende remmen op, waardoor een zee van grind opspatte.

'Nou, nou, die heeft haast,' mopperde de chauffeur terwijl hij het busje nakeek dat met grote snelheid de oprijlaan afreed. Maar Nienke hoorde het nauwelijks. Ze staarde door het autoraam naar het grote, donkere huis dat dreigend in het donkere struikgewas lag. Grauwgroene klimop bedekte een ouderwetse gevel en aan de linkerkant stak een puntig torentje boven het dak uit. De vele ramen leken haar aan te staren. Het huis zag er eng en mysterieus uit, alsof het een geheim in zijn binnenste verborg.

Dus dat was Het Huis Anubis, dacht Nienke en een rilling liep over haar rug. Moest ze hier echt gaan wonen? Ze keek van het donkere huis naar haar oma, maar die knikte haar bemoedigend toe. De taxichauffeur opende in een snel tempo de deur en de achterklep. Hij zette snel Nienkes koffer op de grond. Het leek wel of hij haast had om weer weg te komen.

'Kom, ik zal je eens even uitzwaaien.'

Nienkes oma wilde uit de taxi klimmen, maar Nienke hield haar tegen.

'Oma, dat hoeft echt niet, ik red me wel,' zei ze en ze omhelsde haar.

'Ik zal je missen, klein konijn,' zei oma. 'En als er wat is, kun je me altijd bellen, hè?' Ze lachte, maar had tranen in haar ogen. Nienke veegde met haar mouw langs haar eigen ogen. Ze wilde niet huilen. Waarom kon ze niet gewoon mee naar het bejaardentehuis? Dan hoefde ze geen voet over de drempel van dit nare huis te zetten. Maar ja, dat kon natuurlijk niet. Ze slikte en stapte snel uit de auto.

'Ik red me wel, heus.' Ze tilde met moeite haar koffer op. 'Ik bel snel.'

'Wacht!' Haar oma pakte iets uit haar tas en gaf het door het open raam aan Nienke. Het was een klein gelukspoppetje. 'Als je dit bij je houdt, kan je niets gebeuren.'

'Dank je wel, oma,' zei Nienke ontroerd. Ze trok het portier open, gaf haar oma een zoen op haar zachte wang en deed snel het portier

weer dicht terwijl ze de tranen achter haar ogen voelde branden.
'Dag klein konijn, hou je haaks!' Haar oma zwaaide uit het raampje en de taxi toeterde nog een keer.

Pas nadat de auto de hele oprijlaan was afgereden en uit het zicht was verdwenen, keek Nienke weer naar het huis. Ze schrok. Het leek even of er een schim achter een van de ramen wegschoot. Ze schudde met haar hoofd, haar verbeelding sloeg op hol. Voorzichtig liep ze de treden van het bordes op. De deur stond op een kier. Nienke duwde zachtjes de deur wat verder open en deed een stap naar binnen. In de hal was het doodstil.

'Hallo?'

Ze schrok toen de deur achter haar met een klap dichtsloeg. Het geluid weerkaatste tegen de wanden. Toen het geluid was weggestorven, leek het nog stiller dan daarvoor.

'Hallo?' riep ze weer, iets harder nu. Ze liep een paar stappen de hal in. Het leek alsof ze een andere eeuw in was gestapt. Aan een grote donkerrode wand rechts van haar hingen de koppen van opgezette dieren. Een hert met een enorm gewei staarde haar met dode ogen aan; en er hing een groot everzwijn met dreigende slagtanden. Een oude houten trap draaide naar de donkere bovenverdieping.

'Nienke Martens?'

Nienke liet van schrik haar koffer uit haar handen vallen, zodat die met een doffe knal op de tegels sloeg. Voor haar stond een lange, magere man met dun grijs haar. Hij was gekleed in een oud gelig vest zonder mouwen en een bruine broek. Achter zijn haakneus stonden twee kleine ogen, waarvan eentje iets naar buiten stond. Dat had komisch kunnen zijn, maar hij staarde haar zo griezelig aan, dat er een rilling over Nienkes rug liep.

'Ik... ik ben Nienke...' stamelde ze verlegen. Nienke stak haar hand uit.

De man veegde een vettige lok uit zijn gezicht en negeerde haar uitgestoken hand. 'Je bent laat. Wij staan hier op punctualiteit en properheid.'

Nienke slikte. 'Wie bent u?' vroeg ze schuchter terwijl ze haar hand liet zakken.

'Victor Emanuel Roodenmaar,' zei de man ijzig met samengeknepen lippen. 'Ik ben de opzichter van dit internaat. Pak je koffer, dan wijs ik je de weg.' Hij liep naar twee portretten die aan de wand links hingen. Victor vertelde Nienke dat dit het echtpaar Winsbrugge-Hennegouwen was, de laatste eigenaren van het Huis Anubis, dat uit 1900 stamde. Nadat zij waren overleden ('omgekomen bij een tragisch auto-ongeluk,' vertelde Victor), was het huis in handen gekomen van Victors grootvader. Daarna was het van vader op zoon overgegaan.

Nienke keek naar de twee serieuze geschilderde gezichten en vond dat ze er griezelig echt uitzagen. Ze liep achter Victor aan naar een foto aan de andere kant van de hal. 'Bewoners 2005' stond eronder en acht gezichten keken haar lachend aan: een knap blond meisje, een jongen met zwarte korte krullen, een meisje met felrood haar... Maar veel tijd had ze niet om te kijken, want Victor tikte ongeduldig met zijn voet op de grond: ze moesten weer door.

Terwijl hij haar de keuken liet zien, wijdde Victor uit over de honderdduizend regels waar de bewoners zich aan dienden te houden. Om klokslag tien uur naar bed, een half uur internet per dag, geen televisie kijken als het nog licht was... De lijst met regels was ellenlang en de corveelijst die op de koelkastdeur in de keuken was geprikt zag er ook nogal angstaanjagend uit, vond Nienke, en Victor was nog lang niet klaar: niet met je voeten op de koffietafel, altijd een onderzettertje gebruiken, spullen achter je opruimen zo gauw je ermee klaar bent, geen boeken laten slingeren, die moet je meenemen naar je kamer...

Nienke vroeg zich af hoe ze dat ooit allemaal kon onthouden. Het duizelde in haar hoofd.

Gelukkig kon ze even op adem komen toen er een heel lieve vrouw met kastanjebruine krulletjes de woonkamer in liep. Het was Trudie, ze kookte en waste voor de bewoners. Ze had spontaan al haar wasgoed uit haar handen laten vallen, Nienke lief in haar wang geknepen en haar uitgenodigd om thee te komen drinken als ze klaar was met de rondleiding en ze haar spulletjes had uitgepakt.

Nienke mocht Trudie gelijk, maar ze wist niet zo goed wat ze nou van het huis moest vinden. Ze griezelde van alle opgezette dieren die ook overal in de woonkamer stonden. De woonkamer zag eruit alsof hij zo uit een oude Engelse detectiveserie kwam. De donkerrode wanden waren behangen met oude schilderijen en er was een open haard met een ouderwetse schouw, waar bruine lederen banken voor stonden. De sneltreintour ging weer verder, de trap op naar Victors kantoor dat op het platje lag tussen de begane grond en de eerste verdieping in. De voorste wand was bijna helemaal van glas.

Dat was vast om iedereen in de gaten te houden, dacht Nienke, en ze stapte het kantoor binnen. Langs de andere wanden stonden houten stellingkasten met daarop eindeloze rijen potjes met daarin beesten (of alleen delen van beesten) op sterk water. Aan het plafond hing een grote witte zwaan met zijn vleugels gespreid, alsof hij tijdens zijn vliegtocht was verrast door de kou en bevroren aan het plafond was gehangen. Op het bureau zat een zwarte raaf. Nienke liep er nieuwsgierig naartoe en stak haar hand uit.

'Afblijven,' zei Victor fel. 'Dit is Corvuz.'

Zijn ogen kregen een milde glans toen hij naar de vogel keek. Nienke keek nog eens goed: Corvuz was ook opgezet. Zijn zwarte ogen staarden haar doods aan.

'De jongens slapen beneden, de meisjes slapen boven. Na tienen moet iedereen op zijn kamer zijn en wordt er niet meer heen en weer gelopen, begrepen?' zei Victor terwijl hij zijn kantoor uitging en een trap opliep die naar een gang leidde. Nienke zag op een van de deuren een groot bord met daarop 'Patricia waakt hier, betreden op eigen risico' staan en ze vroeg zich af wie van de meisjes op de foto Patricia was.

'Daar slapen Patricia en Mara,' zei Victor. Daarna liep hij naar de volgende deur in de gang. 'En daar slaap jij.'

'En wie slaapt daar?' vroeg Nienke nieuwsgierig en wees naar de deur aan het einde van de gang.

'Daar mag je niet komen,' zei Victor meteen.

'Maar – wat is daar dan?' vroeg Nienke bedeesd.

'Het is ten strengste verboden om de zolder te betreden, begrepen?'
Victor keek haar dreigend aan.

Nienke knikte weer.

Victor weekte zijn blik los en liep naar de deur waar ze vlakbij stonden. 'Dit is jouw kamer,' zei hij terwijl hij de deur opendeed en naar Nienke gebaarde dat ze naar binnen moest gaan. 'Ga nu maar je koffer uitpakken. De anderen zullen zo wel uit school komen, dan kun je die ook...'

Hij stopte plotseling, liep naar de kast en trok er een sticker af. Nienke zag nog net dat er 'Joyce' op stond.

'Wie is Joyce?' vroeg ze.

Victor antwoordde niet, maar trok een flesje en een doekje uit zijn borstzak. Een scherpe geur verspreidde zich door de kamer toen hij wat schoonmaakmiddel op het doekje sprenkelde en de laatste resten van de sticker wegpoetste.

'Wie is Joyce?' vroeg Nienke weer. 'Woonde die hier eerst?'

'Dat zijn jouw zaken niet. Pak je koffer maar uit.'

Victor liep de kamer uit en sloeg de deur met een klap dicht. Ze luisterde naar zijn voetstappen die hol over de houten vloer van de gang klonken.

Wat was dit? dacht Nienke geschrokken. *Wie was deze enge man?* Ze haalde haar mobiel uit haar tas. Ze *moest* nu haar oma bellen, die kon dit toch niet goed vinden, dat ze in een huis moest slapen met zo'n enge man? Wist zij veel wat hij 's nachts allemaal deed? Nienke hield de telefoon bij haar oor, maar ze hoorde helemaal niets. Ze keek naar de ontvangst op het schermpje. Nul streepjes. Ook dat nog, dacht ze. Geen bereik. Wat moest ze nu?

Zuchtend zakte ze op het kale bed. Ze had zich in geen tijden zo rot gevoeld. Ze wilde helemaal niet in dit huis zijn. Het kon haar niet schelen of haar oma oud was en dat ze zei dat het gezellig was om met mensen van haar eigen leeftijd te wonen. Nienke trok haar benen op en sloeg haar armen om haar knieën. Ze keek de kamer rond. In haar gedeelte stond niks, maar de andere kant van de kamer stond helemaal vol. Er hing een grote roze klamboe boven het andere bed en op de kaptafel stond de grootste verzameling make-up die Nienke ooit had gezien. Daarboven hingen een aantal foto's. Nienke vergat even hoe rot ze zich voelde en liep nieuwsgierig naar de foto's aan de muur. Ze herkende het heel knappe blonde meisje van de foto beneden in de hal. Op de ene foto zat ze op een paard, op de andere foto lag ze diepgebruind aan een azuurblauw zwembad. In haar hand hield ze een glas met een klein parasolletje erin en ze lachte met haar stralend witte tanden naar de camera. Op een paar andere foto's stond een knappe jongen met groene ogen. Nienke vond dat hij er uitzag als een fotomodel of iemand uit een of andere jongensband. "Amber en Mick" stond er op eentje. De knappe jongen was dus Mick en hij was vast het vriendje van Amber.

Zo heet mijn nieuwe kamergenootje, dacht Nienke. Ze hoopte maar dat Amber een leuk meisje zou zijn.

Ze zakte weer met een plof op haar bed, opende haar koffer en deed hem beschaamd weer dicht. Vergeleken bij Ambers spullen leken haar dingetjes ineens kinderachtig. Had ze echt haar hele verzameling knuffelbeesten mee moeten nemen? Ze deed haar koffer weer open en stopte eerst haar dagboek veilig onder haar matras. Toen trok ze haar Garfield-sloffen uit haar koffer. Nienke spiekte naar Ambers bed. Aan het voeteneinde stonden een paar slofjes met hoge hakken en rode veren erop. Nienke zuchtte en duwde haar sloffen ver onder haar bed.

Tien minuten later schrok ze op van een enorme knal die ergens onder uit het huis kwam. Ze liet het shirt dat ze in haar handen had terug in haar koffer vallen en stond op. Voorzichtig opende ze de deur. Beneden in de hal klonk een woedend gekrijs en het volgende moment klonken er gehaaste voetstappen op de trap. Nienke deed snel de deur weer dicht en ging weer op bed zitten. Eigenlijk was ze het liefst naast haar sloffen onder het bed gekropen, maar daar had ze geen tijd meer voor, want drie tellen later werd de deur opengegooid. Daar stond het meisje van de foto. Ze was gekleed in een lange beige jas van suède die er heel duur uitzag en haar hele gezicht zat onder het roet. Haar blauwe ogen keken boos naar het zwart dat op haar jas zat.

'Die stomme Appie met z'n geintjes. Kijk nou, mijn hele jas verpest,' mompelde Amber in zichzelf. Ze probeerde met beide handen het roet van haar jas te kloppen, maar dat lukte niet. Toen pas keek ze op en zag ze Nienke.

'Hoi,' zei die.

Nienke probeerde een glimlach op haar gezicht te toveren. Amber keek haar een paar tellen stomverbaasd aan, gooide toen haar schoudertas op de grond en begon te gillen.

'WAT DOE JIJ HIER?!' schreeuwde ze.

'Ik kom hier wonen,' zei Nienke en stapte van het bed.

'Nee hoor, helemaal niet,' zei Amber. Onder het roet werd haar gezicht knalrood. Ze zag eruit alsof er elk moment rook uit haar oren kon komen en ze sloeg bazig haar armen over elkaar.

'Dit is het bed van Joyce. Waar is ze?'

'Dat weet ik niet,' zei Nienke zacht.

Dat antwoord was blijkbaar niet naar Ambers zin. In twee stappen stond ze bij het bed en graaide de spullen van Nienke bij elkaar.

'Jij hoort hier niet, hoor je me!' zei ze driftig en gooide Nienkes kleren terug in de koffer. Ze klapte de koffer dicht en zeulde het gevaarte naar de deur.

'Wacht even…' zei Nienke, maar Amber luisterde niet.

'Wegwezen jij, dit is de kamer van mij en *Joyce*.' Amber gooide met kracht de koffer de gang op. Hij sprong open en Nienkes kleren en knuffelbeesten vlogen in het rond.

Amber liep dwars door de troep heen, schopte tegen een roze olifant en draaide zich om. 'Als ik straks terugkom, ben jij verdwenen!' schreeuwde ze en stampte de trap af.

Toen Nienke even later verlegen de woonkamer binnenkwam, staarden zeven paar ogen haar vijandig aan.

'Wie ben jij dan wel?' vroeg een meisje met kort rood haar scherp. Maar voor Nienke kon antwoorden, verscheen Victor in de deuropening en legde een klamme hand op haar schouder.

'Dit is Nienke Martens, Patricia. Zij is de nieuwe bewoonster,' zei hij en hij keek ijzig met zijn ene oog naar de rest.

'De nieuwe bewoonster?' vroeg het roodharige meisje dat blijkbaar Patricia heette verontwaardigd. 'En Joyce dan?'

'Joyce is weg,' zei Victor.

Patricia keek hem vol ongeloof aan. 'Wat bedoel je, weg? Waarheen dan?'

'Dat kan ik je niet vertellen.'

'Maar… dat slaat nergens op!' riep Patricia, maar Victor stak zijn hand op ten teken dat ze haar mond moest houden.

'Joyce is weg, ze komt niet meer terug en daarmee is de kous af. Dit is Nienke, zij komt in de plaats van Joyce.'

Nienke stond nog steeds ongemakkelijk in de deuropening.

Patricia sprong op. 'Ga toch weg met je Nienke!' schreeuwde ze driftig. Ze keek Nienke fel aan. 'Wat moet jij hier?!'

'Nou, nou, Patricia, dat is toch geen manier om iemand te verwelkomen?' Trudie kwam de kamer binnen met een enorme theepot en een schaal met koekjes.

'Lekker! Zelfgemaakte choco-koekies!' riep een van de jongens enthousiast en griste er een van de schaal. Hij propte het hele koekje in een keer in zijn mond.

'Appie! Joyce is weg en jij hebt het over koekjes!' gilde Patricia en ze haalde uit naar zijn donkere krullen, maar hij dook snel weg, haalde zijn schouders op en pikte nog een koekje van de schaal.

'Denk maar niet dat jij hier welkom bent,' zei Patricia boos tegen Nienke en met opgeheven hoofd liep ze de woonkamer uit. Nienke voelde zich diepongelukkig. Met half gebogen hoofd stond ze nog steeds in de deuropening. Haar voeten voelden alsof ze aan het tapijt waren vastgeplakt.

'Nienke, kom er eens gezellig bijzitten,' zei Trudie en klopte op de lege stoel naast haar.

'Als zij erbij komt, ga ik weg,' snibde Amber en liep langs Nienke de kamer uit.

Nienke slikte wanhopig haar tranen in en ging zitten. Ze wist nu helemaal zeker dat het niet zo leuk was om met mensen van haar eigen leeftijd te wonen, zoals haar oma had gezegd.

Na het avondeten was elk restje hoop van Nienke dat ze het gezellig in het huis zou krijgen tot een hoopje as vergaan. Patricia had haar het hele avondeten vijandig aan zitten staren en Appie had spaghetti in haar gezicht gegooid, waarna de anderen in lachen waren uitgebarsten. Verder hadden alle zeven bewoners haar volkomen genegeerd. Niemand had zich aan haar voorgesteld en zelfs haar oma had haar niet op kunnen vrolijken aan de telefoon. Nienke was opgelucht toen Victor had verteld dat het tien uur was en dus tijd om naar bed te gaan.

Ze stond bij haar bed en trok haar hartjespyjama aan. Ze hoorde Amber zachtjes grinniken in het andere bed en ze gleed beschaamd onder haar dekbed. Snel trok ze de deken tot haar kin.

De deur ging open. Een klein donkerharig meisje in een herenpyjama stond in de deuropening.

'Hé Ambie,' zei ze zachtjes. Ze keek met een vluchtige blik naar Nienke, maar negeerde haar verder.

'Mara, kijk je uit, straks komt Victor langs. Kun je morgen de wc poetsen met je tandenborstel,' zei Amber fluisterend.

'Gaat alles oké met je? Je leek een beetje down bij het eten,' vroeg Mara en plofte bij Amber op bed.

Amber ging rechtop zitten en draaide een streng haar om haar vingers. Haar nagels waren lichtroze gelakt met kleine glimmende steentjes erin.

'Leuke nagellak,' zei Mara.

'Ja, leuk he? Ik kan jou ook wel doen,' zei Amber enthousiast, maar Mara schudde haar hoofd.

'Dat is toch niks voor mij, gek – maar eh…' Ze keek Amber vragend aan.

'Ach, ik weet niet. Mick doet een beetje vaag. Ik vraag me gewoon af… Laat ook maar.' Amber ging gefrustreerd weer liggen.

'Als je er over wilt praten, dan weet je me te vinden, hè?' Mara stond op. 'Ik kan nu maar beter naar bed gaan voor Victor zijn ronde doet.'

Ze glipte door de deur en trok hem zachtjes achter zich dicht. Amber zuchtte, draaide zich om en deed zonder iets te zeggen het licht uit.

'Welterusten,' zei Nienke, maar ze wist al van tevoren dat Amber niets terug zou zeggen.

Ze keek om zich heen. De maan die half door de gordijnen scheen, maakte rare schaduwen op de muren. Er kraakte iets boven haar hoofd. Ze dacht aan Victor die nu ook ergens in het huis was en er ging een rilling door haar heen. Ze deed haar ogen dicht en probeerde zich in te beelden dat ze gewoon onder het schuine dak van haar oude huis lag, maar door de enge geluiden in het huis lukte dat niet. Lag Noek, haar witte knuffelkonijn, nou maar naast haar, dan voelde ze zich misschien wat veiliger in dit kille, enge huis. Maar Noek lag koud in de koffer onder haar bed.

Nienke duwde haar hoofd onder de dekens en begon stilletjes te huilen.

Twee dagen later, op woensdagmiddag, fietste Nienke in een waterig zonnetje naar het bejaardentehuis. Ze dacht na over het Anubishuis. Na die verschrikkelijke eerste nacht waarin ze geen oog had dichtgedaan had 's ochtends een van de jongens – Fabian – zich aan haar voorgesteld. Na Fabian had de rest zijn voorbeeld gevolgd, behalve Patricia, die had haar alleen maar woest aangekeken.

Maar goed, het was een begin, vond Nienke. Fabian leek haar in ieder geval wel een aardige jongen en hij was verschrikkelijk goed op school. Hij had tijdens de geschiedenisles de nieuwe docent Jason Winker zelfs in verlegenheid gebracht, doordat hij hem had betrapt op een verkeerd jaartal. Volgens Jason was de Kinderkruistocht in 1202 geweest, waarop Fabian zijn hand had opgestoken en doodleuk had beweerd dat de Kinderkruistocht in 1212 was. En hij had gelijk!

Nienke grinnikte. Jason had het sportief opgevat. Hij was naar Fabians tafeltje gelopen, had een ouderwetse buiging gemaakt en gezegd: 'Ik erken in u mijn meerdere, kruisridder Fabian.'

Ze parkeerde haar fiets tegen een boom naast een grote groene vijver waarin een paar eenden lawaaierig ruzie maakten en liep naar het lage witte gebouw. Plotseling zag ze dat haar oma buiten op een bankje in het zonnetje zat.

'Oma!' gilde Nienke blij! Een verpleegster die met een andere oude vrouw op een bankje vlakbij zat, keek verstoord op.

'Wat ziet u er goed uit,' zei Nienke iets zachter, en ze omhelsde haar.

'Natuurlijk, klein konijn. Het is hier net een hotel: je krijgt ontbijt, lunch en avondeten. Alleen ligt er hier dan altijd nog een felgekleurde pil naast je bord,' grapte oma, die haar ondeugend aankeek. 'Dat hebben de meeste ook wel nodig.' Ze maakte een hoofdgebaar naar een oude vrouw die vlak bij de vijver scheefgezakt in haar rolstoel lag te slapen. Een draadje spuug hing uit haar ene mondhoek.

Nienke giechelde.

'Zo, en vertel me nu maar eens hoe je het hebt in je nieuwe huis.' Haar oma keek haar onderzoekend aan.

Nienke voelde haar wangen rood worden. 'Euhm... In het begin waren ze niet zo heel aardig, maar nu wel hoor,' zei ze dapper en ze vertelde haar oma maar niet dat Amber alleen maar tegen haar praatte als ze iemand nodig had om tegen te klagen over Mick. Zoals Nienke al had gedacht, was hij inderdaad Ambers vriendje en woonde hij ook in het huis. Amber vertelde Nienke al haar vermoedens dat hij vreemd zou zijn gegaan op vakantie, hoe ze ervan baalde dat er vreemde meisjes op zijn vakantiefoto's stonden en ze vond het ook maar vreemd dat Mara Mick hielp met natuurkunde.

Nienke had heus wel door dat Amber verder niet geïnteresseerd was in haar. Om over Patricia maar te zwijgen. Ze bleef Nienke maar te pas en te onpas beschuldigen van de verdwijning van die Joyce en ze had haar zelfs een keer van haar stoel geduwd omdat "dat de stoel van Joyce was". De rest liet haar eigenlijk een beetje links liggen. Alleen Fabian zei zo af en toe iets tegen haar.

Haar oma pakte haar hand en keek haar doordringend aan. 'Weet je het zeker, Nienke? Je kijkt een beetje verdrietig.'

'Nee, echt, alles is oké.' Nienke sprong op. 'Waar is de wc?'

Op de gang legde Nienke haar handen tegen haar bonkende slapen. Ze wilde zich groot houden omdat ze niet wilde dat haar oma zich schuldig zou voelen, maar ze had steeds het gevoel dat ze haar tranen niet binnen kon houden. Ze ademde diep in en uit en keek de lange gang door. Om zichzelf af te leiden, keek ze naar de schilderijen die aan de muur hingen. Allemaal huizen: een witte villa met grote eikenbomen en een felgroen gazon ervoor, een schattig huisje met een paars lavendelveld dat waarschijnlijk ergens in Zuid-Frankrijk stond, en...

Nienke slaakte een kreet van verbazing. Op een van de schilderijen stond het Anubishuis! De klimop was nog niet zo groot, maar er was geen twijfel over mogelijk: dezelfde treden naar de voordeur, de vele ramen, het torentje aan de linkerkant...

'Het Huis Anubis,' hoorde Nienke een krakende stem achter zich zeggen.

Ze draaide zich om. In de gang stond een magere, oude vrouw. Haar vlassige, donkergrijze haar piekte alle kanten op en haar nek stak abnormaal lang uit de hals van een lubberend grijs vest.

'Ja, dat klopt,' zei Nienke verbaasd.

'Het Huis Anubis... Gebouwd in 1900. Dat is mijn schilderij – het is heel oud. Heel oud,' zei de vrouw glazig. Het leek alsof ze dwars door Nienke heen naar het schilderij keek.

'Wat grappig dat het hier hangt,' zei Nienke. Ze voelde zich een beetje opgelaten. 'Ik woon daar nu.'

De oude vrouw kwam ineens op Nienke af. Nienke schrok ervan. Ze dacht even dat de oude vrouw haar aan wilde vallen, maar ze stopte vlak voor haar en keek haar indringend aan. 'Je moet oppassen, meisje. Het is daar heel gevaarlijk. Het is een zwart huis, met een enge zolder. Een donker huis!' Haar donkere ogen die net nog zo glazig keken, fonkelden nu en hielden Nienkes blik gevangen. 'Een vogel waakt daar. Een grote, zwarte vogel. Pas op, meisje!'

De vrouw greep Nienkes pols vast. Nienke vond het doodeng en probeerde zich los te trekken, maar de benige hand klemde als een bankschroef pijnlijk om haar pols heen en liet haar niet los.

'Nienke?'

Nienke draaide zich om. Haar oma stond in de gang. De vrouw liet haar meteen los en schuifelde mompelend weg en Nienke rende snel naar haar oma.

'Wie was dat?' vroeg Nienke. Ze merkte dat haar benen een beetje trilden.

'Zij?' Nienkes oma sloeg een arm om haar schouders. 'Ik weet het niet. Gewoon een verwarde, oude vrouw die hier door de gangen loopt. Daar zijn er hier zoveel van.'

'Dat schilderij... Het huis... Ze zei dat ik gevaar liep in het huis,' zei Nienke, van haar stuk gebracht.

Haar oma keek haar vragend aan en begon toen te lachen. 'Konijn, trek je er niks van aan. Die vrouw is al half dement... Kom, ik heb nog een heleboel koekjes die we moeten opeten. En daarna kunnen we wel even de eendjes voeren.'

Maar Nienke was er helemaal niet gerust op. Met tegenzin reed ze na het avondeten (worteltjes, doperwtjes en een rundervink – echt bejaardenvoedsel volgens haar oma) terug naar het huis. Donkere wolken dreven door de avondlucht over het dak, waardoor het er nog enger uitzag dan anders. Ze hoorde de stem van de vrouw nog in haar hoofd: 'Het is een slecht en donker huis...'

Nienke keek naar haar pols, maar daar was niets bijzonders aan te zien.

In de hal hoorde ze geschreeuw vanuit de woonkamer. Ze hoorde de stem van Patricia er hard bovenuit. 'Ik pik het gewoon niet, je moet me het nummer geven van haar ouders.' Victors stem antwoordde. Veel zachter, dus Nienke moest haar oren spitsen om het te verstaan.

'Dat hoef ik helemaal niet, Patricia,' hoorde ze hem koud zeggen. Vervolgens klonk er een harde bonk, alsof er iets werd omgegooid.

Nienke liep snel de trap op. Als Patricia in zo'n bui was, was zij wel de laatste die ze tegen het lijf wilde lopen. Ze rilde even toen ze de opgezette raaf achter het raam van het kantoor van Victor zag staan. Ze zou zweren dat het beest haar met zijn dode zwarte ogen volgde. Ze liep snel door de gang en gooide de deur van haar kamer open.

Amber stond stralend met haar arm omhoog in het midden van de kamer.

'Taddaa!!!' riep ze. 'Kijk eens wat Mick me gegeven heeft?' Amber liet Nienke een armbandje zien van gevlochten leer met een lichtblauw steentje eraan. Ze viel achterover op bed. 'Hij houdt gewoon echt van me,' zei ze smachtend.

'Wat fijn,' zei Nienke, maar Amber hoorde haar niet eens. Ze ging volledig op in het bewonderen van haar armband. Nienke trok zuchtend haar kleren uit, negeerde het schampere lachje van Amber toen ze haar hartjespyjama weer aantrok en viel in een onrustige slaap. Ze droomde over de oude vrouw. Ze stond over haar heen gebogen en keek met die grote holle ogen naar Nienke. 'Het is daar heel gevaarlijk. Het is een zwart huis, met een enge zolder. Een donker huis!' Nienke voelde hoe de handen van de vrouw zich om haar polsen klemden. Ze probeerde zich los te worstelen, maar haar polsen zaten muurvast. Het gezicht van de vrouw kwam dichter en dichterbij. Haar mond leek een grote zwarte holte die Nienke wilde opslokken.

'Pas op voor de grote zwarte vogel,' zei de mond. 'Pas op voor de grote zwarte vogel.'

Nienke werd met een schreeuw wakker.

Even wist ze niet waar ze was. Twee donkere schimmen stonden in de kamer en Nienke schreeuwde opnieuw.

'Pas op voor de grote zwarte vogel,' hoorde ze de ene schim zeggen en ze herkende de stem van Patricia. Nu ze beter keek, zag ze dat Appie naast haar stond. Hij gooide lachend een grote hand veren in Nienkes gezicht.

'Wat doen jullie hier? Ga weg!' Amber zat rechtop in haar bed. Haar haren zaten vol krulspelden.

Patricia en Appie gingen er lachend vandoor. 'Kijk maar uit voor de zwarte vogel,' fluisterde Patricia nog een keer voordat ze de deur dicht trok.

Amber keek naar Nienke. Haar haren en kussen zaten vol veren. Ze huilde.

'Jeetje, wat een rotstreek,' zei Amber. 'Hier, ik help je wel even.'

Ze stapte uit bed en begon de veren een voor een uit Nienkes haar te halen. 'Gaat het een beetje?'

'Jawel... Ik had een nachtmerrie over een oude vrouw. Ik moest oppassen voor een zwarte vogel,' zei Nienke hortend en stotend.

Amber keek haar verbaasd aan. 'Nachtmerries over zwarte vogels en oude vrouwen? Ik heb alleen maar nachtmerries dat ik de uitverkoop mis.' Ze stopte het dekbed stevig om Nienke heen. 'Ga maar weer lekker slapen... en niet meer over zwarte vogels dromen!'

Patricia liet Nienke maar niet met rust. De volgende dag was ze zich doodgeschrokken toen Patricia met haar fiets tegen haar aan was gereden. 'Kijk uit voor de zwarte vogel,' had ze pesterig geroepen. Fabian was toen heel aardig naast haar gaan fietsen en had haar goedbedoelde raad gegeven dat ze zich er niet te veel van aan moest trekken. Dat wist Nienke natuurlijk zelf ook wel, maar het was gewoon niet waar dat woorden geen pijn deden.

Eigenlijk vond ze het nog erger dat ze haar meestal links lieten liggen. Ook Fabian was tijdens de pauze gewoon bij het groepje aan tafel aangeschoven zonder dat hij naar haar had omgekeken.

Nienke kauwde langzaam op een boterham met kaas. Ze trok met haar vingers denkbeeldige lijnen over de groene formicatafel en keek om zich heen. Het leek net of iedereen in de kantine plezier had. Overal zag ze kleine groepjes mensen met elkaar lachen en kletsen. Ze was de enige die in haar eentje zat. Ze probeerde positieve dingen te bedenken, maar het enige leuke dat in haar hoofd opkwam, was dat ze de volgende dag weer naar haar oma zou gaan.

Plotseling stond Patricia voor haar neus. 'We hebben een opdracht voor je,' zei ze en er dansten gevaarlijke lichtjes in haar ogen. Haar rode haar stond in harde pieken op haar hoofd.

'Wat bedoel je?' vroeg Nienke. Ze keek naar de tafel met de Anubisbewoners, die plotseling heel geïnteresseerd haar kant uitkeken. Misschien beeldde ze het zich in, maar ze dacht dat Fabian haar een bemoedigend knikje gaf.

'Je wilt er toch zo graag bij horen? Dan moet je een opdracht vervullen, een ontgroening zeg maar. Weet je wat dat is?'

'Jawel – maar wat moet ik doen, dan?' Nienke probeerde niet te zenuwachtig te klinken, maar haar stem trilde toch een beetje.

'Ha! Dat gaan we natuurlijk niet van tevoren zeggen! Nou, wat wordt het? Ja of nee?' Patricia kneep haar ogen samen.

Nienke twijfelde even. Ze wilde dolgraag dat ze haar zouden accepteren, maar stel je voor dat ze haar als opdracht wormen lieten eten? Of in een bad met maden legden? Ze wist zeker dat Patricia ertoe in staat was.

'Wanneer is het dan?' vroeg ze na een tijdje.

Patricia duwde met een wijsvinger tegen Nienkes voorhoofd. 'Jeetje, wat ben jij een naïef hertje zeg. Dat vertellen we toch niet? Je merkt het wel. Dus het is ja?'

'Oké,' zei Nienke dapper.

Ze zou het wel zien. Op dit moment had ze er alles voor over om bij de rest van de bewoners te horen. Ze had zich nog nooit in haar leven zo eenzaam gevoeld.

'Dus er zit toch een beetje lef in dat grijze muisje? Weet waar je aan begonnen bent!' Patricia lachte naargeestig en gooide Nienkes melk over haar kaasboterham.

'Geeft niet, toch? Het is allemaal van de koe!' zei ze pesterig en liep weg.

Het leek Nienke beter om haar oma niets te vertellen over de ontgroening. Ze zag er al zo vermoeid uit. Het ongezellige licht in de gemeenschappelijke ruimte benadrukte de schaduwen onder haar ogen en haar grijze haren piekten half uit een warrig staartje. Normaal had ze een keurige knot bovenop haar hoofd.

'Wilt u nog wat koffie, mevrouw Martens?' vroeg een gezette verpleegkundige met een vlassig blond staartje en rode wangen. Ze hield een thermoskan omhoog.

'Nee, dank u wel, ik heb nog.' Nienkes oma wuifde de vrouw voorzichtig weg.

'Dat is het enige wat hier echt niet lekker is,' lachte oma terwijl ze met een vies gezicht naar de lauwe bruine vloeistof in het porseleinen kopje voor zich keek. 'Ze maken het nooit heet genoeg. Ze zijn denk ik bang dat we allemaal seniel zijn en onze mond branden.'

'Oma, zal ik uw haar even doen?' vroeg Nienke voorzichtig. Haar oma zuchtte en ging met haar hand omhoog richting haar haren.

'Het ziet er niet uit, hè? Ik heb de afgelopen dagen zoveel last gehad van mijn handen. Dat komt door het weer, veel te vochtig. Een goede knot lukte me vanochtend gewoon niet.'

Nienke stond op en ging achter haar oma staan. Ze trok de spelden een voor een uit het lange haar dat als een zilveren gordijn door haar handen naar beneden gleed.

'U hebt ook veel te weinig spelden hier,' zei Nienke, 'maar een stuk of zes.'

'Ik weet het, ik had geen puf meer. Loop anders even naar mijn kamer. Ze liggen in het bruine etuitje op de wastafel.'

In de badkamer keek Nienke even in de spiegel.

'Het komt allemaal goed,' zei haar spiegelbeeld. 'Je doet die opdracht, dan hoor je erbij, en dan wordt het vast veel gezelliger.'

Vastberaden stak ze haar kin naar voren, maar ze voelde zich heel wat minder dapper dan ze er in de spiegel uitzag. Ze had wel eens verhalen gehoord over ontgroeningen. Dat er mensen dood waren gegaan omdat ze van een gebouw af waren gevallen, of overreden door een auto, of gestikt met hun hoofd in de schoorsteen...

Nienke stak haar tong uit naar haar spiegelbeeld, grabbelde het bruine etuitje van de wastafel en liep snel de gang op.

Plotseling klemde een ijskoude hand zich om haar pols.

2

DE ONTGROENING

Nienke gilde. Ze liet het bruine etuitje uit haar handen vallen en het sprong open. De spelden sprongen alle kanten op over de vloer van de gang.

Voor haar stond de oude vrouw. Ze hield Nienke stevig vast aan haar rechterarm. Nienke probeerde zich los te trekken, maar de vrouw hield haar met verbazingwekkend veel kracht in bedwang.

'Je moet naar me luisteren,' zei ze dwingend.

'Wat wilt u van mij?' vroeg Nienke angstig. Ze keek om zich heen of er iemand was die haar kon helpen, maar de gang was leeg.

'Ik heb het gezien in je ogen. Jij hebt kracht. Ik wil dat je dit meeneemt.' De vrouw duwde Nienke een zilveren ketting in haar hand. Er hing een groot, zwaar medaillon aan.

'Maar wat moet ik met...?' Nienke begreep er niets van.

'Niets zeggen, alleen luisteren! Het Huis Anubis... oh... het Huis Anubis...' De vrouw trok haar naar het schilderij en wees met een benige wijsvinger naar het donkere huis.

'Het huis met de zwarte vogel verbergt iets...'

'Wat ligt er verborgen?' vroeg Nienke. De vrouw legde een vinger op haar lippen. 'Sttt, de muren hebben oren, de ramen hebben ogen. In het huis ligt een schat verborgen. Een zeer kostbare schat. En alleen jij kan deze schat vinden en verbergen!'

'Een schat?' Nienke bedacht dat het best grappig was als de vrouw maar niet zo vreselijk eng had gekeken.

'Maar pas op, zolang de schat omhuld is door de zwarte nacht, met zijn fonkelende sterren, zal deze nooit ontrafeld worden. Vergeet dat niet!' De vrouw trok pijnlijk aan Nienkes pols. 'Er loert overal gevaar... Pas goed op jezelf!'

Eindelijk liet de vrouw haar los.

Nienke keek naar het medaillon in haar hand. 'Ik kan dit echt niet aannemen,' zei ze en probeerde het medaillon weer aan de vrouw te geven.

'Je moet!' zei de vrouw stellig en ze kneep Nienkes hand met het medaillon dicht. 'Bewaar het goed. Je mag hier met niemand over spreken, hoor je me, met niemand! Er zijn kapers op de kust. Beloof het me!'

'Ik beloof het,' zei Nienke bibberig. Het medaillon lag koud in haar hand. Moest ze het echt niet teruggeven? Maar de vrouw schuifelde alweer weg.

'Mevrouw?' Nienke strekte haar hand uit. 'Ik kan dit echt niet...'

De vrouw draaide zich om. 'Geloof in jezelf! Alleen jij hebt de kracht!' zei ze fel, maar haar gezicht veranderde ineens en ze keek heel erg bedroefd. 'Doe het voor mij?' vroeg ze zacht. Ze draaide zich weer om en slofte weg. Nienke kreeg een brok in haar keel en liet het medaillon in haar zak glijden.

Op de fiets hoorde Nienke steeds de stem van de oude vrouw in haar hoofd.

Ik heb het gezien in je ogen. Jij hebt kracht. Ik wil dat je dit meeneemt.

Wat bedoelde ze daar nou mee? Zou er echt een schat in het huis liggen? Peinzend zette Nienke haar fiets in het rek en liep de trap op naar de voordeur. Terwijl ze haar sleutels uit haar zak trok, raakten haar vingers het koude zilver van het medaillon. Even hield ze het in haar hand.

Waarom had de vrouw haar het medaillon gegeven? Op haar kamer zou ze er eens rustig naar kijken.

Diep in gedachten opende ze de deur en liet haar sleutels weer in haar broekzak glijden. Terwijl ze de deur achter zich dicht wilde doen, werd ze door iemand hard voorover geduwd en werd er iets over haar hoofd getrokken. Nienke schrok zich wild.

'Pak haar armen en benen!' hoorde ze Patricia's stem. Meteen daarna werd ze hardhandig opgepakt. Nienke stribbelde heftig tegen, maar besefte ineens dat de ontgroening begonnen was. Wat gingen ze met haar doen?

'Naar de woonkamer!' hoorde ze Patricia fluisteren. Ze hoorde ook een boel gegiechel, dat zouden Amber en Mara wel zijn. Ze probeerde rustig te ademen, ze wilde vooral niet laten merken dat ze bang was, maar het was heel benauwd met de zak over haar hoofd en ze werd misselijk van het heen en weer geslinger. Plotseling ging er een felle pijnscheut door haar hoofd. 'Auw!' gilde Nienke, maar haar stem werd gesmoord door de zware stof die naar muffe aardappelen rook. Het duizelde haar eventjes.

'Doen jullie wel voorzichtig?' hoorde ze Fabian zeggen.

'Ze is toch niet van suikergoed?' zei Patricia fel. 'Dit hoort erbij!' Uiteindelijk werd ze ergens op gezet en werd de zak van haar hoofd getrokken. Nienke knipperde met haar ogen. Ze was in de woonkamer en zat op een houten stoel. De anderen zaten achter de eettafel tegenover haar. Hun gezichten werden spookachtig verlicht door de kaarsen die voor hen op de tafel stonden.

'Ben jij Nienke Martens?' vroeg Patricia, die in het midden zat. Ze had duidelijk de leiding.

'Dat ben ik,' zei Nienke vastberaden en ze was blij dat haar stem normaal klonk.

'Kan iemand dat bevestigen?' vroeg Patricia met een plechtige stem.

Amber giechelde. 'Ja, ik, Amber Rosenbergh, kan dat bevestigen. Dit is Nienke Martens.' Ze wees over de tafel heen naar Nienke.

'Nienke Martens, om bij de bewoners van het Huis Anubis te horen, moet je jezelf eerst bewijzen. Ben je daartoe bereid?'

'Ja,' antwoordde Nienke stellig. 'Daar ben ik toe bereid.'

'Sleutel,' zei Patricia tegen Appie terwijl ze haar hand uitstak. Hij overhandigde haar een sleutel.

Het begon Nienke al te dagen wat ze moest doen en Patricia bevestigde haar bange vermoedens. Ze moest naar de zolder om klokslag twaalf uur. En dat was nog niet alles: ze moest iets meenemen als bewijsstuk. Nadat Patricia klaar was met het vertellen over de opdracht, grijnsde ze zelfingenomen, maar Amber trok helemaal wit weg. 'De zolder?' stamelde ze. 'Maar...'

'Stilte!' zei Patricia hard. Ze zwaaide de sleutel voor Nienkes gezicht. 'Nou? Accepteer je deze uitdaging?'

Vastberaden pakte Nienke de sleutel.

Appie en Jeroen begonnen te joelen. 'Het spookt daar, wist je dat? Hoehoehoeeee!!!' zei Appie terwijl hij zijn gezicht recht boven de kaars hield.

Fabian onderbrak hem scherp. 'Patricia, kom je even mee naar buiten?'

Hij sleurde haar ongeveer mee de gang op en sloot de deur. 'Ben je gek geworden?' zei hij bezorgd. 'Dit was toch niet de afspraak? Als Victor haar snapt, moet ze waarschijnlijk het huis uit!'

Patricia haalde haar schouders op. 'Dat is dan haar probleem. Beter kwijt dan rijk, die vuile plaatsinpikster.'

'Patricia, Nienke is niet verantwoordelijk voor de verdwijning van Joyce. Ze heeft er niks mee te maken. Dit is te erg, je gaat nu echt te ver,' zei Fabian. Hij wreef over zijn gezicht.

'Een lijn trekken, Fabian,' siste Patricia, 'we zijn toch vrienden?'

Nienke slikte toen ze de deur van de zolder opende. Een houten trap verdween in een donker gat. Verbeelde ze zich het, of bewoog er iets daarboven?

Nienkes knieën voelden alsof ze van was waren en haar hart bonkte in haar keel, maar ze wilde per se niets laten merken aan de rest. Beneden sloeg de klok. Een, twee, drie...

'Het is tijd,' fluisterde Patricia toen de twaalfde slag was weggestorven. Ze gaf Nienke een duwtje in haar rug. Nienke keek om naar de rest van de bewoners die met gespannen gezichten naar haar keken. Ze waren muisstil. Zelfs Appie zei niets van de spanning.

'Je hoeft dit niet te doen, Nienke,' zei Fabian. Hij glimlachte naar haar, maar Nienke draaide zich resoluut om en liep de trap op.

De deur sloot krakend achter haar rug.

Ze was alleen.

Plotseling hoorde ze een hoop gestommel aan de andere kant van de deur en Nienke duwde haar oor tegen het hout om het beter te kunnen horen.

'Victor! Snel!' hoorde ze door de deur heen.

Ze schrok en wilde net de deur weer opendoen toen ze het geluid hoorde van een sleutel die wordt omgedraaid in een slot. Ze sloten haar op! Ze durfde niet te roepen. Stel je voor dat Victor haar zou horen?

Haar hart bonkte als een razende in haar keel. *Rustig blijven*, dacht ze. Rustig. *Dit is gewoon een zolder. Het is donker, ja. Het is hier griezelig, ja. Maar het spookt hier niet.*

Ze voelde langs de ruwe wand. Spinrag haakte aan haar vingers en ze trok haar hand snel terug. Ze herinnerde zich het gelukspoppetje van haar oma dat aan haar sleutelbos zat en pakte het in haar hand. Daardoor voelde ze zich iets beter maar nu hoorde ze zware voetstappen op de gang. Victors voetstappen!

Ze keek omhoog de trap op, klaar om naar boven te rennen. Zag ze daar iets bewegen? Nienke deinsde achteruit toen een muis voor haar wegschoot. Ze wankelde op de tree en kon zich nog net staande houden, maar liet de sleutelbos uit haar handen vallen. Het klonk verschrikkelijk hard.

Ze hield haar adem in.

Ga weg, ga weg, dacht ze met heel haar hart.

De klink van de zolderdeur werd omgedraaid...

Ze verwachtte elk moment de stem van Victor: 'Je bent erbij, meisje!' Maar er gebeurde niets.

Na wat een eeuwigheid leek hoorde ze zijn voetstappen die wegstierven in de gang. Nienke bleef nog even staan om haar benen onder controle te krijgen en ging toen een paar treden hoger op de trap zitten.

Wat moest ze nu doen? De anderen hadden haar opgesloten en ze vroeg zich af of ze haar snel zouden bevrijden. Als ze al zouden willen, zouden ze dat niet kunnen nu Victor iets verdachts had gehoord. Ze zuchtte en wreef over haar armen, want het tochtte op de zolder. Haar ogen waren zo langzamerhand wel gewend aan het donker en er kwam een beetje licht door een klein raampje in het dak. Ze zag daar ook de oorzaak van de tocht: er was een flinke hap uit het raam en het dikke spinrag ervoor bewoog in de wind heen en weer, waardoor er grillige schaduwen over de muren dansten.

Nienke kneep haar ogen stijf dicht, zodat ze de schaduwen niet meer zag, maar dat maakte het alleen maar enger.

Plotseling hoorde ze een zacht gepiep naast zich en ze deed haar ogen weer open. Het muisje zat vlakbij haar en keek haar met intelligente kraaloogjes aan.

Nienke lachte. Had dit kleine beestje haar nou zo laten schrikken?

Ze stak haar hand uit. Het spitse neusje van de muis ging heen en weer. Hij had natuurlijk honger. Ze voelde in haar zakken, maar het enige wat eruit kwam, was het zilveren medaillon.

'Dat is een beetje hard om op te knagen,' zei ze en ze schrok van het geluid van haar eigen stem. Het muisje blijkbaar ook, want het rende weg en kwam niet meer tevoorschijn.

Nienke bekeek het medaillon in het weinige licht. Ze voelde met haar vingers dat er iets in de achterkant was gegraveerd. Ze hield het medaillon omhoog. Ze dacht een "s" te zien en aan het eind een "a" en een "h".

Meer kon ze niet ontcijferen, dus concentreerde ze zich op het slot van het sieraad. Na een beetje gepruts met haar nagels klikte het slot open. Ze zag een foto van een klein meisje met twee lange vlechtjes in ouderwetse kleding.

Wie was dat? Zou dat die oude vrouw zijn? Vroeger, toen ze hier nog in huis woonde?

Je mag hier met niemand over spreken, hoor je me, met niemand! Er zijn kapers op de kust!

Ze hoorde weer de stem van de oude vrouw in haar hoofd en rilde. Wat voor kapers? Levende? Dode? Nienke keek angstig de duisternis van de zolder in. Wat was daar allemaal?

Ze begon nu echt heel erg bang te worden. Hoe lang zat ze hier nu al? Een half uur? Een uur? Ze zouden haar nu toch al lang moeten hebben bevrijd? Waarom hadden ze de deur op slot gedaan? Dat had Patricia vast gedaan. Als het aan haar lag, zou ze Nienke de hele nacht op zolder laten zitten, dat wist ze zeker.

Het leek wel of het harder begon te waaien en Nienke trok aan de rits van haar vest. Ze begon het steeds kouder te krijgen en blies zachtjes in haar handen, maar dat hielp helemaal niet, dus daar hield ze al snel mee op. Ze zakte moedeloos met haar hoofd tegen een stoffige wand en sloot even haar ogen.

Nienke schrok op van een geluid vlak bij haar oor. Ze keek verwilderd om zich heen. Wat was dat? Ze zag niets naast zich, maar ze was er niet gerust op. Ze tuurde met haar ogen half samengeknepen verder de zolder in en kwam langzaam overeind. Het maanlicht dat door het kapotte raampje scheen, leek een stukje verschoven en ze had het nu echt ijskoud. Ze was waarschijnlijk heel even weggedoezeld.

Nienke liep zo zacht mogelijk de trap af en luisterde aan de deur. Niks. Voorzichtig pakte ze de klink vast en draaide, maar zoals ze al verwacht had, zat de deur nog steeds op slot. Zou ze gewoon roepen? Dan hoorde Victor haar maar, ze wilde ook niet de hele nacht op de zolder zitten. Misschien vroor ze wel dood! En wie zei dat ze haar niet de volgende dag ook lieten zitten?

Nienke hief haar hand om op de deur te bonzen, maar iets in haar hield haar tegen. Wat zouden de anderen van haar denken als ze zich zo makkelijk gewonnen zou geven? En Victor? Misschien stuurde hij haar wel het huis uit! Nienke dacht aan haar oma, hoe verdrietig en ongerust die zou zijn als Nienke ergens anders heen moest. Ze had al zoveel moeite gedaan om Nienke in Huis Anubis te krijgen. Nee, ze kon echt niet riskeren dat ze werd weggestuurd.

Plotseling kreeg ze een idee. Het sloeg nergens op, dat wist ze ook wel, maar ze wilde het toch proberen. Ze knielde bij het slot en trok een haarspeld uit haar haren. Het was er eentje van haar oma: een oude zilveren met een scherpe punt. Voorzichtig liet ze de speld met de punt in het slot glijden. Ze wrikte even totdat ze dacht dat ze de weerstand van het mechaniek voelde. Ondanks alles moest ze om zichzelf lachen. Ze zat opgesloten op zolder en probeerde de deur open te krijgen met een haarspeld! Dat soort dingen lukte alleen maar in films, toch? Ze wrikte nog een keertje. Gaf het mechaniek een beetje mee, of verdraaide ze gewoon de speld? Ze luisterde scherp, maar alles leek rustig aan de andere kant van de deur. Ze duwde het beeld van een woedende Victor die klaarstond achter de deur snel van haar netvlies en duwde iets harder. Ze hoorde een scherpe tik en trok de speld uit het slot. Haar hand trilde toen ze hem op de klink legde en hem voorzichtig naar beneden duwde. Verder, verder...

Met een zacht gekraak ging de deur open.

Bij het ontbijt was Nienke de heldin van het huis: ze was niet alleen de griezelige zolder op gegaan, maar had zichzelf vervolgens ook nog bevrijd met haar haarspeld. Vooral Appie kon er niet genoeg van krijgen. Hij bleef haar maar om meer details vragen over hoe eng het was op zolder, of ze dacht dat het er spookte en wat ze allemaal had gehoord en gezien, terwijl hij in een sneltreinvaart een stapel boterhammen met pindakaas naar binnen propte.

Amber en Fabian waren niet minder opgelucht. Ze hadden zich verschrikkelijk ongerust gemaakt over Nienke die op de zolder opgesloten zat. Omdat Appie de sleutel meteen terug had gehangen in het kantoor, konden ze Nienke niet bevrijden en ze hadden ze op het punt gestaan om dan maar alles op te biechten aan Victor. Nienke had zichzelf net op tijd bevrijd, want Amber en Fabian stonden al bij Victor in de hal, toen Nienke plotseling bovenaan de trap was verschenen. Fabian had toen snel een of andere smoes gemompeld over een kapot toilet en gelukkig had Victor hen zonder straf naar bed gestuurd.

Alleen Patricia zat chagrijnig achter haar lege bord.

'Ze heeft toch niks meegenomen? Dat was de opdracht, neem bewijs mee. Ze heeft gefaald,' bitste ze.

'Hou toch op,' zei Fabian ongeduldig.

'Ze heeft zich meer dan genoeg aan de opdracht gehouden. Ze

hoort er vanaf nu bij hoor, Patries,' voegde Amber toe.

'Kiezen jullie maar lekker haar partij!' schreeuwde Patricia. 'Laat Joyce maar vallen als een baksteen!' Ze gooide haar stoel naar achteren.

'Toe nou, zo bedoelen we het niet,' zei Amber, maar Patricia rende overstuur de kamer uit en ze weigerde de hele dag met iemand te praten.

Tijdens de natuurkundeles staarde ze strak voor zich uit en rolde neurotisch haar pen van de ene naar de andere hand. Zelfs de acht die ze terugkreeg voor haar natuurkundepracticum bracht geen glimlachje op haar gezicht. Zo af en toe keek ze nijdig naar Nienke, waardoor die haar overwinningsgevoel van die ochtend al snel kwijt was.

Van Swieten, de conrector en tevens natuurkundeleraar, praatte intussen rustig door. Hij was een lange, magere man met een kalende kruin die zijn zinnen doorspekte met Latijnse uitspraken, wat de lessen er niet eenvoudiger op maakte.

Nienke keek moedeloos in haar schrift waarin ze een onbegrijpelijke formule van het bord had overgeschreven.

'De *ampère* is in dit geval *de ontbrekende sleutel* van deze *formule*,' sprak Van Swieten plechtig en hij tikte op het bord.

Nienke werd bleek van schrik.

Haar sleutels! Ze had haar sleutelbos op zolder laten liggen! Als Victor haar sleutels zou vinden, was ze er gloeiend bij!

Ze keek ongerust naar Fabian maar die zat geboeid naar het bord te kijken terwijl hij op zijn pen kauwde.

Hij begreep die hele formule natuurlijk wel, dacht Nienke, en hij had geen bos met sleutels op een verboden zolder liggen. Nienke zuchtte en keek moedeloos naar de formule en toen weer naar het bord, maar ze kon zich nu al helemaal niet meer concentreren en ze zat zenuwachtig op haar stoel heen en weer te schuiven tot de bel ging.

'Je moet meteen naar huis,' zei Fabian stellig nadat Nienke hem in de pauze had verteld dat haar sleutels nog op zolder lagen. 'Als je opschiet, ben je gewoon op tijd voor geschiedenis.' Hij gaf Nienke een bemoedigend zetje richting de deuren. Even twijfelde ze, maar toen slingerde ze haar tas op haar rug en schoot de gang door, de deur uit. Ze graaide haar fiets uit het rek en reed als een bezetene naar Anubis. Als ze maar op tijd was! Als Victor de zolder op was gegaan en haar sleutels had gevonden, werd ze vast alsnog uit het huis weggestuurd.

Hijgend rende ze de hal van het huis binnen en keek voorzichtig om zich heen. Ze wilde koste wat het kost vermijden dat ze Victor tegen het lijf zou lopen, maar het kantoor was donker en ze hoorde ook verder in het huis geen enkel geluidje.

Ze sloop zo zachtjes mogelijk naar de zolderdeur en porde met haar haarspeld voorzichtig in het slot. Het ging nu nog sneller dan de avond daarvoor. Met een klik sprong de deur uit zijn slot en kon Nienke de deur opendoen. Ze zag haar sleutelbos vrijwel meteen, hij lag onderaan de trap. Opgelucht pakte Nienke het ding en liet de sleutels rammelend in haar zak glijden. Ze keek langs de trap omhoog en twijfelde.

Eigenlijk zou ze zo snel mogelijk terug moeten, maar ze zag Patricia's boze gezicht voor zich: 'Ze heeft toch niks meegenomen? Dat was de opdracht.'

Nienke hakte de knoop door en liep de trap op. Ze zou iets meenemen. Iets kleins. Misschien zou Patricia haar dan eindelijk wat meer accepteren.

Bovenaan de trap stond ze stil en keek rond. Het licht viel in stoffige banen op de vale houten vloer en alle spullen die er stonden: oude meubels die bedekt waren met witte doeken, een half kapot spinnewiel, een kapotte spiegel waar ze haar eigen bleke gezicht een aantal keer in gereflecteerd zag, een eindeloze hoeveelheid kapotte stoelen met springveren die mistroostig door de vergane zitting staken... Alles stond verstild van heimwee naar een eigenaar die niet meer zou komen.

Wat zou ze ervan meenemen? De pop zonder armen in de hoek? Een klein olieverfschilderijtje met een vergezicht van een oude stad?

Er bewoog iets in Nienkes ooghoek en ze schrok even, maar het was alleen maar het grijze muisje.

'Hé hallo, kleintje. Ben je er weer?'

Het muisje piepte, alsof het haar antwoord gaf. Nienke ging op haar knieën zitten en stak haar hand uit.

'Kom dan,' zei ze lokkend. De muis luisterde natuurlijk niet naar haar, maar verdween in een klein holletje in de muur en kwam een seconde later weer tevoorschijn uit een ander holletje ernaast.

Nieuwsgierig kroop Nienke dichterbij. De muis verdween weer in een van de twee holletjes. Nienke bracht haar gezicht vlakbij de vloer en probeerde in het holletje te kijken, maar het was er veel te donker en ze durfde er ook niet met haar vinger in te voelen. In plaats daarvan tikte ze tegen de muur. Het klonk dof, alsof er nog een loze ruimte achter zat.

Nienke voelde van opwinding het bloed naar haar gezicht stijgen. Ze haakte haar vingers achter een uitstekend richeltje en trok aan de wand.

Niets.

Ze duwde naar rechts. Niets…

Maar toen ze naar links duwde, gleed de houten wand met een zacht gekraak een stukje opzij!

Van schrik stopte Nienke meteen. Het was een geheime wand! Ze rook de stoffige lucht die vrijkwam, de wand was waarschijnlijk al jaren dicht geweest. Ze was aan de ene kant heel nieuwsgierig, maar aan de andere kant ook een beetje bang. Waarom zat er een geheime wand in het huis? Durfde ze er wel achter te kijken? Wat zat erachter?

Haar nieuwsgierigheid won het van haar angst en voorzichtig schoof Nienke de wand helemaal open. Het eerste wat ze zag in de ruimte achter de wand was een schilderij. Ze herkende het meisje meteen. De vlechten, de witte strikken in haar haren, het witte kanten kraagje...

Ze keek recht in het gezicht van het meisje in het medaillon.

Nienkes handen trilden toen ze het schilderij voorzichtig optilde. Ze blies het stof eraf. Ze wreef even over de lijnen van het lelieblanke gezicht. De olieverf voelde bobbelig aan onder haar handen. Er was geen twijfel mogelijk, dit was hetzelfde meisje. Ze keek in haar geschilderde blauwe ogen en hoorde de stem van de oude vrouw in haar hoofd.

In het huis ligt een schat... zolang die omhuld is door de zwarte nacht met zijn donkere sterren, zal hij nooit ontrafeld worden.

Nienke draaide het schilderij om. Het zat met kleine koperen spijkertjes vast in de lijst. Ze graaide in een houten bakje met oud schrijfgerei en vond een briefopener met een vreemd kruisvormig teken aan de bovenkant.

Ze voelde zich eigenlijk een beetje belachelijk toen ze met behulp van haar "gereedschap" voorzichtig een paar spijkertjes los wrikte en haar hand tussen het hout en het schilderij duwde. Ze ging voorzichtig met haar hand heen en weer, maar ze voelde niets.

Nienke zette het schilderij weer voorzichtig neer en lachte zachtjes. Wat dacht ze ook? Dat er iets in het schilderij verborgen zat?

Ze stak de briefopener in haar zak. Die kon ze mooi aan Patricia geven. Ze moest nu echt opschieten, anders kwam ze veel te laat op school.

Met een flinke ruk trok ze aan de wand, maar die botste hard tegen het schilderij dat begon te wankelen. Het viel met de voorkant naar beneden op de vloer. Een enorme stofwolk omhulde Nienke, die hoestte en het schilderij geschrokken weer rechtzette. Ongerust keek ze naar de verflaag, maar gelukkig leek er niets mee aan de hand.

Wat onvoorzichtig van me, dacht ze en trok – nu rustiger – de wand dicht.

Pas toen zag ze het vergeelde briefje dat voor het schilderij op de houten vloer lag.

3
DE TWEE RAADSELS

Nienke had één probleem: ze begreep helemaal niets van de tekens die op het briefje stonden. Op het dunne perkament stond een soort hoekige lijn met daaronder een vraagteken. Ze had het van achter naar voor en van onder tot boven en terug bekeken, maar ze kon er niet wijs uit worden. Tegen beter weten in haalde ze het maar weer uit haar tas om het tijdens de les te bestuderen. Ze hadden Nederlands. Mevrouw van Engelen, die meestal een engel was (maar dan wel in een stijve, hooggesloten blouse en zonder vleugels) was vandaag geïrriteerd, want de klas was rumoerig.

'Wat ik niet begrijp, is waarom je Mara precies zo'n armbandje hebt gegeven,' fluisterde Amber tegen Mick. Ze keek boos.

'Moet ik het nou nog een keer zeggen?' zei Mick gespannen. 'Gewoon als dank dat ze me heeft geholpen met mijn natuurkunde.'

'Zal wel!' bitste Amber. Ze keek met een schuin oog naar Mara, die vooraan zat, maar die scheen niets te horen.

'Amber en Mick, kunnen jullie je echtelijke ruzies buiten mijn les uitvechten?' Mevrouw van Engelen ging gefrustreerd door haar blonde haar dat met twee bruine speldjes bij elkaar gehouden werd.

Appie stootte Jeroen aan. 'Zie je dat?' fluisterde hij blij. 'Ruzie bij het perfecte stel. Moet jij raden wie Amber gaat troosten als het uit is.' Hij zakte tevreden onderuit in zijn stoel.

'Vergeet het maar, *lady's man*,' zei Jeroen minzaam en sloeg Appie op zijn rug. Zijn knappe gezicht kreeg een wrede trek. 'Jij kunt tot Sint Juttemis wachten op ons verwende prinsesje Amber.'

'Appie en Jeroen!' Mevrouw van Engelen begon haar geduld te verliezen. 'Misschien zijn jullie ook zo spraakzaam bij Van Swieten op kantoor? En dit heb je niet nodig tijdens mijn les!' Mevrouw van Engelen trok het briefje uit Nienkes hand.

'Maar...!' Nienke keek ongelovig naar mevrouw Van Engelen.

'Niks te maren. Jullie moeten opletten! Literatuuronderzoek is een belangrijk onderdeel van het examen.'

Mevrouw van Engelen ging zitten en legde het briefje op haar bureau. Nienke keek er ongelukkig naar. Ze begreep er al niks van, en nu was ze het papiertje ook nog kwijt! Meteen hoorde ze de stem van de vrouw weer in haar hoofd. *Je mag hier met niemand over spreken, hoor je me, met niemand! Er zijn kapers op de kust!*

Nienke zakte met haar hoofd in haar handen. Hoe kreeg ze het nou weer terug? Straks gooide mevrouw van Engelen het weg, of zag zij wel wat het betekende en ging ze naar Victor! En dan kwam hij er misschien achter waar de schat was – als er een schat was. Nienke keek naar de bewegende mond van Van Engelen maar hoorde niet wat ze zei. De vrouw had nog zo gezegd dat ze moest uitkijken! Nienke zuchtte.

Patricia stak haar hand op.

'Wat is er, Patricia?' vroeg Van Engelen, nu weer vriendelijk, maar haar glimlach verdween meteen toen Patricia van wal stak.

'Misschien kunt u dan wat spraakzamer zijn over Joyce?' zei Patricia boos. 'Waarom staat ze niet meer op de klassenfoto's? Waarom weet niemand waar ze is? Waarom doet iedereen net of ze nooit bestaan heeft?'

Mevrouw van Engelen trok zenuwachtig aan haar rok en deed net haar mond open om wat te zeggen toen de bel ging. Maar als Van Engelen gedacht had dat ze van Patricia af was, dan had ze het mis. Die beende boos naar het bureau en begon een tirade over de verdwijning van Joyce. Van Engelen probeerde haar tot kalmte te manen, maar dat maakte Patricia alleen maar bozer en ze begon steeds harder te schreeuwen. Nienke wilde het briefje eigenlijk terug vragen, maar met Patricia zo dicht in de buurt wilde ze geen aandacht trekken, dus ze droop af naar de gang en liep naar de frisdrankautomaat die vlak bij het lokaal stond. Zo kon ze goed in de gaten houden wanneer Patricia en van Engelen het lokaal uitkwamen en eventueel het briefje terugpakken. Ze deed net of ze een euro in de automaat gooide toen iemand aan haar mouw trok.

'Hier, dit is voor jou.' Fabian drukte het briefje in haar hand.

Nienke keek er even verbaasd naar. 'Heb je – heb je het zomaar teruggepakt?'

'Natuurlijk. Van Engelen vergeet dat vast weer.' Fabian wuifde met zijn armen. 'Je zag er zo ongelukkig uit toen ze het van je afpakte. Ik dacht... het is vast heel belangrijk...'

Nienke knikte. 'Heel belangrijk.' Ze stopte het papiertje in haar agenda en duwde die vervolgens diep in haar tas. 'Dank je wel.'

'Het was niks.' Fabian keek verlegen. 'Is het... euh... van je vriendje of zo?'

Nienke keek zo verbaasd dat Fabian begon te lachen. 'Blijkbaar niet dus.'

'Nee, nee, ik heb helemaal geen vriendje,' lachte Nienke verlegen.

'Maar je hebt het dus niet gelezen?'

'Natuurlijk heb ik het niet gelezen!' zei Fabian verontwaardigd. 'Dat zijn mijn zaken toch niet? Ik wilde het je alleen maar teruggeven.'

Nienke was verrast. Fabian was dus best te vertrouwen. Ze twijfelde even om hem de tekens te laten zien, maar besloot toen dat het beter was om eerst terug te gaan naar de vrouw. Misschien kon zij haar wel verder helpen.

'Waar ben jij met je gedachten?' Fabian zwaaide met zijn hand voor haar gezicht. 'Ik vroeg je wat.'

'Oh... sorry, wat dan?'

'Ik vroeg me af of je... nou ja... die geschiedenisopdracht van Jason... weet je wel, over Egypte?'

'Ja?' Nienke begreep niet waar Fabian naartoe wilde.

'Nou, het leek me leuk als... natuurlijk alleen als jij het ook leuk vindt.' Fabian keek verlegen.

Op dat moment werd Mara door Patricia aan haar arm meegetrokken door de gang.

'Kijk dan!' gilde Patricia tegen Mara, die keek alsof ze wel een paar goede oorbeschermers kon gebruiken.

'Hier... hier... en hier... Joyce stond hier, naast mij! Nu staat ze er niet meer. Zie je wel?' Ze trok Mara weer verder aan haar arm. 'En hier is er nog een...'

Fabian keek naar Nienke, die een beetje moeilijk naar Patricia keek. 'Ik weet het – ze is een druktemaker, maar ze is echt wel lief, hoor.'

Nienke knikte een beetje weifelend.

'Ze draait vast wel weer bij.' Fabian lachte een beetje verontschuldigend.

Nienke had er zo haar eigen idee over als ze Patricia woest door de gang zag stampen. 'Maar eh... wat wilde je me nou vragen?' veranderde ze van onderwerp.

'Oh ja, dat... wil je met mij... eh... die opdracht voor geschiedenis doen?' Fabian was ineens heel erg geïnteresseerd in een badge op zijn tas.

'Dat lijkt me super,' zei Nienke en de flap van haar tas was opeens ook heel interessant.

Na het avondeten zat Nienke gefrustreerd op haar bed. Ze luisterde maar half naar Amber die hele verhalen hield over Mick en Mara en waarom hij volgens haar vreemdging, of bijna vreemdging. Of wat dan ook.

'Maar ik heb al een heel goed plannetje om hem terug te winnen,' zei Amber sluw terwijl ze grote klodders groene prut op haar neus en wangen smeerde.

Nienke knikte zo af en toe of zei op goed geluk ja of nee. Ze baalde. Ze was na school naar het bejaardentehuis gegaan, maar de oude vrouw was zo verward geweest, dat ze niet eens door had gehad dat Nienke bij haar in de kamer stond. Zelfs toen Nienke haar het briefje voor haar neus had gehouden, had ze niet gereageerd en uiteindelijk was ze zelfs weggestuurd door een verpleegster die haar had verteld dat "mevrouw veel te verward was om gestoord te worden".

Nienke zuchtte en liet zich op haar rug vallen. Zo kwam ze geen steek verder.

Er werd geklopt.

'Jij moet opendoen!' siste Amber. 'Straks is het Mick en ik zie er niet uit.'

Nienke kwam zuchtend van haar bed af en deed de deur open. Fabian stond op de gang.

'Wie is het, wie is het?' fluisterde Amber in de kamer.

'Het is Fabian,' zei Nienke, en ze deed de deur verder voor hem open.

'Hoi Amber.' Fabians gezicht vertrok, alsof hij moeite had zijn lachen in te houden bij de aanblik van de groene smurrie op haar gezicht.

'Hoi,' zei Amber somber en plofte op bed. Ze trok voorzichtig een roze satijnen oogmasker over haar ogen – de enige plek waar ze niet op een of ander wezen uit het moeras leek – en ging liggen. 'Trek je van mij vooral niks aan.'

Fabian rolde met zijn ogen naar Nienke, die een hand voor haar mond hield. 'Heb je zin en tijd om nu nog even een uurtje aan de opdracht te zitten?' vroeg hij.

Nienke knikte. Ze pakte haar schooltas op en liep achter Fabian aan naar de woonkamer. Er was verder helemaal niemand en ze ploften samen op een van de oude lederen banken. Nienke keek de kamer rond. Het was nu eigenlijk best gezellig met de haard die een gouden gloed door de kamer verspreidde.

Maar misschien kwam het ook wel doordat ze zich wat minder alleen voelde, dacht Nienke, terwijl ze haar agenda uit haar tas trok. Ze keek naar Fabian, die met zijn warrige haar en serieuze gezicht een aantal dikke boeken over Egypte naast zich legde.

Nienke nam een besluit: alleen kwam ze geen steek verder, dus zou ze Fabian vragen of hij wist wat de tekens betekenden. Hij had toch laten zien dat hij te vertrouwen was door het briefje terug te geven zonder het te lezen?

Ze schraapte haar keel.

'Euh... Fabian?'

Fabian, die al met zijn neus in een dik boek zat, keek op. Ze overhandigde hem het briefje.

'Ik euh... weet niet wat dit betekent. Weet jij het misschien?'

Fabian keek naar het briefje. 'Hoe kom je hieraan?'

'Oh, dat heb ik euh uit een boek. Ja, een boek met raadsels.' Nienke lachte verontschuldigend. 'Het is nogal kinderachtig.'

Fabian keek haar even onderzoekend aan. Nienke voelde haar wangen rood worden.

'Grappig. Volgens mij zijn het Egyptische tekens.'

'Echt?' Nienke keek reikhalzend. 'Weet je wat het betekent?'

'Nog niet,' zei Fabian. 'Maar ik kan het makkelijk opzoeken.'

Hij viste een boek met op de omslag *Egyptische hiërogliefen en symbolen* uit de stapel en sloeg het open.

'Laat nog eens kijken?' Hij bestudeerde een lijst vol onbegrijpelijke tekens.

'Even kijken... dit lijkt er wel wat op...' Hij mompelde iets onverstaanbaars.

Nienke keek naar Fabian. Hij was duidelijk in zijn element. Het was waarschijnlijk zo'n jongen die als hobby sudoku's oploste (het hoogste niveau natuurlijk) en voor de lol zoveel mogelijk Triviant-vragen uit zijn hoofd leerde, dacht ze.

'Dit is een cijfer... een drie... oh nee, een rangtelwoord, dus dat is dan derde... ja, dat moet het zijn.'

Nienke beet op haar nagels en twijfelde. Moest ze Fabian alles vertellen? Van de vrouw? Van de schat?

'De krakende derde traptrede.' Fabian keek op.

'Wat?'

'Dat betekent het,' zei hij en hij gaf Nienke het briefje weer terug. 'Zal ik het voor je opschrijven?'

'Nee, ik onthoud het wel,' zei Nienke, een beetje verward. Ze stopte het briefje weer in haar agenda. 'Het is ook niet zo heel belangrijk... gewoon een raadseltje. Maar in ieder geval bedankt.'

'Graag gedaan hoor,' zei Fabian terwijl hij zijn wenkbrauwen optrok. 'Zullen we nu maar aan het werk gaan?'

Nienke knikte afwezig. De krakende derde traptrede. Dat betekende het raadsel. Er moest dus iets zijn met de trap. Maar ze kon moeilijk nu opstaan, in de hal naar de trap lopen en daar vervolgens aan gaan trekken. Dat zou veel te veel opvallen. Fabian had al zo ongelovig gekeken toen ze zei dat het gewoon een raadseltje was.

Nienke staarde nietsziend in haar boek naar een plaatje van een of andere Egyptische god met het hoofd van een ibis.

De krakende derde traptrede, gonsde het door haar hoofd. Toen nam ze een besluit.

Het waaide hard toen Nienke een paar uur later zachtjes haar bed uitgleed. Het huis piepte en kermde en er was niets meer over van de gezellige sfeer van een paar uur geleden. Nienke twijfelde en keek verlangend naar haar warme bed. Zou ze wel gaan? Ze keek even naar Amber die met haar roze maskertje op lag te slapen – eindelijk. Nienke had meer dan een uur gewacht om er zeker van te zijn dat Amber sliep, omdat ze de hele tijd giechelde. Maar uiteindelijk was Nienke tot de conclusie gekomen dat Amber gewoon in haar slaap giechelde.

Ze pakte zo stil mogelijk haar kamerjas, deed de deur open en glipte naar buiten. De gang was koud en donker. Op de tast liep ze zachtjes naar de trap. Een kille tocht blies langs haar blote voeten.

Bij het kantoor kreeg ze bijna een hartverzakking omdat ze dacht dat Victor om het hoekje stond, maar toen ze beter keek zag ze dat het donkere silhouet het oude harnas was dat onbeweeglijk naast de deur in het gelid stond. Het kantoor was donker.

Nienke vroeg zich af waar Victor dan was. Ze hoopte maar dat hij in de kelder zou zitten. Daar bracht hij blijkbaar nogal veel tijd door, al wist niemand wat hij daar precies deed, omdat de kelder net als de zolder streng verboden toegang was. Ze rilde. Iemand met zo'n nare hobby als dieren opzetten, zat vast niet in een vochtige kelder te borduren.

Ze sloop verder.

De derde krakende traptrede...
Maar welke? De derde van boven of van onder? Ze sloop de trap af en besloot de proef op de som te nemen.

Een... twee... drie... Op de derde stond ze stil.

Niks. Geen kraakje.

Ze wiebelde even heen en weer, maar het hout maakte geen enkel geluid.

Vier... vijf... zes...

De zevende kraakte. De achtste niet, de tiende weer wel. Ze stond beneden en telde.

De tiende van boven was de derde van onder en die kraakte!

Nienkes hart begon sneller te kloppen. Voorzichtig trok ze aan de trap. Hij gaf een beetje mee, maar bleef ergens aan hangen.

Had ze nu de briefopener nog maar, dacht ze gefrustreerd, maar die had ze aan Patricia gegeven.

Ze hield haar adem in en gaf een ferme ruk aan het hout. Er klonk een kermend geluid, alsof een dikke dame in een antieke houten stoel ging zitten, en langzaam gaf de trede mee.

Nienke wurmde voorzichtig haar hand tussen de houten planken in de holle ruimte eronder. Haar vingers stootten tegen iets dat als papier aanvoelde en ze trok een envelop uit de holte die ze snel in de zak van haar kamerjas stopte. Vlug duwde ze de trede weer dicht en kwam overeind.

'Wat moet dat daar?'

Nienke schrok zich dood. Bovenaan de trap stond een onbeweeglijke zwarte schaduw.

Het was Victor.

'Ik moest naar de wc,' stamelde Nienke. Ze duwde haar hand stijf op de zak met de envelop.

Victor! Hoe lang stond hij daar al? Had hij gezien wat ze aan het doen was?

'De wc? Die is daar!' Victor wees de meidengang in.

'Oh ja.' Nienke sprak snel. 'Ik raak de weg soms nog kwijt hier. Vooral 's nachts, het is zo'n groot huis.'

'Spaar me je beroerde excuses. Ik houd er niet van als kinderen 's nachts door het huis sluipen. Naar bed jij!' Victor volgde Nienke waakzaam met zijn ene oog toen ze langs hem de trap op en de gang in liep.

'Ik houd je in de gaten!' schreeuwde hij haar na voordat hij zijn kantoor binnenliep en de deur achter zich dichtsmeet.

In bed, met de dekens veilig over zich heen, voelde ze pas hoe zenuwachtig ze was en tegelijkertijd was ze veel te opgewonden om te kunnen slapen. Ze durfde niet naar de envelop te kijken. Straks zou Victor zich bedenken en nog een kijkje komen nemen. Daarom lag de envelop nu veilig naast haar dagboek onder haar matras.

Het was gelukt!

Dankzij Fabian, hij had gelijk gehad, het was de derde krakende traptrede!

Nienke kon haar nieuwsgierigheid bijna niet bedwingen. Wat zou er in de envelop zitten? Vast een nieuwe aanwijzing. Ze popelde om te kijken.

Morgen, morgen zou ze meteen kijken als ze wakker was, dacht ze toen haar ogen langzaam dichtvielen.

Nienke had gelijk. In de envelop zat een nieuw raadsel.

Op het oude papier stonden twee tekens in donkerbruine inkt: iets wat leek op een gezichtje en een rechthoek met een opening aan de onderkant.

Maar dat was niet alles, er was ook een klein zilveren sleuteltje uit de envelop komen vallen.

Nienke had geen idee waar dit sleuteltje voor diende en bewaarde het nu in het medaillon. Ze durfde Fabian niet meer om hulp te vragen. Ze had op het punt gestaan toen ze weer samen aan hun Egyptische opdracht hadden gewerkt maar er op het laatste moment van afgezien. De vorige keer had ze al het idee gehad dat hij haar verhaal niet geloofde, dus ze dacht dat hij vast meer uitleg zou eisen als ze nog een keer een papiertje met tekens aan hem zou laten zien. Ze wilde nu niet met een vreemd verhaal aan komen van een verwarde vrouw die haar had toevertrouwd dat het huis waarschijnlijk een geheim had. Om maar helemaal niet te spreken van het verhaal dat er waarschijnlijk ergens een schat verborgen lag. Het klonk zo ongeloofwaardig dat hij haar waarschijnlijk volledig zou uitlachen om vervolgens aan de anderen te vertellen dat ze een kinderachtige fantast was.

Als ze iets *niet* wilde, was het dat wel, want na de ontgroening was haar relatie met de meeste bewoners een stuk beter geworden. Oké, Amber gebruikte haar nog steeds veelvuldig als praatpaal voor haar vermeende problemen met Mick, die alleen maar erger waren geworden sinds Amber Appie tijdens een dramales had gekust. Volgens Amber was dit *de* tactiek om Mick terug te winnen maar het had tot nu toe alleen maar tot een bijna-gevecht tussen Mick en Appie geleid.

Toch begon Nienke Amber steeds meer te mogen. Het was waar dat ze heel verwend was maar ze kwam ook met de gekste ideeën op de proppen en was altijd in voor een feestje.

Vooral in de weekends was het feest in Huize Anubis. Het begon al op zaterdagochtend met een koninklijk ontbijt waar Trudie kosten nog moeite voor spaarde. Croissantjes, scones, verse jus, broodbeleg van a tot z... en 's avonds organiseerden de bewoners meestal een soort themafeestje. Deze zaterdag stond er een Egyptisch verrassingsfeest voor Micks verjaardag gepland en Amber was al een paar dagen in de weer met kartonnen piramides, palmbomen en natuurlijk haar perfecte Cleopatra-outfit.

De enige die echt onaardig tegen haar bleef, was Patricia. Sinds ze van Amber had gehoord dat Joyce Patricia's beste vriendin was, begreep ze wel iets beter waarom Patricia zo boos en verdrietig was. Het *was* ook vreemd dat Joyce van de ene op de andere dag niet meer in huis woonde en Nienke had zelfs Trudie een paar dagen geleden aan Victor horen vragen waar Joyce nou eigenlijk uithing. Victor had toen tegen Trudie gezegd dat ze zich met haar eigen zaken moest bemoeien. Het klonk heel erg dreigend en Trudie was daarna aangeslagen afgedropen.

Alleen Jeroen en Appie leek het helemaal niets te doen. Ze pestten Patricia om de haverklap met verhalen over Joyce die vast ontvoerd was en nu vastgeketend zat in een kelder terwijl de ratten aan haar tenen knabbelden, waardoor Patricia's toch al niet zo lange lontje nog korter werd. Sinds Joyce was verdwenen, had ze het al herhaaldelijk aan de stok gehad met meneer van Swieten, omdat ze dacht dat Joyce van alle schoolfoto's was verdwenen – wat Van Swieten bij hoog en laag had ontkend. Vervolgens had ze geëist dat ze het dossier van Joyce mocht inkijken, dat weigerde Van Swieten ook, tot grote woede van Patricia.

Ja, Nienke vond Patricia niet echt aardig, maar ze begreep haar ongerustheid wel.

Op donderdag zat klas 4L met zijn allen te luisteren naar Jason Winker. Hij was naast "het lekkere ding" – zoals de meeste meisjes hem in de wandelgangen noemden – ook een fantastische verhalenverteller. Deze les had hij in het kader van het thema "Egypte" besloten om de dia's van zijn reis naar Egypte die hij in het voorjaar had gemaakt te laten zien. De klas was ongewoon braaf terwijl hij vertelde over de eeuwenoude beschaving.

'Kijk, dit is Nefertiti,' zei Jason. Hij klikte door naar een beeld van een vrouw met een blauwe Egyptische hoofdtooi. 'Ze wordt nog steeds gezien als hèt schoonheidsideaal.'

'Ook met dat afgebrokkelde oor?' grapte Appie.

De klas lachte en Jason lachte mee. 'Zo zie je maar, Appie, zelfs de schoonheid van Nefertiti is vergankelijk.'

Jason klikte weer door.

'En dit is Nefertiti met de farao Echnaton terwijl ze het volk groeten.' Hij liep naar het scherm en wees op de achtergrond. 'Let vooral ook op de details. Kijk met hoeveel liefde deze kunstenaar de hiërogliefen heeft weergegeven.'

Nienke schrok ineens op.

'Wat betekent dat gezichtje in de linker bovenhoek?' vroeg ze scherp.

Jason speurde de dia af en wees. 'Dit hier?'

Nienke knikte.

'Dat betekent een lachend gezichtje, Nienke,' was Appies droge commentaar. De klas lachte weer.

'Scherp van je, Appie, maar veel hiërogliefen hebben een dubbele betekenis.' Jason dacht even na. 'Dit betekent inderdaad "gezicht", maar het kan ook "boven" of "op" betekenen,' zei Jason.

Nienkes vinger schoot weer omhoog. 'En wat betekent dat rechthoekje? Met die opening aan de onderkant?'

'Een rechthoek met een opening – geintje, geintje,' zei Appie snel, toen Jason hem waarschuwend aankeek.

'Dit? Dat is de vereenvoudigde vorm van een huis,' zei Jason serieus.

De tekens kwamen overeen met de tekens op het papiertje uit de envelop! Nienke dacht na: ze had "op" of "boven" en een huis. Op het huis? Boven het huis?

'De zolder!' zei ze ineens. Ze glimlachte van oor tot oor.

'Wat zei je, Nienke?' vroeg Jason. Nienke besefte dat ze hardop gepraat had.

'Niks, ik zei niks,' zei ze snel.

'Goed, dan gaan we weer door.' Jason knipte verder, maar Nienke kon niet meer opletten. Ze wist het heel zeker, de tweede aanwijzing stuurde haar terug naar de zolder!

Na school stond Nienke met haar fiets in de aanslag op de buitenplaats toen Fabian ineens voor haar neus stond.

'Waar ga je heen?' vroeg hij. Zijn haar was vochtig van de motregen die zachtjes uit de grijze lucht naar beneden kwam.

'Ik euh...' Nienke viel stil. Ze was even bang dat hij zou beginnen over haar plotselinge interesse in Egyptische hiërogliefen of het feit dat ze ineens "de zolder" had gezegd.

'Ik zal maar eerlijk tegen je zijn,' zei Fabian en hij keek Nienke serieus aan. Ze voelde haar wangen branden. 'Patricia denkt nog steeds dat je iets te maken hebt met de verdwijning van Joyce. Ze heeft je een paar keer zien wegfietsen en niemand weet waar je heengaat.' Hij woelde even door zijn vochtige haar.

'Ik vind het persoonlijk natuurlijk een belachelijk idee dat jij er iets mee te maken hebt, maar het kan geen kwaad om het zeker te weten, toch?' Fabian lachte verontschuldigend.

Nienke barstte in lachen uit en het warme gevoel in haar wangen verdween. 'Patricia denkt dat ik naar Joyce ga? Ik ken Joyce niet eens.'

'Dat probeer ik haar ook steeds te zeggen maar ze luistert niet naar mij.' Fabian legde zijn hand op het stuur van Nienkes fiets. 'Maar eh?'

'Waar ga ik dan heen? Naar mijn oma. Ze zit hier vlakbij in een bejaardentehuis,' lachte Nienke en ze keek Fabian recht aan. 'Of wil je mee, om het zeker te weten?' grapte ze.

'Waarom niet?' zei Fabian tot Nienkes verbazing. 'Even mijn fiets pakken.'

Nienkes oma was verguld toen ze Fabian zag. 'Ze heeft nog nooit een jongen meegenomen,' vertrouwde ze Fabian toe terwijl ze in zijn hand kneep. Fabian bloosde zo hard dat hij eruitzag als een overrijpe tomaat.

'U woont hier leuk hoor,' zei hij, om zich een houding te geven.

'Ach, jongen, je weet niet waar je het over hebt.' De oma van Nienke zuchtte. 'Dat is de arrogantie van de jeugd. Zo was ik ook, heel lang geleden. Dan denk je niet aan deze dagen en dat moet ook niet. Maar ik kan je verzekeren dat het vreemd is om volledig aangewezen te zijn op de grillen en grollen van die mannen en vrouwen.' Ze wees naar een van de verpleegkundigen. 'Iemand nog thee?'

Nienke schudde haar hoofd.

Ze zat op hete kolen. Na het teleurstellende bezoek van de vorige keer wilde ze eigenlijk nog even bij de oude vrouw langs.

'Nee, dank je, ik moet er vreselijk van plassen,' zei Nienke en ze sprong bruusk op. Fabian keek haar bevreemd na toen ze zich snel uit de voeten maakte maar toverde toen weer een glimlach op zijn gezicht.

'Graag, oma,' zei hij en hield zijn kopje nog eens op, terwijl Nienke snel door de gang naar de kamer van de oude vrouw liep. De deur stond open en ze glipte voorzichtig naar binnen. Nienke had geluk: de oude vrouw lag wel in bed maar was wakker en aanspreekbaar.

'Ik ken jou,' zei ze met een broze stem. Ze leek nog doorschijnender en magerder dan de vorige keren dat Nienke haar had gezien.

'Ik ben van het Huis Anubis,' zei Nienke. Ze nam het medaillon van haar hals en duwde het voorzichtig in de benige hand van de oude vrouw, die een zachte gloed in haar ogen kreeg.

'Het huis, het huis...' zei ze zachtjes. 'Ik ben opgegroeid in dat huis...' Ze streelde het medaillon en een traan liep langs haar wang. Toen keek ze naar Nienke en strekte haar hand naar haar uit. Nienke pakte hem vast. De huid voelde als oud papier.

'Lief meisje, zoek de schat... maar pas op voor de kapers op de kust...' zei ze met een iele stem.

'Moet ik naar de zolder?' Nienke probeerde zo goed mogelijk contact te maken met de vrouw, maar die sloot haar ogen.

'Ja, de zolder... zoek op de zolder...'

'Wat doe jij hier?' Een breedgebouwde verpleegster stond in de deuropening.

Nienke sprong op en stopte het medaillon in haar zak. De verpleegster pakte haar ruw bij haar schouders. 'Je mag hier helemaal niet komen, zie je niet dat mevrouw ziek is en moet aansterken?'

En voor Nienke iets terug kon zeggen, stond ze weer op de gang.

Ze sloot haar ogen. Oké, ze moest dus naar de zolder, daar had ze gelijk in. Maar veel wijzer was ze ook niet geworden.

Toen Nienke haar ogen opendeed, kon ze nog net een gil onderdrukken.

Fabian stond voor haar. Hij keek nog serieuzer dan bij de fietsen.

'Wat was, dat, Nienke? Wie was die oude vrouw? Waarom zei ze dat je op zolder moest zoeken?' vroeg hij snel.

'Waar heb je het over?' zei Nienke onschuldig. 'Die oude vrouw riep me en ik dacht dat ze misschien hulp nodig had.' Nienke durfde Fabian niet aan te kijken. 'Dat is alles... Ga je mee terug?'

'Weet je het zeker?' zei Fabian. Hij bleef even stil en keek Nienke onderzoekend aan. 'Je weet toch dat je me kunt vertrouwen?'

'Natuurlijk,' zei Nienke en liep weg. Het medaillon met de sleutel brandde in haar zak.

4
EEN GEDEELD GEHEIM

Nienke zocht een geschikt moment om weer stiekem naar de verboden zolder te gaan maar dat lukte steeds niet omdat het hele huis de volgende dagen in rep en roer was. Dat kwam doordat Appie een rookbom in de keuken had afgestoken waar Mara en Amber stonden te koken. Jeroen had hem wijsgemaakt dat Amber ab-so-luut zeker voor Appie zou vallen als hij haar zou redden uit een levensbedreigende situatie.

Maar het was helemaal misgegaan.

Appie had door de dikke witte rook niet gezien wie hij nou precies redde en haalde daarom als een mislukte superheld per ongeluk Mara uit de keuken. Vervolgens had Mick als de *echte* held Amber uit de keuken gehaald en haar mond op mond beademing gegeven, omdat ze al bijna bewusteloos was geweest van de rook.

Nu lag Amber al de hele dag met hoofdpijn in bed, terwijl die avond het verrassingsfeestje van Mick zou zijn.

'Nou is Mick jarig, en dan kan ik niet eens het feestje voor hem organiseren,' zei Amber gefrustreerd terwijl ze lamlendig op haar kussen sloeg. 'En het was net weer een beetje goed met Mick en mij.'

'Maar Mara neemt het nu toch van je over?' zei Nienke. Ze was er niet helemaal met haar gedachten bij. Ze hoopte dat ze tijdens het feestje ongemerkt naar de zolder kon gaan. Ze wilde niet nog een dag wachten, want ze kon zichzelf bijna niet inhouden van nieuwsgierigheid, ze wilde zo graag weten waar dat sleuteltje nou precies voor was.

'Ja, dat is ook wel lief,' zei Amber, maar ze keek helemaal niet blij. 'Maar *ik* wil het doen!' Amber wond zich zo op dat ze een hoestaanval kreeg. 'Ik-ben-zijn-vriendinnetje-Mara-niet,' zei ze met horten en stoten. Nienke klopte haar zachtjes op haar rug.

'Misschien voel jij je vanavond wel beter,' opperde Nienke. Amber, die weer een beetje op adem was gekomen, keek haar hoopvol aan. 'Ik hoop het...'

Maar Amber voelde zich die avond helemaal niet beter. Nienke moest haar balend in bed achterlaten en liep naar beneden. Ze was van plan om eventjes haar gezicht op het feestje te laten zien, om dan op een goed moment de zolder op te glippen. Ze kwam niet verder dan halverwege de trap. Uit de woonkamer klonk hard 'Surprise!' Nienke draaide zich om en liep de trap weer op, dit was waarschijnlijk het beste moment van de hele avond. Iedereen was nu toch bezig met het feliciteren van Mick en de taart en zo.

Zenuwachtig liep ze op haar tenen de gang door en vroeg zich af waar Victor was. Hij leek haar nou niet echt een party animal maar hij zou vast wel een oogje in het zeil willen houden. Ze spitste haar oren. Ze hoorde Amber hard hoesten in de slaapkamer maar verder was het helemaal stil op de meidenverdieping. Plotseling zag ze de deur van de badkamer op een kier staan. Het licht was uit maar dat was natuurlijk een ideale plek om haar te bespieden. Langzaam liep ze richting de geopende deur. Haar hand gleed over de koele tegels op zoek naar het licht...

Niemand. De badkamer was helemaal leeg.

Nienke giechelde van de zenuwen en deed snel het licht weer uit. Bij de zolderdeur haalde ze haar haarspeld uit haar haren en ging door de knieën. Ze hoorde flarden van muziek, het feestje was nu echt begonnen.

Pas toen ze de zolderdeur veilig achter zich had dichtgedaan, durfde Nienke haar zaklamp aan te klikken. De lichtstraal scheen op de stoffige wanden. Het bleef eng om hier te zijn. Snel liep ze naar boven en schoof voorzichtig de geheime wand opzij. Het kraakte gelukkig maar een heel klein beetje. Ze scheen met haar zaklamp in de kleine ruimte, er moest hier iets zijn waar het sleuteltje op paste. Ze deed een stap naar voren.

'Auw!' Nienke greep naar haar teen. Een groot apparaat stond half bedekt door een laken aan haar voeten. Ze had haar teen gestoten aan een ijzeren hendel die uit het apparaat stak. Ze ging door haar knieën en probeerde het gevaarte opzij te duwen maar het was veel te zwaar.

Dan maar op een andere manier, dacht ze en scheen over het apparaat heen. Daarachter, onder de spinnenwebben, stond een oud bruin kistje met een slot.

Het koste haar heel veel moeite om in het donker het kistje over het apparaat te tillen. Met trillende vingers veegde Nienke de spinnenwebben weg en haalde het sleuteltje uit het medaillon en stak het in het slot. Het paste.

Hoewel het slot al jaren niet gebruikt moest zijn, ging het vrij soepel open. Ze opende langzaam het donkerbruine deksel en scheen in het kistje.

Wat ze zag, begreep ze niet. In het kistje lagen een aantal kokers. Voorzichtig pakte ze er eentje op. Om de koker zat half vergaan papier met daarop het woord "Edison". Nienke groef in haar geheugen. Was dat niet de uitvinder van iets technisch of elektrisch?

De koker was afgesloten met een dekseltje. Voorzichtig trok Nienke eraan en hield daarna de koker ondersteboven. In haar hand gleed een zwarte glimmende rol.

Wat was dit? Ze kon er niet wijs uit worden. Het leek wel een beetje op een ouderwets fotorolletje, maar dan een stuk groter. De rol voelde een beetje zeepachtig aan. Ze bracht de rol naar haar neus, maar hij rook niet naar zeep, eerder naar kaarsvet. Hij leek haar heel erg kwetsbaar, dus ze stopte de rol weer voorzichtig in de koker en duwde het dekseltje op zijn plaats. Daarna legde ze de koker weer bij de rest in het kistje en sloot het kistje af. Ze kwam er later wel achter wat dit voor rare dingen waren, eerst moest ze van de zolder af. Ze zou het kistje meenemen en er op een later tijdstip nog eens rustig naar kijken.

Gelukkig was het kistje niet heel erg zwaar en kon ze het vrij gemakkelijk de trap afkrijgen. In de gang keek ze onder haar deur door, maar er was geen licht aan in de kamer. Zou Amber toch naar het feestje zijn gegaan?

Ze zette het kistje naast de deur in de gang en deed de deur voorzichtig open. De kamer was donker en stil.

'Amber?'

Toen er geen antwoord kwam, tilde Nienke heel stilletjes het kistje de kamer in en zette het op haar bed. Daarna sloot de deur. Ze knipte haar bedlampje aan. Ze kon haar nieuwsgierigheid niet bedwingen, haalde het sleuteltje uit het medaillon en draaide voorzichtig het slot open.

Ze tilde net een koker uit het kistje, toen de deur met een klap openvloog. Nienke legde razendsnel de koker weer terug en sloeg het deksel dicht. Amber stampte langs haar heen, wierp zich op haar bed en begon dramatisch met haar hoofd in haar kussen te huilen, waardoor Nienke de kans kreeg snel het kistje zo ver mogelijk onder haar bed te schuiven.

Nienke stond op en liep naar Ambers bed. 'Hé, wat is er gebeurd?' vroeg ze bezorgd.

'Dat feestje was mijn idee, en nu loopt die stomme Mara een beetje met Mick te flikflooien,' gierde Amber half in haar kussen. 'Terwijl ik doodziek in bed lig!' Ze begon weer te snikken.

Nienke begreep niets van Ambers verhaal en ging bij haar op bed zitten. 'Wat is er dan gebeurd?'

Amber keek met een betraand gezicht op. 'Ze had haar vingers in zijn mond!'

'Haar vingers in zijn mond? Wat vreemd.' Nienke dacht even na. 'Denk je niet dat het een misverstand was?'

'Ik weet heus wel wat ik gezien heb, hoor,' snauwde Amber, die boos naar Nienke keek. 'Mara pikt gewoon mijn vriend van mij af!' Amber trok de dekens over haar hoofd. 'Oh ja, en Fabian zocht je,' klonk haar stem gesmoord vanonder de dekens vandaan.

Nienke kreeg een raar gevoel in haar maag.

'Hoorde je me niet? Fabian zocht naar je.' Ambers hoofd kwam weer onder de dekens vandaan.

'Ja... ik hoorde je wel.' Nienke stond op en trok haar kast open.

'Jij gaat toch wel?' vroeg Amber, die haar mascara onder haar ogen wegveegde.

'Ik weet niet... Wil je niet liever dat ik blijf?' Nienke trok een donkerblauw T-shirtje uit de kast.

'Nee! Je moet gaan! Dan kan je mooi Mick en Mara in de gaten houden. Dat trek je toch niet aan, he?' Amber ging overeind zitten en keek met een vies gezicht naar het blauwe T-shirt in Nienkes hand.

'Wat is er mis mee?' zei Nienke verdedigend.

'Wat is er mis mee? Wat is er mis mee? Wat is er niet mis mee?' Amber leek haar verdriet even vergeten en sprong overeind maar kromp meteen weer in elkaar. 'Auw! Mijn hoofd!' Ze greep naar haar voorhoofd.

'Voorzichtig, waarom blijf je niet liggen?' Nienke keek bezorgd.

'Ben je gek? Als ik niet naar het bal kan, kan ik in ieder geval van jou een prinses maken.' Amber ging op haar roze pluchen kruk zitten en begon in haar make-up spullen te rommelen. Ze zette een paar knalrode lipstickhulzen op een rijtje naast elkaar.

'Kom!' Ze tikte op de stoel naast haar.

Gelukkig voor Nienke had Amber de rode lipstick niet gebruikt en haar alleen wat mascara en lipgloss opgedaan en haar lange haar in een hoge staart gebonden. Daarna had ze Nienke een topje van een of ander schreeuwend duur merk geleend.

'Wel goed opletten of Mara niet weer haar vingers in zijn mond steekt, he?' grapte Amber toen Nienke klaar was om naar beneden te gaan, maar Nienke zag hoe verdrietig Amber keek.

'Weet je zeker dat ik niet bij je moet blijven?' Nienke trok onwennig aan haar hoge staart.

'Nee, ga nou maar,' zuchtte Amber met een sip gezicht. 'Ik ga gewoon weer in bed liggen.'

Nienke liep de trap af naar de hal. Ze kon het geroezemoes en de muziek van het feestje al horen.

'Nienke!' Fabian stond onderaan de trap. Hij was even stil. 'Wat zie je er...'

'Ja?'

'... mooi uit. Niet dat je er anders ook niet mooi uitziet hoor,' voegde Fabian er snel aan toe. 'Nou euh, waar was je?'

'Bij Amber. Die heeft dit allemaal gedaan.' Nienke wees op zichzelf en trok verlegen aan haar topje. 'En dit is van haar.'

'Het is heel mooi, echt waar,' verzekerde Fabian haar. 'Ik heb overal naar je gezocht. Wil je wat drinken?'

Fabian leidde Nienke de woonkamer binnen. Het was er flink druk, Nienke schatte dat er wel dertig mensen stonden te dansen en langs de dansvloer stonden te praten. Mick stond met een koptelefoon half op zijn hoofd te deejayen. Toen hij Nienke zag, stak hij zijn duimen omhoog. 'Ziet er goed uit, Nienke!' lachte hij.

Nienke lachte verlegen terug. Ze zag Mara een paar meter achter Fabian staan. Ze was druk in gesprek met een heel mooie donkere jongen die zo af en toe zijn arm om haar schouder legde. Amber had waarschijnlijk niet zo heel veel te vrezen, dacht Nienke en ze nam zich voor niet te lang te blijven. Ze wilde Amber niet te lang alleen laten.

'Wil je dansen?' vroeg Fabian, die haar een glas in haar handen drukte.

'Natuurlijk!' schreeuwde Nienke boven de muziek uit. Mick schroefde het volume net een paar tandjes op. Fabian pakte haar hand en trok haar de dansvloer op. Ze kwamen langs Jeroen die zijn arm om twee meisjes had.

'Het is allemaal een kwestie van delegeren,' hoorde Nienke hem pocherig zeggen.

Fabian trok zijn wenkbrauwen op. 'Hoe krijgt ie het voor elkaar!' zei hij spottend.

Nienke giechelde. En keek naar het drietal. Een van de meisjes gaapte. Ze zag eruit alsof ze totaal geen zin in Jeroen had, al was hij de laatste man op aarde, dacht Nienke, die dit in Fabians oor fluisterde. Hij knikte lachend.

'En nu dansen!' riep Nienke.

Terwijl Nienke de tijd van haar leven had op de dansvloer, zaten

Amber en Patricia bij Amber op bed een beetje te mokken. Hoewel Patricia Amber had verzekerd dat er helemaal niets gebeurd was tussen Mick en Mara en "dat dat ook echt niet zou gebeuren" was Amber er helemaal niet gerust op. Patricia was met een heel andere reden naar Ambers kamer gekomen. Ze dacht nog steeds dat Nienke iets te maken had met de verdwijning van Joyce. Terwijl ze bij Amber op bed zat, keek ze met argusogen naar Nienkes spullen.

'Hé, zei jij niet dat ze een dagboek bijhield?' vroeg Patricia aan Amber, die nog steeds in bed lag. Amber zag eruit alsof ze net had gehoord dat haar favoriete band uit elkaar was.

'Volgens mij wel,' antwoordde Amber lauw. Ze trok met haar roze nagels figuurtjes over het behang.

Patricia stond op en begon tussen Nienkes spullen te neuzen. 'Dat moet dan vast hier ergens liggen.'

'Dat doe je niet hoor!' zei Amber fel.

Patricia neusde op Nienkes bureau maar zag daar niets dat op een dagboek leek.

'Eens even kijken,' peinsde ze. 'Waar zou zo'n meisje haar dagboek verstoppen...' Ze trok Nienkes matras een stukje omhoog.

'Bingo!' Ze hield een roze gebloemd schrift met een harde kaft omhoog.

'Patricia!' zei Amber waarschuwend. 'Dat is privé!' Maar die luisterde niet en ging er eens lekker voor zitten.

'Nu zullen we eens zien wat zij allemaal te verbergen heeft!'

Ze sloeg het schrift open en bladerde ergens naar het midden. 'Oh, hier, zie je wel! Joyce! Luister: Het is zo oneerlijk. Ik ken die hele Joyce niet eens! Hoe haalt die Patricia het in haar hoofd om mij zomaar te beschuldigen? Alleen maar omdat ik "de nieuwe" ben? Belachelijk! Ik wed dat ze hartstikke...'

Patricia zweeg ineens.

'Wat? Wat ben je?' vroeg Amber.

'... onzeker, en daarom geef ik iedereen een grote bek,' zei Patricia zacht. Ze legde het dagboek in haar schoot.

'Heb je nu genoeg bewijs? Zie je wel dat ze er niks mee te maken heeft?' zei Amber scherp. 'En leg je het nu weer terug?'

Patricia stond op en duwde het dagboek weer onder de matras.
'Dat ze dit schrijft, bewijst nog niet alles,' zei ze, maar haar stem trilde een beetje. Ze draaide zich om en liep zonder verder iets te zeggen de kamer uit.

Beneden trok Mick Jeroen aan zijn trui.
'Neem jij het weer even van me over? Ik moet even naar mijn schatje.'
Mick beende de woonkamer uit. Jeroen zag Fabian en Nienke op de dansvloer staan en besloot dat dit precies het juiste moment was voor wat langzamere muziek.
Fabian en Nienke keken elkaar onwennig aan toen er opeens romantische klanken uit de speakers kwamen. Een paar paartjes om hen heen omarmden elkaar innig. Fabian haalde zijn schouders op en omarmde Nienke, die vurig hoopte dat haar hart niet zo hard bonkte dat Fabian het kon horen.
'WRAAAAAAAAAAAAAAAAAAGH!!!!!!'
Een bizar wezen sprong de dansvloer op. Een aantal meisjes gilde het uit en een meisje schrok zelfs zo erg dat ze pardoes in de armen van de jongen sprong waar ze een seconde daarvoor nog tegenaan geplakt zat.
Iedereen keek naar het vreemde wezen dat midden op de dansvloer met zijn vuisten op zijn borst stond te beuken: van onderen een mens, van boven een everzwijn met enorme slagtanden. Het voerde een soort primitieve dans op.
'Appie! Doe eens normaal,' riep Jeroen geïrriteerd. Hij had net zijn oog laten vallen op een meisje met wie hij eens lekker wilde gaan slowen en zag zijn kansen in rook opgaan door de actie van Appie (want hij zat met zijn hoofd in het everzwijn).
De kop begon hard te lachen.
'Hé Jeroen, geef het feestbeest eens wat te drinken?' Appie liep prompt met zijn hoofd tegen een oude kast.
'Oeps,' klonk het van binnen. 'Ik zie niet zo heel veel.' Jeroen drukte Appie een plastic bekertje met cola in zijn handen. Appie deed net alsof hij dronk.

'Oké, da's wel genoeg, ja?' zei Jeroen. 'Doe dat ding nu maar af.'
Hij trok aan de oren van het everzwijn, maar de kop gaf niet mee.
'Het wil er niet af,' hoorden ze Appie zeggen.
'Ja ja, het was een heel leuk geintje, maar nu moet je ophouden,'
zei Jeroen geïrriteerd. Het leuke meisje stond bij de deur met een
vriendin. Ze had haar jas aan en stond op het punt om naar buiten
te lopen. Jeroen gaf een flinke ruk aan de kop.
'Auw auw, voorzichtig!' gilde Appie angstig. Appie kon niet
loskomen. Zelfs toen Fabian meehielp met trekken, bleef de
everzwijnenkop muurvast op Appie zitten.
'WAAR IS MIJN EVERZWIJN??!!'
Victor stond woedend in de deuropening.
'Oh oh,' zei Jeroen zacht terwijl Victor met drie grote stappen bij
Appie was en verwoed aan het hoofd begon te trekken.
'Auw auw,' gilde Appie en stribbelde tegen. Hij gilde als een
mager speenvarken.
'Hier ermee!' riep Victor, maar hij kreeg Appie niet los.
'Ik zit vast!' piepte Appie bang en probeerde zich los te wurmen,
maar Victor hield hem bij zijn slagtanden stevig vast.
'Dat zullen we nog wel eens zien!' riep Victor boos. Er glansde
iets maniakaals in zijn ogen en hij sleurde Appie naar de deur.
'Dit feest is afgelopen, iedereen naar huis! Nu!' schreeuwde hij en
sloeg de deur met een klap dicht.
Alle aanwezigen kozen eieren voor hun geld en dromden naar de
uitgang.
'Wat een iezegrim,' hoorde Nienke een meisje zeggen. 'Ik ben blij
dat ik niet bij hem woon.'
Fabian trok Nienke naar boven, langs Victors kantoor, waar ze
Appie achter het glas in een stoel zagen zitten. Victor rommelde in
een la. Door het glas hoorde ze Appies gedempte kreten.
'Denk je dat het wel goed komt met hem?' zei Nienke bezorgd.
Fabian haalde zijn schouders op. 'Als Victor ergens boos om
wordt, is het wel als je aan zijn pronkstukken komt, zijn opgezette
dieren. Hij zou, denk ik, nog in staat zijn Appie te scalperen om
dat everzwijn te redden.'

'Echt?' Nienkes ogen werden groot van angst. 'Dat is toch een geintje?'

Fabian weifelde. 'Met Victor weet ik het zo net nog niet.' Ze waren bij Nienkes kamer aanbeland.

Nienke bleef bij de deur stilstaan en draaide zich om. 'Fabian?' Nienke keek twijfelend.

'Wat?'

'Nee, laat maar... ik vond het heel gezellig.'

'Ik ook,' zei Fabian. 'Slaap lekker, hè?'

Nienke keek hem na toen hij de trap afliep. Ze hoorde hoe de laatste mensen joelend de deur uitgingen.

Waarom vertel ik het hem nou niet, dacht Nienke. Toen nam ze een besluit en sprintte de trap af. Bij het kantoor hoorde ze opeens een snerpende gil. Ze stopte en zag tot haar afgrijzen dat Victor over Appie heen gebogen stond met een grote roestige tang.

Nee! Hij ging hem toch niet echt scalperen? Nienke kneep haar ogen even stijf dicht. Toen hoorde ze gejaagde voetstappen op de trap en ze deed haar ogen snel weer open. Trudie kwam hijgend de trap oprennen en sloeg met een klap de deur van Victors kantoor open.

'Victor! Wat doe je?' gilde ze. Nienke zag hoe Victor de tang liet zakken.

'Ik wil m'n everzwijn terug!' riep hij boos.

'Dat doe je toch niet met een tang?!' Trudie keek bezorgd naar Appie. 'Dat moet met groene zeep.'

Nienke zag hoe Trudie Appie aan zijn mouw uit het kantoor begeleidde.

Mooi, die is gered, dacht ze en ze herinnerde zich weer waar ze naar op weg was. Ze hervatte haar sprint en sprong met drie treden tegelijk de trap af.

Ze vond Fabian in de badkamer waar hij zijn tanden stond te poetsen.

'Ik moet je wat vertellen,' zei ze dwingend.

'Ik jou ook,' zei hij verlegen.

'Is hier iemand?' Nienke duwde het douchegordijn opzij. Ze was

heel zenuwachtig. 'Ik... ik heb iets voor je verborgen gehouden.'
Nienke vertelde Fabian alles. Over de verwarde oude vrouw en wat ze had verteld over het Huis Anubis. Ze liet hem het medaillon zien en vertelde hem over het schilderij met het raadsel dat hij zelf had opgelost.

'Ik wist wel dat het iets anders was dan je zei!' zei hij enthousiast.

Ze vertelde hem dat ze al een paar keer op het punt had gestaan om het hem te vertellen maar dat ze aan de oude vrouw had beloofd dat ze niemand in vertrouwen zou nemen omdat volgens haar "kapers op de kust waren". En dat ze bang was dat hij haar een rare fantast zou vinden.

Fabian keek haar indringend aan en bleef heel lang stil.

'Nienke, ik vind je geen rare fantast. Je kan me vertrouwen,' zei hij uiteindelijk.

'Wil je me alsjeblieft helpen? Ik heb nu weer iets op de zolder gevonden waarvan ik totaal niet weet wat het is.' Nienke sprak gejaagd over het kistje met de kokers met de vreemde zwarte rollen erin. Haar ogen glinsterden van spanning.

'Natuurlijk help ik je,' zei Fabian. Hij pakte Nienkes hand. 'En ik beloof je dat ik niemand iets zal vertellen. Dit is iets tussen ons.'

Nienke zuchtte van opluchting. 'Ik had je veel eerder in vertrouwen moeten nemen.'

'We kijken morgen naar die dingen, die rollen, die je op de zolder hebt gevonden, oké? We gaan dit samen oplossen!'

Nienke en Fabian speculeerden die nacht in de badkamer stiekem tot in de kleine uurtjes over alles wat Nienke had verteld. Zou er echt een schat in huis liggen? En zo ja, wat was het dan? En waar kwam die dan vandaan? Wie had hem verstopt? En wat had de oude vrouw ermee te maken?

Het was al bijna licht toen ze afscheid van elkaar namen en de volgende dag zaten ze beiden gapend aan het ontbijt. Appie zat er ook al, inclusief vettige haren en een chagrijnig gezicht. Met behulp van Trudie en haar pot groene zeep waren hij en de everzwijnkop zonder noemenswaardige pijn van elkaar gescheiden, maar zijn geintje had hem een fikse schoonmaaktaak opgeleverd en daar had hij goed de pest over in.

Jeroen kon het niet laten hem te pesten met allerlei dierengeluiden, maar Appie reageerde nauwelijks en zelfs zijn eeuwige "toren van pindakaas", zoals hij het zelf noemde, kon hem niet opvrolijken, en de scones die Trudie binnen kwam brengen ook niet.

Mick en Amber volgden gearmd in Trudies kielzog. Amber straalde. Ze hadden het de avond daarvoor duidelijk goedgemaakt. Mara begroef haar gezicht in haar boterham met ei toen ze het gelukkige stel zag. Dat zag Amber, waarop ze Mick demonstratief een dikke zoen op zijn wang gaf.

Mara schoof haar gebakken ei lusteloos van zich af.

Na het ontbijt ging Fabian meteen met Nienke mee naar haar kamer. Gelukkig gingen Amber en Mick "romantisch wandelen" of zoiets, dus hadden ze het rijk alleen. Ze zaten gebogen over de rollen in het kistje op Nienkes bed, maar Fabian werd er ook niet wijs uit en wist Nienke alleen te vertellen dat Edison de uitvinder van de gloeilamp was geweest.

'Mijn oom heeft een antiekzaak in de stad. Ik kan hem wel even bellen,' opperde hij. 'Het is vast heel oud, dus misschien weet hij waar het voor dient.'

Nienke twijfelde even, maar was het met Fabian eens dat er niks anders opzat. Ze moesten maar hopen dat de rollen niet zo uitzonderlijk waren dat Fabians oom alles wilde weten over de herkomst ervan.

Pierre Marrant stond al voor zijn winkel te wachten en stak blij zijn hand op.

'Fabian!' Hij sprak "Fabian" op zijn Frans uit. '*Poussin*!'

Fabian schudde de man hartelijk de hand. 'Wat ontzettend aardig dat we op zondag langs mogen komen.'

Pierre hief zijn handen alsof hij zich wilde verontschuldigen. '*Pas de problème*, lekker rustig vandaag. En wie is de *jeune fille*?'

Nienke stak haar hand uit. 'Nienke Martens, prettig met u kennis te maken.' Ze lachte om haar eigen formele zin, maar wat kon je anders zeggen tegen zo'n man? Hij zag er zo ouderwets uit met zijn mosterdgeel vest met zakhorloge, krijtstreep broek en zwart met witte veterschoenen. En hij rook een beetje naar mottenballen en *old spice*. Zijn grijze haar was glad achterovergekamd met pommade. Nienke vond dat hij geknipt was als antiekhandelaar.

Pierre Marrant maakte een ouderwetse buiging, waardoor hij Nienke een blik op zijn kalende achterhoofd gunde en vervolgens kuste hij haar hand.

'*Mon plaisir, mademoiselle, mon plaisir.*' Hij keek haar over zijn halve brilletje guitig aan en Nienke giechelde zachtjes.

'Komen jullie?' Hij sprong kwiek op en begon druk de drie sloten open te maken van de glazen deur waar met krullerige witte letters "*Pierre Marrant Antiques - exclusive et erudite*" opstond.

Binnen rook het ook naar mottenballen en boenwas en de muffe lucht die uit oude boeken opstijgt. Er kwam maar weinig daglicht binnen en hun ogen moesten even wennen voordat ze precies konden zien wat er in de antiekzaak stond. Pierre was al naar achter gelopen. Ze hoorden zijn stem vanachter een enorme houten kast met barokke engelen. 'Thee?'

Voor ze konden antwoorden, klonk het metalige gekletter van een waterstraal in een ketel.

'Maak het je toch gemakkelijk,' klonk zijn stem weer. 'Pak een stoel!'

Dat was gemakkelijker gezegd dan gedaan, want elke vierkante centimeter (inclusief de zitting van elke stoel in de zaak) stond vol met schilderijen, kopjes, schoteltjes, glazen vazen, porseleinen koffiekannen, oude bibliotheeklampen met een groene kap, zilveren dienbladen, servetringen, koperen ketels, tere kandelaars... Je kon het zo gek niet bedenken of het stond wel in de antiekzaak van Pierre Marrant.

Fabian had na een tijdje zoeken een leeg stoeltje met roze rozen erop te pakken en Nienke duwde uiteindelijk maar de norse rood met witte kat van een groenfluwelen leunstoel, die daarop beledigd met zijn staart in de lucht wegliep.

'Let maar niet op Louis. Hij is niet gewend aan bezoek,' zei

Pierre, die met het grootste gemak met een prachtig dienblad om alle spullen laveerde. Hij zette het blad op een delicaat houten bijzettafeltje waar een prijskaartje van driehonderd euro aanhing en dat eruitzag alsof het een paar honderd jaar oud was.

'Fabian, je verbaast me toch elke keer als ik je zie,' zei Pierre die in een rap tempo de kopjes volschonk.

'Je wordt steeds groter. Hier verandert er nooit iets, zie je.'

Hij gaf Nienke, die met haar knieën onder haar kin in de zachte stoel was gezakt, een knipoog en Fabian lachte een beetje moeilijk.

'Maar waar moest je me nou zo haastig voor hebben?' Pierre nam met een nuffig pinkje omhoog een slokje van zijn thee.

'Nou euh... we hebben iets gevonden... iets ouds... en we weten niet wat het is,' zei Fabian. Nienke ritste haar rugzak open en overhandigde Pierre voorzichtig een van de rollen. Ze keek ingespannen naar Pierre Marrant, maar zijn ogen verraden niets.

'Dit... ' Pierre draaide de rol in zijn handen om en om '... is een wasrol. En een mooie ook. De meeste zijn tegenwoordig weggeschimmeld.'

'Een wasrol? Om mee te wassen?' vroeg Fabian schaapachtig.

'Nee, om naar te luisteren. Dit is de voorloper van de lp.'

'Dus er staat iets op?'

'Precies.' Pierre Marrant trok voorzichtig het dekseltje van de koker en liet de rol in zijn handen glijden. 'Wasrollen zijn ontwikkeld door Edison – ook de uitvinder van de gloeilamp. Als je deze afspeelt in een zogenaamde fonograaf, dan kun je horen wat erop staat. Tussen 1880 en 1930 was dit *de* manier om naar muziek te luisteren of dingen op te nemen.'

'Dus je kon er ook zelf dingen mee opnemen?' Fabian keek hoopvol naar Nienke.

'Ja hoor. Opnemen, afspelen, het was een heel ingenieus systeem. Maar ja, Edison was ook wel een genie. Ik denk dat deze ongeveer tachtig jaar oud is.' Marrant liet de rol weer in de koker glijden. 'Hoe komen jullie hier eigenlijk aan?'

'Oh, gevonden op de zolder bij Nienkes oma thuis,' loog Fabian. 'Enne... zij wist ook niet wat het was.'

Hij bloosde, maar gelukkig had Pierre Marrant alleen maar oog voor de rol.

'Hmmm, meestal staat op de wikkel wat het is, maar hier staat niets op... Daarom gok ik dat dit een thuisopname is.' Pierre overhandigde de koker weer aan Nienke.

'Maar... hoe kunnen we horen wat erop staat?'

'Met een fonograaf. Helaas heb ik er geen,' zei Pierre en hij keek spijtig naar alle spullen in de winkel.

'Maar misschien staat er wel een bij je oma op zolder. Als ze ook een rol heeft...' Hij trok zijn wenkbrauwen op en keek hen over zijn halve brilletje aan.

'Dan moeten we weer naar de zolder,' mompelde Fabian.

'Dat lijkt me toch geen probleem?' Pierre Marrant keek verbaasd. 'Ik zal wel even voor jullie tekenen hoe een fonograaf eruitziet.'

Hij pakte een vel papier uit een houten secretaire met een groen vloeiblad. Nienke verwachtte eigenlijk dat hij een ganzenveer uit zijn binnenzak zou halen, maar het was een prachtige vulpen. Pierre tekende met lange halen een rechthoekig apparaat met een groot opwindwiel. Hij overhandigde Nienke het papier.

'Ik ben absoluut geen Rembrandt,' verontschuldigde hij. 'Maar dit geeft je in ieder geval een beetje een idee.'

Nu ze eenmaal wist wat het was, stond Nienke eigenlijk te popelen om zo snel mogelijk naar de verboden zolder te gaan om het apparaat te zoeken, maar ze kon natuurlijk moeilijk zeggen dat ze meteen weg wilde. Daarom bleven ze nog een uur zitten, waarin ze ontelbare kopjes thee dronken en droge biscuitjes aten. Intussen probeerde Pierre Marrant hen de gekste dingen te verkopen. Nienke kon zich nog net inhouden toen hij met een porseleinen herderinnetje aankwam. Volgens hem was het geknipt voor een dame als zij.

'Hij is wel een beetje in het verleden blijven hangen,' verontschuldigde Fabian zich toen ze weer veilig op de fiets zaten. Nienke knikte en begon toen keihard te lachen.

'Dat hoofd van jou toen hij met dat beeldje aankwam!' riep Fabian.

Nienke viel bijna van haar fiets. 'Alsof jij zo gelukkig keek toen Louis je hoofd aanviel! Hij dacht zeker dat het een uit zijn krachten gegroeide muis was!' hikte ze.

'Dat soort dingen doet hij nou altijd. Hij haat bezoekers. Hij heeft zelfs een keer de toupet van iemands hoofd afgeklauwd.'

'Echt waar?' Nienke begon nog harder te lachen.

Fabian knikte heftig met zijn hoofd. 'Pierre moest hemel en aarde bewegen omdat die man vond dat Louis een gevaar was voor de mensheid en een spuitje moest hebben.'

'Arme Louis.' Nienke grinnikte.

Ze keek op. Het Huis Anubis lag in de verte. Weer kon ze de gedachte niet onderdrukken dat de ramen naar haar leken te kijken.

'Hé, wat is er?' vroeg Fabian. 'Je bent ineens zo stil.'

'Het is het huis,' zei Nienke. 'Het geeft me altijd zo'n raar gevoel. Alsof het naar me kijkt.' Ze lachte, alsof ze zich wilde verontschuldigen voor haar opmerking.

'Ik begrijp wat je bedoelt,' zei Fabian serieus. 'Alsof het een geheim heeft.'

Nienke keek verbaasd naar Fabian. 'Ja, precies! Dat is precies wat ik bedoel!'

'Zo raar is dat niet. Het heeft toch een geheim?'

Nienke knikte. 'Ik maak me ook een beetje zorgen. Weer terug naar zolder, straks betrapt Victor ons.' Ze zuchtte bezorgd. 'Ik kan me niet voorstellen dat het steeds goed blijft gaan.'

Precies op dat moment schoot er een zwarte kat vlak voor Nienkes voorwiel de straat over. Ze gilde en week uit naar links. Het beest verdween met een sneltreinvaart tussen het hoge gras langs de weg.

'Zag je dat?' zei Nienke bleek. 'Een zwarte kat – dat is een slecht voorteken!'

'Met mij erbij kan je niks gebeuren,' grapte Fabian vol bravoure. 'En trouwens – bijgeloof brengt ongeluk.'

5

DE STEM OP DE WASROL

'Wat was dat?'
Nienke en Fabian stonden stokstijf van schrik met z'n tweeën
achter de geheime wand op de zolder. Het was pikdonker, want
Fabian had meteen de zaklamp uitgeknipt toen ze beneden iemand
keihard hoorden gillen.
Ze hielden hun adem in.
Het was de tweede keer binnen een minuut dat Nienke zich
doodschrok. Ze hadden de fonograaf gevonden, het was het
apparaat waaraan Nienke de keer daarvoor zo pijnlijk haar teen
had gestoten. Het was een heel gedoe geweest om uit te zoeken
hoe de wasrol er precies in moest. Toen ze dat eindelijk hadden
uitgevogeld, wisten ze niet hoe ze het ding aan de praat moesten
krijgen. Fabian had uiteindelijk maar aan een hendel gedraaid,
waarna er een keihard geluid uit de fonograaf was gekomen.
Het geluid – een soort gebrom – was zo hard dat ze zeker wisten
dat Victor nu echt naar boven zou komen. Maar in die eindeloos
lijkende minuut waarin ze verstijfd hand in hand achter de wand
hadden gestaan, hadden ze niets anders gehoord dan het bonken
van hun eigen hart.
En toen had iemand vreselijk gegild...
Na een minuut leek het wel alsof Fabian wakker werd uit een
verdoving. 'Kom, we moeten hier zo snel mogelijk weg,' zei
hij gejaagd. Hij klikte de zaklantaarn aan, hurkte neer en trok
voorzichtig de wasrol uit het apparaat. 'Voordat Victor wel voor

onze neus staat.' Hij stopte de wasrol terug in het kistje en greep Nienkes hand. Ze was nog steeds compleet beduusd.

'Maar... wie gilde daar zo?' zei ze zachtjes.

'Daar komen we zo wel achter, we moeten nu echt weg!' Fabian trok Nienke achter de wand vandaan.

Ze slopen zachtjes met het kistje tussen hen in de zoldertrap af. Hun hart klopte in hun keel toen ze de deur voorzichtig opendeden. Wat als Victor in de gang zou staan?

Maar de gang was pikdonker en leeg.

'Ik spreek je morgen. Berg je het kistje goed op?' Fabian overhandigde Nienke het kistje en legde bemoedigend een hand op haar pols. 'Gaat het wel een beetje?'

'Ja, ja. Ga maar snel,' fluisterde Nienke.

Fabian liep voor Nienke uit de gang in en verdween in het donker. Nienke bleef nog even voor haar deur staan om haar gejaagde ademhaling onder controle te krijgen. Toen opende ze zachtjes de deur. Ze luisterde scherp maar hoorde niets. Amber sliep waarschijnlijk allang.

Ze liep op haar tenen naar haar bed en duwde het kistje eronder.

Plotseling knipte het lampje bij Ambers bed aan. Ze zat rechtop in haar bed met haar roze maskertje bovenop haar hoofd. Ze keek een beetje boos naar Nienke.

'Waar was je?'

Nienke schrok. Ze keek naar het kistje dat nog half onder het bed uitstak. Amber volgde Nienkes blik.

'Wat heb je daar? Heeft dat iets te maken met die ongelofelijke, onmenselijke oerkreet die net door het hele huis ging?' Amber wees naar het kistje.

'Wat voor oerkreet? Ik... dit is voor een... opdracht.' Ze schoof het kistje met haar voet nonchalant verder onder het bed.

'Geloof je het zelf? Wat was dat? Het hele huis stond compleet op z'n kop!' Amber praatte steeds harder. 'Waar ben je geweest? Vertel op!'

Nienke legde haar vinger op haar lippen. 'Stt, straks hoort Victor je,' fluisterde ze.

Amber schudde haar hoofd. 'Kan me niet schelen! Ik wil weten waar je was!'

Nienke kon later niet meer navertellen hoe ze zo snel in haar bed terecht was gekomen, maar het ene moment stond ze nog bij haar bed en het volgende moment hoorde ze de deur opengaan en lag ze met haar kleren aan onder de dekens en stond Victor in de deuropening. Zijn gezicht stond op onweer.

'Wat gebeurt hier allemaal?' vroeg hij wantrouwig. Hij spiedde de kamer in. 'Waarom is het licht aan?'

Nienke keek smekend naar Amber. Als ze haar zou verraden, dan zou alles voor niks zijn. Ze wist zeker dat Victor de wasrollen in beslag zou nemen en dan zou ze er misschien nooit meer achter komen wat Anubis voor geheim had...

'Nou?' Victor trommelde ongeduldig met zijn lange vingers op de deurpost.

Amber deed haar mond open om iets te zeggen.

Nienke probeerde haar met haar ogen te overtuigen: alsjeblieft, alsjeblieft, verraad me niet! Maar Amber sloeg haar ogen neer.

'Ik had naar gedroomd,' zei Amber uiteindelijk. 'Daarom had ik het lampje even aangedaan. En toen werd Nienke wakker.' Amber leunde naar haar bedlampje en knipte het uit.

'Weet je dat heel zeker?' Victor deed een paar passen de kamer in. De zolen van zijn schoenen kraakten. Hij stak zijn neus in de lucht en snoof, alsof hij probeerde te ruiken of ze de waarheid wel sprak.

Amber knikte heftig ja. 'Het was een heel nare droom over een monster met zeven koppen dat mij...'

'Bespaar me je onzinnige verhaaltjes,' viel Victor haar in de rede. Hij keek nog een keer rond, mompelde iets onverstaanbaars en beende toen de deur weer uit. Ze hoorden hem de gang uitlopen.

Amber knipte meteen het licht weer aan en ging overeind zitten. 'Oké, vertel op. Waar was je?'

'Ik zei toch, het was voor een opdracht... Ik was bij Fabian.'

'Je liegt! Je was op de zolder, toch? Wat deed je daar?'

Nienke zweeg.

'Ik kan altijd nog naar Victor,' zei Amber dreigend. Ze sloeg haar armen over elkaar. 'Heb je dat liever?'

Nienke wist dat ze geen kant meer op kon. Ze zuchtte.

'Ik vertel het je, maar dan moet je me beloven dat je het aan niemand doorvertelt.'

Ambers ogen begonnen te glinsteren en ze legde haar hand op haar hart. 'Ik zweer het. Op het graf van Hector en Oellie, mijn twee goudhamsters,' zei ze dramatisch. Ze kwam uit haar bed en maakte aanstalten om bij Nienke onder de dekens te gaan liggen. 'Wat doe jij nou?'

Amber keek geheimzinnig om zich heen. 'Dit is veiliger,' fluisterde ze en ze gleed naast Nienke onder de dekens. 'Straks luistert Victor door het sleutelgat mee. Kom op, nu moet je me *alles* vertellen! NU!'

Nienke begon haar verhaal: ze vertelde Amber over de oude vrouw die in het huis had gewoond en haar verteld had dat er iets verborgen lag in het huis. Misschien wel een schat, zei ze weifelend. Ze verwachtte eigenlijk dat Amber elk moment in lachen uit zou barsten maar Amber was wildenthousiast.

'Een schat! Ligt hier een schat? Wauw!' In haar enthousiasme praatte Amber zo hard dat Nienke een hand voor haar mond moest houden. Nienke keek naar Ambers grote ogen en kreeg meteen twijfels. Had ze er wel goed aan gedaan om het te vertellen?

'Sorry... ik vind het gewoon zo fantastisch.' Ambers ogen glommen. 'Wat denk je dat de schat is? Diamanten? Juwelen?'

'Ik weet het niet. Misschien dat we iets wijzer worden als we naar de wasrollen kunnen luisteren.'

Amber trok het dekbed tot aan haar kin en porde met haar voeten tegen Nienkes benen. 'Dit is zo leuk! Net als vroeger als ik de juwelen van mijn moeder verstopte als schat... Alleen, nu is het echt!'

De volgende ochtend aan het ontbijt speculeerden de bewoners druk over het geluid van de vorige avond. Volgens Appie en Jeroen was het een geest die ze hadden opgeroepen. Blijkbaar hadden ze samen met Patricia geprobeerd om geesten op te roepen met een Ouija-bord.

'We legden net alle drie onze hand op het bord en toen hoorden we die vreselijke stem: WAAAAANAAAAMASEEEEEDEEEEEENOOOOOOOO!!!' Appie deed een griezelig goede imitatie van het geluid dat uit de fonograaf was gekomen en besproeide tegelijkertijd Mara met broodkruimels.

'Appie!' Mara veegde met een vies gezicht de kruimels zo goed mogelijk uit haar haren. 'Maar waarom wilden jullie in godsnaam geesten oproepen? Dat is hartstikke gevaarlijk!'

Jeroen haalde zijn schouders op. 'Dat moet je haar vragen.' Hij wees naar Patricia die bleek naar haar onaangeroerde boterham staarde. 'Het was haar idee.'

Mara keek een beetje boos naar Patricia. 'Patricia, waarom doe je zoiets?' zei ze verwijtend.

'Omdat ik in contact wilde komen met Joyce!' schreeuwde Patricia ineens tegen Mara. 'Niemand weet waar ze is, bij het bevolkingsregister zeiden ze zelfs dat ze nooit bestaan heeft!' Ze zakte met haar hoofd in haar handen. 'Wat moet ik dan?' kermde ze. 'Wat moet ik dan?'

Mara stond op en ging met haar hand door Patricia's rode haar. 'Hé sorry – zo bedoelde ik het niet.'

Fabian en Nienke keken elkaar even schuldig aan. Meteen sprong Patricia weer op. 'Dat zag ik! Jullie hebben er iets mee te maken, hè?'

'Daar gaan we weer,' zei Jeroen zachtjes.

Appie begon te lachen, maar Nienke vond het vreselijk. Patricia was net een beetje aardig tegen haar geweest de afgelopen week en nu gebeurde er zoiets.

'Lach maar jullie!' Patricia stak een priemende vinger naar hen uit. 'Gisteren deden jullie het ongeveer in je broek, stelletje helden!'

'Alsof jij zo dapper was! Je hebt iedereen wakker gegild,' pestte Jeroen terug.

'Vertel op!' Patricia keek nu naar Nienke. 'Wat heb je gedaan?'

'Ja, vertel eens Nienke, waar was je om tien over tien gisterenavond?' vroeg Jeroen pesterig. 'Heb je wel een waterdicht alibi?'

'Ze heeft helemaal niets gedaan, Patricia,' zei Amber rustig terwijl ze een klein hapje van haar cornflakes nam. 'Nienke was gisteren de hele avond in haar kamer, met mij.'

Fabian keek verrast van Amber naar Nienke, maar die waarschuwde hem met haar ogen dat hij vooral niets moest vragen of zeggen. Gelukkig begreep Fabian de boodschap en hield hij zijn mond.

'Het feest is over. Tijd voor school.' Victor stond ineens bij de keukentafel. 'Opschieten jullie!'

Iedereen stond op en maakte aanstalten om de deur uit te lopen, maar Victor pakte Patricia bij haar schouders.

'Laat me los, ik moet naar school,' zei ze brutaal, maar Victor bleef haar vasthouden.

'Je mag straks naar school,' zei hij ijzig. '*Nadat* je me precies hebt verteld wat dat allemaal te betekenen had vannacht.'

Pas tijdens de lunch zagen Fabian en Nienke kans om heel even een paar woorden te wisselen. Ze zaten samen aan tafel in de kantine. Uit voorzorg haalde Fabian een aantal boeken uit zijn tas en legde ze open voor hen neer. Zo leek het net of ze iets voor school bespraken, want de hele kantine zat vol en Patricia zat een tafel achter hen.

Nienke vertelde Fabian dat ze Amber alles had verteld nadat Amber haar voor het blok had gezet. Ze had geen andere keuze gehad.

Fabian was ongerust: Amber was zo impulsief, zou ze haar mond niet voorbij praten?

Precies op dat moment kwam Amber aanlopen en plofte neer naast Nienke. 'Ik vind het allemaal zo spannend,' zei ze hard. Patricia keek meteen op.

'Amber, zachtjes,' zei Nienke dwingend.

'Oeps, sorry,' ze ging op een samenzweerderig toontje door met praten. 'Vertel me nog eens wat meer?'

Fabian zuchtte. 'Volgens mij weet je het meeste wel. We moeten nu eerst de zolder op om te kijken of we de fonograaf zachter kunnen krijgen.'

'Dus dat was dat geluid!' Amber sloeg zo enthousiast met haar handen op tafel dat Nienkes melk bijna omviel.

'Stil nou!' zei Fabian geïrriteerd, want hij zag dat Patricia weer hun kant op keek. 'Als iemand het niet moet horen, dan is het Patricia wel.'

Amber keek zo schuldig dat Nienke begon te lachen. 'Ja, dat was het geluid. We schrokken ons helemaal kapot.'

'Laten we hopen dat we nu een normaal volume kunnen krijgen, dan kunnen we eindelijk horen wat er op die rollen staat,' Fabian woelde door zijn haar. 'Als ik rustig de tijd heb, dan moet het me wel lukken om het geluid zachter te krijgen.'

Amber stuiterde plotseling op en neer op haar stoel. 'Weet je wat je dan moet doen?' zei ze enthousiast. 'Mijn datrecorder meenemen, dan kun je het opnemen!'

'Wat een geweldig idee.' Fabian lachte lief naar Amber. 'Je bent echt een aanwinst!'

Fabian had Amber niet blijer kunnen maken met die opmerking, maar zowel hij als Nienke hadden gemengde gevoelens over het feit dat ze Amber over het geheim van het huis hadden verteld. De dagen daarop liep Amber steeds geheimzinnig door het huis en zocht opvallend in elk hoekje en gaatje, totdat Fabian fijnzinnig opmerkte dat als de schat in een keukenkastje had gelegen, hij waarschijnlijk allang gevonden zou zijn. Bovendien viel het veel te veel op wat ze deed, terwijl Victor sinds Patricia's Ouija-bordincident wantrouwiger was dan ooit, en dat konden ze absoluut niet gebruiken.

Victor was zo woest geweest op Patricia dat hij haar twee weken huisarrest had gegeven en haar had verboden televisie te kijken of mee te doen aan wat voor gezellige huisfestiviteiten dan ook. Sindsdien was Patricia steeds onhandelbaarder geworden.

Die avond bereikte Patricia's hysterie een hoogtepunt toen Victor haar 's avonds naar boven stuurde, nadat hij haar voor de televisie had betrapt. Tot grote verbazing van de rest van de Anubisbewoners begon ze enorme stennis te schoppen en schold ze Victor zelfs uit. Uiteindelijk begon ze heel hard te huilen en wilde ze alleen maar naar boven toen Mara met haar meeging.

Voor Nienke en Fabian verliep de avond een stuk voorspoediger, want toen Victor Patricia naar boven had gestuurd, kondigde hij aan dat hij een uurtje wegmoest. Hij had het niet beter kunnen plannen: nu konden ze rustig naar de zolder!

Terwijl de rest van de bewoners (behalve Mara en Patricia) beneden lekker chips zaten te eten en naar een horrorfilm te kijken, gingen Fabian en Nienke de zolder op. Nienke deed soepeltjes de deur open met haar haarspeld. 'Na u,' fluisterde ze en ze volgde met het kistje in haar armen Fabian de zoldertrap op. Boven klikte Fabian de zaklamp aan en scheen over de spullen die op de zolder stonden. Het was nieuwe maan, dus het was nog donkerder dan de vorige keren dat ze op de zolder was geweest.

Nienke voelde een koude rilling over haar rug lopen toen de lichtstraal precies op een oude paspop viel. Het bleef eng op de zolder en ze was blij dat Fabian naast haar stond. Het leek wel of hij nergens bang voor was. Ze nam zich voor om straks aan hem te vragen of dat waar was.

Fabian opende zachtjes de geheime wand en knielde voor de fonograaf die glansde in het licht van de zaklamp.

'Kun je mij een rol geven?' Fabian hield zijn hand op en Nienke gaf hem voorzichtig een wasrol uit het kistje. Hij haalde hem uit de koker en klikte hem vast in de houder. Terwijl hij een tijdje aan een aantal knoppen prutste, keek Nienke vanaf de zijkant naar zijn gezicht. Hij was zo serieus!

Uiteindelijk keek Fabian op. 'Ik denk dat het zo goed is. Ben je er klaar voor?'

Nienke knikte en pulkte zenuwachtig aan het touwtje van haar capuchontrui. 'Nee, wacht!' Ze haalde snel de datrecorder uit haar rugzak, zette het apparaatje naast de fonograaf en drukte op "rec". Ze knikte naar Fabian, die zachtjes met de zilveren hendel de wasrol in beweging bracht. Nienke verwachtte elk moment weer een hard geluid te horen en hield haar adem in maar na een paar seconden klonk er een stem uit het apparaat. Een meisjesstem.

Nienke en Fabian keken elkaar blij aan. Het was gelukt!

Een meisje vertelde met heldere stem dat ze net was verhuisd met haar ouders naar een groot huis:

'Mijn ouders noemen het Huis Anubis...'

Nienke greep Fabians hand en kneep er zachtjes in bij het horen van de naam van *hun* huis. Het meisje vervolgde dat ze het maar een vreemde naam vond, maar dat het blijkbaar een traditie was om het huis een naam te geven. Maar ze was vaak bang in het huis.

'Het is zo groot en donker hier. En dan die enge man... Er woont hier een heel enge man. Hij zorgt zogenaamd voor de tuin en alles in huis, maar hij zit intussen altijd te snijden in allerlei dode dieren die hij opzet voor zijn collectie. En hij praat tegen zijn vogel, ik ben zo bang voor die grote zwarte vogel.'

'Victor?' Nienke had onwillekeurig de naam van hun conciërge gezegd en keek bang naar Fabian. 'Heeft ze het over Victor?'

'Dat kan toch niet?'

'Maar... ze heeft het over een zwarte vogel!' Nienke voelde hoe de angst zich vastzette in haar maag. Het meisje kon het toch niet over Victor hebben? Wat had Pierre Marrant gezegd? De rol was ongeveer tachtig jaar oud!

'Stt, rustig maar.' Fabian zag hoe bang ze was en streek geruststellend over haar rug. 'Er is vast een rationele verklaring voor.'

Maar hij keek zelf ook ongerust.

Toen Nienke en Fabian tien minuten later over de gang liepen, hoorden ze een zacht gesnik. Nieuwsgierig bleef Nienke staan. 'Hoorde je dat?'

Fabian knikte. 'Het komt daar vandaan.' Hij wees op de deur van Mara en Patricia met het grote bord *"Hier waakt Patricia"* erop. Het snikken werd harder.

Nienke liep zachtjes naar de deur en luisterde.

'Ik weet toch ook niet wat het is,' hoorde ze Patricia jammeren. 'Ik zie hem overal. Eerst op het schoolplein en daarna ook op straat... Een donkere schim!'

Nienke keek naar Fabian.

'Waar heeft zij het nou over?' fluisterde ze.

Hij haalde zijn schouders op. 'Volgens mij is ze een beetje doorgedraaid van dat geesten oproepen.'

Hij keek op zijn horloge en schrok. 'Ik ga naar mijn kamer, oké? Straks komt Victor thuis.' Hij kneep Nienke in haar arm ten afscheid en liep snel de gang uit. Nienke luisterde weer aan de deur, maar ze hoorde alleen maar wat onverstaanbaar gemompel. Ze haalde ook haar schouders op en liep naar haar kamer waar Amber aan haar bureautje haar nagels zat te lakken. Op het moment dat Nienke binnenkwam, sprong ze op.

'En? En?' Ze wapperde driftig met haar handen om de lak droog te krijgen.

Nienke vertelde wat ze op de wasrol hadden gehoord.

Ambers ogen werden groot van schrik. 'Dus dat meisje heeft het over Victor?'

Nienke plofte op bed. Ze keek nadenkend. 'Ik weet het niet, maar het lijkt er wel op. Ik begrijp er ook niets van!'

'Maar dat kan toch niet? Die rollen zijn – hoe oud?'

'Ongeveer tachtig jaar.'

Amber werd bleek.

'Tachtig jaar! Dan zou Victor iets van...'

'... Honderddertig zijn,' maakte Nienke Ambers zin af.

'Dat kan niet! Niemand kan honderddertig worden! Zei ze zijn naam niet?' Amber keek gretig. 'Heb je de recorder? Mag ik een stukje horen?'

'Natuurlijk.' Nienke pakte de recorder uit haar rugzak en drukte op "play". Ze draaide het volume zo laag mogelijk. 'Kom je wat dichterbij? Straks hoort iemand het.'

Amber en Nienke luisterden met hun hoofden vlak bij de recorder naar de stem van het kleine meisje.

'Er woont hier een heel enge man. Hij zorgt zogenaamd voor de tuin en alles in huis, maar hij zit intussen altijd te snijden in allerlei dode dieren die hij opzet voor zijn collectie. En hij praat tegen zijn vogel, ik ben zo bang voor die grote zwarte vogel.'

Amber slaakte een kreet en keek Nienke bang aan. 'Dus het is waar! Ze heeft het over Victor!'

Plotseling klonk er een klik en de DAT begon te ruisen.

'Dat was het volgens mij,' zei Nienke en ze wilde opstaan, maar op datzelfde moment hoorden ze de stem van het meisje heel zachtjes uit de recorder komen. Nienke zette het volume harder, maar ze moesten nog steeds met hun hoofd in het kleine speakertje gaan zitten om het ijle stemmetje te ontcijferen.

'Mijn hart breekt. Ik weet niet wat ik moet doen. Waar moet ik heen? Ik weet het zo zeker: er is hier een moord...' Een droge klik. Daarna was er niks meer.

Amber stond verstijfd van angst. 'Hoorde je dat?' piepte ze. 'Had ze het over een moord?'

Nienke knikte. Ze kon ook nauwelijks een woord uitbrengen. 'Dit had ik nog niet gehoord. Dit had ik niet gehoord,' stamelde ze.

Amber keek naar de DAT alsof het een monster was. 'Het was nog niet afgelopen,' zei ze en ze wees naar het apparaat, maar maakte geen aanstalten om het op te pakken.

Nienke pakte de DAT en trok het snoertje eruit. Ze drukte op "play", maar er gebeurde niks.

'Batterijen op,' zei ze. 'We moeten weer terug.'

'Nienke?'

Nienke keek op. Amber was op haar bed gaan zitten en zag eruit alsof ze elk moment in tranen kon uitbarsten. Ze hield haar deken stevig vast, alsof ze een drenkeling was die zich aan de rand van de boot vastklampte.

'Denk je... denk je dat hier echt een moord in huis is gepleegd?' vroeg ze met verstikte stem.

Nienke ging bij Amber op bed zitten. 'Ik weet het niet. We moeten eerst terug en de rest beluisteren, oké? Daarna zien we wel,' zei ze dapper.

Het duurde heel lang voordat Nienke en Amber konden slapen die nacht. Nienke lag op haar rug in bed en luisterde naar de geluiden van het huis. Het maakte altijd geluid, alsof het leefde.

Ze dacht na. Ze had wel zo koel die laatste opmerking gemaakt maar ze was zelf eigenlijk ook hartstikke bang. Een moord? Het meisje had het over een moord! En nu moest ze ook weer terug de zolder op. Ze had het gevoel dat ze wel heel erg haar geluk op de proef stelde en dat het slechts een kwestie van tijd was voordat Victor een keer iets doorhad. Misschien had hij allang iets door en hield hij hen in de gaten... Nienkes gedachten dwaalden af naar wat er op de wasrol stond. Het meisje *kon* het niet over Victor hebben. Aan de andere kant: een enge man met als hobby dieren opzetten en een grote zwarte vogel? Dat kon toch alleen maar Victor zijn? Het begon allemaal steeds raarder te worden. En dan een moord... Hadden ze het wel goed verstaan?

Nienke draaide zich zuchtend op haar buik en stompte haar kussen in de goede vorm.

'Nienke?'

Nienke draaide zich om. Amber zat rechtop in haar bed.

'Wat is er? Kun je ook niet slapen?'

'Nee.' Amber zuchtte. 'Ik wilde je iets vragen. Wanneer ga je denk je weer naar de zolder?'

'Zo snel mogelijk, hoezo?'

'Nou, ik dacht...' Nienke zag Amber een beetje zenuwachtig aan haar dekbed plukken. 'Misschien kan ik wel gaan.'

'Jij? In je eentje?' Nienke keek ongelovig naar Amber.

'Nee, nee,' zei die snel. 'Niet in mijn eentje. Ik zou doodgaan van angst. Jij en ik bijvoorbeeld.'

'Ik dacht dat je zei dat je dat niet durfde. En er zitten spinnen.'

Amber keek even heel moeilijk – ze haatte spinnen uit de grond van haar hart, eigenlijk haatte ze alles wat kriebelde – maar knikte toen vastberaden. 'Ik wil heel graag mee. Ik ben heus niet alleen een soort modepoppetje, hoor.'

'Nee, nee, dat denk ik ook niet,' zei Nienke snel. 'Maar als Victor ons betrapt, worden we misschien wel het huis uit gestuurd! Durf je dat?'

'Ik wil mee,' zei Amber, ineens koppig. 'En wat Victor doet, kan me niet schelen. Ook al is hij honderddertig.'

6

OPNIEUW NAAR DE ZOLDER

'Het is tien uur. We weten allemaal wat dat betekent. Binnen vijf minuten in de kamers. Dan wil ik een speld kunnen horen vallen, absolute stilte!' klonk Victors stem van beneden.

Amber en Nienke stonden in hun pyjama in het donker bij de zoldertrap. Amber giechelde van de zenuwen en klikte de lamp aan die over haar krulspelden heen op haar voorhoofd zat.

'Nog niet!' siste Nienke die in de felle lichtstraal met haar ogen knipperde. Amber knipte de lamp snel weer uit.

Beneden klonk er gestommel van blote voeten.

'Ik hoor nog wat!' hoorden ze Victor dreigend zeggen.

'Maar we hebben nog drie minuten!' klonk Appies stem.

'Naar bed jij!' Victors zware voetstappen klonken op de trap, gevolgd door het geluid van een dichtslaande deur. Daarna was het muisstil in huis.

Na een minuut hurkte Nienke voorzichtig bij de deur. 'Schijn je me bij?' vroeg ze aan Amber, die haar zaklamp onmiddellijk weer aandeed. Nienke stak haar haarspeld in het slot.

'Wauw, dat het echt werkt,' fluisterde Amber enthousiast en ze knikte wild met haar hoofd, waardoor het licht alle kanten op scheen.

'Kun jij je hoofd stilhouden? Ik zie niks.'

Er klonk een klik en de deur sprong open. Amber begon weer te giechelen.

'Amber! Stil nou!' siste Nienke, die de haarspeld weer zorgvuldig

in haar haren stak en het kistje oppakte. 'Straks hoort iemand je!'
'Sorry.' Amber keek schuldig. 'Ik ben gewoon ontzettend zenuwachtig.' Ze ging nerveus met haar hand over haar gezicht en liep snel achter Nienke aan de trap op. Ze wilde voor geen goud alleen in het donker staan. Ze gleed met haar hand over wat spinrag op de trapleuning en ze gaf een klein gilletje.

Nienke draaide zich bliksemsnel om. Ze sloeg haar hand voor Ambers mond.

'Je moet echt zachter doen,' ademde ze bijna onhoorbaar in Ambers gezicht. Ze keek heel serieus.

Amber knikte ja. De lichtstraal deinde met de beweging op en neer.

'Het is hier wel eng, hé?' zei Amber kleintjes. Ze volgde Nienke op de voet en pakte haar beet toen ze op de paspop scheen.

'Ik schrok me kapot,' zei ze. 'Ik dacht dat daar iemand stond.' Ze deed de tas open die aan haar arm hing en haalde er een kruimeldief uit.

'Wat ga jij nou doen?' vroeg Nienke ongelovig. Amber keek angstig in het rond naar de bewegende schaduwen op het plafond.

'Dat is om geesten op te zuigen,' siste ze Nienke toe en ze hield de kruimeldief als een pistool voor zich uit.

'Niet aandoen!' zei Nienke snel. 'Dat maakt veel te veel lawaai!'

Amber keek teleurgesteld toe hoe Nienke de wand opzij duwde.

'Wauw, een geheime wand. En is dit het meisje?' Amber knielde voor het schilderij.

'Ja,' zei Nienke zachtjes en ze haalde de kap van de fonograaf. 'En hier kunnen we de wasrollen mee afspelen.'

Amber ging zachtjes met haar vingers over het schilderij, maar draaide zich meteen om toen achter haar iets kraakte. Ze hield de kruimeldief in de aanslag. 'Wat was dat?' fluisterde ze tegen Nienke. Ze waren even stil maar ze hoorden niets meer. Langzaam liet Amber de kruimeldief zakken, terwijl Nienke de wasrol uit haar rugzak pakte en voorzichtig in het apparaat vast klikte. 'Zorg jij voor de DAT?'

'Oh ja, natuurlijk.' Amber haalde de recorder uit haar handtas en zette die naast het apparaat.

Nienke begon voorzichtig aan de hendel te draaien. Amber luisterde ademloos naar het meisje dat vertelde over het grote huis dat haar ouders Anubis hadden genoemd. Bij het gedeelte over de enge man met de zwarte vogel greep ze onwillekeurig Nienkes hand.

'Ze heeft het echt over Victor,' fluisterde ze bang. 'Dat kan niet anders.'

Nienke knikte. Er klonk een klik en een ruis en daarna hoorden ze wat ze de avond daarvoor ook al op de DAT hadden gehoord. Nienke en Amber hielden elkaars handen vast terwijl ze muisstil naar de verdrietige meisjesstem luisterden:

'Mijn hart breekt. Ik weet niet wat ik moet doen. Waar moet ik heen? Ik weet het zo zeker, er is hier een moord gepleegd. Mijn ouders... iedereen zegt dat ze een ongeluk hebben gehad. Maar ik weet zeker dat het niet waar is. Ik hoorde ze, ik hoorde hun stemmen beneden. Ze zijn vermoord, ik weet het zeker. En die man, die man met die raaf...'

Nienke stopte ineens.

Amber keek verstoord op. 'Wat doe je,' vroeg ze, maar ze zweeg meteen toen Nienke haar hand ophief en haar vinger op haar lippen legde.

Toen hoorde Amber het ook: voetstappen op de trap.

'Victor?' Amber stond stokstijf van angst.

'De zaklamp. Uit, uit!' siste Nienke terwijl ze zo zachtjes mogelijk de wand probeerde dicht te duwen. Amber kwam weer bij haar positieven en klikte het licht op haar voorhoofd uit.

Nienke vloekte zacht, ze kreeg de wand niet helemaal dicht: er was nog een spleet van vijf centimeter over, maar ze had geen tijd meer! De voetstappen klonken nu heel dichtbij, ze waren zo te horen al bijna bovenaan de trap...

Amber en Nienke zaten stijf van angst met hun rug tegen de muur achter de geheime wand. Amber had Nienkes hand gepakt en kneep die bijna tot moes. Door de spleet zagen ze een zaklamp schijnen. Ze hoorden een zacht gemompel.

'Waar zijn jullie?'

Het was Victor.

'Oh, waar zijn jullie dan?' hoorden ze hem met een griezelige stem zeggen. Zijn gezicht verscheen vlak voor de spleet, het zag er doodeng uit in het weinige licht. Nienke voelde Amber naast zich verstijven en haar adem stokte in haar keel. Ze hoopte uit alle macht dat Amber niet zou gaan gillen, want dan zou Victor hen zeker vinden...

'AAAAAAAAAAAAAAH!!! AAAAAAAAH, AAAAAAH!!!'

Een ijselijke gil klonk door het huis.

Amber slaakte zelf een kreetje van schrik en Nienke sloeg weer haar hand voor Ambers mond.

Victor stond meteen stil. 'Wat zullen we nou...?'

Hij draaide zich om en liep uit hun gezichtsveld. Het volgende moment hoorden ze zijn voetstappen op de trap en het dichtslaan van de deur.

'Wie gilde daar zo?' Amber trilde als een bezetene.

'We moeten hier weg, kóm!' Nienke sprong op en trok Amber aan haar arm omhoog.

Ze konden beiden van de spanning nauwelijks meer op hun benen staan. Vliegensvlug trokken ze de wasrol uit het apparaat en duwden de rol terug in de rugzak.

Nienkes hersenen maakten overuren toen ze zo snel en zachtjes mogelijk naar beneden slopen. Hoe wist Victor dat er iemand op zolder was? Had hij iets gehoord? Of wist hij meer? Met trillende vingers haalde ze onderaan de trap de haarspeld uit haar haren en deed de zolderdeur open. Amber stond doodsbleek naast haar. Haar ademhaling ging gejaagd. Nienke opende voorzichtig de deur en stapte de gang in.

'Is alles goed met jullie?'

Fabian stond achter de zolderdeur op hen te wachten. Hij spiedde om zich heen.

'Snel, het hele huis staat op stelten. Patricia heeft het hele huis bij elkaar gegild!' Hij trok snel de zaklamp van Ambers hoofd en duwde hen de gang in.

De deur van de kamer van Patricia en Mara stond open. Ze hoorden Patricia huilen: 'Het was die man weer. Hij kwam me halen!'

Mick, Jeroen en Appie stonden nieuwsgierig in de deuropening te kijken naar Patricia die huilend rechtop in haar bed zat. Mara had beschermend een arm om haar heen geslagen. 'Rustig maar Patries, het was alleen maar een droom,' zei ze sussend.

'Maar het was zo echt!' gilde Patricia hysterisch.

Victor, die middenin de kamer stond, scheen ineens met zijn zaklamp de gang op.

'Wat moeten jullie hier?'

'Wij, euh, werden wakker,' zei Appie sullig.

Victor liep de gang op en scheen hen een voor een met zijn zaklamp in het gezicht. Nienke hield de rugzak angstvallig achter haar rug verborgen. De lichtstraal bleef hangen bij Amber en gleed van haar gezicht naar de zoom van haar nachtpon.

Er hing een groot, grijzig spinrag aan.

Victor zweeg. Zijn gezichtsuitdrukking verraadde niets. Toen draaide hij zich om en liep de kamer weer in.

'De poppenkast is over. Naar bed,' zei hij bars en sloot de deur.

Dat lieten ze zich geen tweede keer zeggen. Ze vlogen naar hun kamer en klapten de deur achter zich dicht. Eenmaal binnen voelde Nienke pas hoe erg haar knieën knikten. Amber veegde met een vies gezicht het spinrag van haar nachtpon. 'Zag je dat?' fluisterde ze tegen Nienke die de kastdeur optrok. 'Victor zag het, hè?'

Maar Nienke antwoordde niet. Ze staarde naar de inhoud van de kast.

'Wat raar,' zei ze. 'Zo'n rommel is het nooit.'

Amber liep naar haar toe en keek over Nienkes schouder de kast in. 'Dat hebben wij niet gedaan.'

Ze keken elkaar verschrikt aan.

'Iemand heeft in de kast gerommeld! De wasrollen!' riep Nienke ongerust en ze duwde de omgewoelde kleren opzij op zoek naar het kistje.

'Daaronder!' riep Amber. Nienke trok het kistje met de wasrollen onder een omgevallen stapel broeken vandaan en drukte het tegen zich aan. Al het bloed was uit haar wangen getrokken. 'Ik dacht even dat we ze kwijt waren,' stamelde ze zachtjes.

Amber stond totaal ontredderd in de kamer. 'Oh Nienke, wat doen we nu?' Haar tanden klapperden van de spanning.

Nienke liep zenuwachtig met het kistje in haar armen geklemd de kamer op en neer. 'We moeten het ergens anders verstoppen. Maar hier in huis is het nergens veilig!'

'Ik weet het!' zei Amber ineens. 'We moeten het begraven!'

Nienke keek moeilijk. 'Ja maar... we hebben een van de wasrollen nog niet opgenomen.'

'En de rest wel?'

'Ja, maar we hebben het nog lang niet allemaal gehoord,' zei Nienke. Ze wist niet of Ambers idee zo verstandig was.

'Dan verstoppen we de laatste hier in huis. Maar de rest begraven we,' zei Amber stellig.

Amber wist ook al waar: bij de oude wilg waar ze altijd langskwamen op weg naar school. Dat was het perfecte markeringsteken en niemand zou daar zoeken. Maar volgens Amber moest het wel zo snel mogelijk gebeuren en daarom slopen Nienke en Amber de volgende dag aan het eind van de middag met het kistje door de hal.

Nienke keek naar Amber. Ze was helemaal in het groen gekleed en had groen met zwarte camouflagestrepen op haar gezicht. Ze zag eruit als een junglecommando en zo sloop ze ook de trap af. Nienke hoorde stemmen vanuit de woonkamer. 'En de Mickster scoort!' hoorde ze Mick schreeuwen. Meteen daarop klonk de stem van Fabian: 'Hardlopers zijn doodlopers! Mijn beurt.'

Nienke bleef staan. 'Moeten we Fabian niet waarschuwen?' vroeg ze vol twijfel, maar Amber trok haar aan haar arm.

'Veel te gevaarlijk, Mick is erbij.' Amber spiedde overdreven om zich heen. 'We vertellen het later wel, kom.'

Nienke liet zich de deur uitduwen. De zon scheen buiten en ze knipperde even tegen het felle licht. Ze had het gevoel dat ze al in geen maanden meer buiten was geweest door al die doorwaakte nachten op de duistere zolder.

In het daglicht leek alles opeens een stuk minder problematisch en ze draaide zich om naar Amber.

'Moeten we dit wel doen?'

'Kom nou!' Amber liep het bordes af naar haar fiets. 'Straks ziet iemand ons.'

Ze reden op hun fietsen naar de plek waar de grote oude boom treurig over een bocht uitkeek. Ze gooiden hun fietsen in het gras en liepen om de boom heen. Aan de achterkant van de boom zat, bijna tegen de bosjes aan, een klein stukje aarde. Een perfecte plek om iets te begraven, omdat je het nauwelijks kon zien vanaf de weg.

'Stel je nou voor dat we tijdens het graven iets anders tegenkomen,' giechelde Amber zenuwachtig. 'Een hoofd, of een hand, of...'

'Een schat?' Nienke haalde het kleine schepje uit haar tas ("geleend" uit de schuur) en knielde bij de boom.

Gelukkig had het nog niet gevroren, dacht Nienke terwijl ze begon te graven, anders had ze nooit een gat in de grond kunnen krijgen. Ze keek even naar Amber die met haar neus in het kistje zat en zuchtte. Ze maakte zich zorgen om Amber. Ze was soms zo enthousiast dat Nienke dacht dat ze niet doorhad hoe belangrijk dit was. Ze schepte nog een lading aarde uit het gat. Het zat haar ook helemaal niet lekker dat ze Fabian niet had gesproken. Was het wel goed wat ze deden? De wasrollen waren zo belangrijk en nu begroeven ze het kistje zomaar onder een boom. Ze schepte peinzend door. De hoop aarde begon al hoger te worden en ze keek naar de donkerbruine kluiten, waar een dikke roze worm doorheen wriemelde.

Amber zag het.

'Gatver!' gilde ze. 'Ik kijk hier wel even of alles goed is.' Ze dook snel met haar hoofd in het kistje.

Nienke bedacht dat Amber waarschijnlijk nog nooit met haar handen in de aarde had gegraven. Haar nagels zouden er alleen maar van breken. Ze had opeens een visioen van Amber als klein peutertje die met heel kleine roze gelakte nageltjes op het strand weigerde om in het zand te graven en ze lachte hardop.

'Waarom lach je?' vroeg Amber, die klaar was met haar inspectie en nu heel gewichtig op de uitkijk stond.

'Oh, niks,' zei Nienke. 'Gewoon een binnenpretje. Je hebt die laatste rol er toch niet in gestopt hè? Die hebben we nog niet gehoord.'

'Neehee! Hoe vaak heb je me dat al niet gezegd? Duizend keer?' Amber draaide met haar ogen. Ze keek naar de weg die goud kleurde in het licht van de ondergaande zon. Plotseling dook ze bovenop Nienke.

'Wat? Wat is er?' riep die gesmoord.

'Stt,' siste Amber. 'Er loopt daar een man!'

Ze keken samen over de bosjes naar de man die langzaam over het pad hun kant op liep. Hij was helemaal in het zwart gekleed en keek om zich heen. Plotseling bleef hij staan.

'Dat is wel verdacht, hè?' fluisterde Amber, maar op dat moment begon de man in een sukkeldrafje te rennen – het was gewoon een jogger.

'Pfff, dat ging echt *net* goed!' pufte Amber toen hij voorbij was. 'Nu kun je wel weer doorgaan met graven. Hé, kom eens hier.' Amber graaide naar het medaillon om Nienkes nek.

'Wat doe je?' vroeg Nienke en duwde Ambers handen weg.

'Die moet er ook bij!' Amber pakte het medaillon vast en trok eraan.

'Laat los!' zei Nienke geïrriteerd.

Amber keek verbaasd en liet het medaillon los. 'Maar straks ziet iemand het!' stamelde ze.

'Het hangt gewoon om mijn nek, hoe kan iemand dat nou zien? Ik hou het gewoon om,' zei Nienke stellig.

Nadat het kistje veilig onder de aarde verdwenen was, gingen Nienke en Amber weer terug naar het huis om de laatste wasrol te verbergen, maar eenmaal binnen werden ze door Trudie de woonkamer in getroond. Het was tijd voor het avondeten. Daarom konden ze pas na het eten naar de badkamer. Amber had het fantastische idee om de rol in een plastic zak in de stortbak van een wc te verstoppen, maar vervolgens weigerde ze wel om ook maar in de buurt van het toilet te komen ('al die bacteriën, bah, daar ga ik niet met mijn handen in!'). Nienke was daarom weer de klos en toen het ding eindelijk veilig in het water van de stortbak lag, konden ze weer wat rustiger ademhalen.

Amber wreef in haar ogen. 'Ik ben doodop,' geeuwde ze.

'Dat is mooi, want het is wel ongeveer tijd om te gaan slapen,' zei Nienke.

'Laten we eerst nog een keer luisteren wat er op de recorder staat,' zei Amber. 'Ik was gisteren zo zenuwachtig dat ik de helft niet heb verstaan.'

Amber schrok toen ze de kamer binnenkwam.

'Volgens mij is er weer iemand geweest,' fluisterde ze. 'Kijk, ik weet zeker dat ik mijn oogschaduwdoos dicht had gedaan.'

Ze liep naar haar bureautje en keek in het rond. 'Hm, dat is volgens mij alles. En bij jou?'

Nienke keek naar haar spullen maar alles leek in orde. Ze pakte de recorder die op haar bureau lag. 'Deze is er gelukkig nog maar misschien moet een van ons hem in het vervolg maar bij zich houden,' zei ze bezorgd. 'Alle informatie staat erop.'

Ze duwde het snoertje in de DAT en deed de stekker in het stopcontact. 'Kom je luisteren?'

Ze drukte op "play".

'WHOOMOMOOOVOOODDDDDDOO,' klonk er hard uit de recorder. Daarna was het een paar seconden stil en vervolgens hoorden ze iemand angstig gillen.

Nienke en Amber schrokken zich kapot. Wat hadden ze nou opgenomen? Dit stond toch niet op de wasrol?

Amber was de eerste die weer sprak.

'Nienk...?' zei ze timide.

Nienke keek angstig op.

'Ik heb wel eens verhalen gehoord dat geesten kunnen spreken op opnames.' Amber slikte. 'Dat meisje op de band... ze zei toch dat haar ouders vermoord waren?'

Nienke knikte langzaam, maar keek Amber niet aan. Ze keek naar de DAT.

'Misschien... zijn dat haar ouders die geen rust kunnen vinden...'
Nienke knikte weer en duwde de recorder verder het bureau op om het ding zo ver mogelijk uit haar buurt te krijgen.
'Ik wil je niet bang maken,' vervolgde Amber. 'Maar er gebeuren rare dingen in dit huis.'
'Ik weet het,' zei Nienke. Ze keek eindelijk naar Amber die zelf ook doodsbenauwd keek.
'Kom!' Amber sprong abrupt op en begon aan de dekens van Nienke te trekken.
'Wat doe je?' vroeg Nienke verbaasd.
'Ik maak een beschermende tent waar ze niet doorheen kunnen.'
Nienke stond op en hielp Amber mee. Toen ze klaar waren, gingen ze samen op Nienkes bed onder de dekens zitten. Het was stikheet en het was een beetje krap, maar Amber had wel gelijk: het voelde een stuk veiliger.
'We doen het licht niet uit vannacht, hè?' zei Amber kleintjes.

De volgende dag stonden ze gespannen en moe bij de gymles. De gymlerares Esther had bedacht dat het leuk was om vandaag een tienkamp te doen. Ze stond enthousiast op en neer te springen op een houten bankje. Haar rode paardenstaart bewoog mee met elke sprong en ze blies zo af en toe op haar fluitje, terwijl klas 4B zich in touwen hees, over een bok heen sprong en zoveel mogelijk kegeltjes omtrapte met een voetbal.
Nienke baalde. Ze had nog helemaal niets aan Fabian kunnen vertellen en ze stond te popelen om hem op de hoogte te brengen van de verstopte wasrollen, de moord op de ouders van het meisje en de stemmen van de geesten op de DAT, maar tijdens de les vond ze dat veel te gevaarlijk.
Amber baalde ook. Ze deden de tienkamp per twee en Mick en Mara waren samen een team. Ze hadden zo te zien de grootste lol. 'Moet je nou kijken,' zei ze jaloers en trok aan Nienkes arm, maar die was zo moe dat het haar op dat moment niet zoveel kon schelen.
'Er is toch niks aan de hand? Ze zijn gewoon vrienden,' zei ze

gapend. Haar nek deed pijn, want ze had de hele nacht nauwelijks kunnen bewegen met Amber naast zich.

Op dat moment pakte Mick Mara in een brandweergreep en rende woest de gymzaal door terwijl Mara meisjesachtige gilletjes slaakte. Amber werd rood in haar gezicht en keek alsof ze elk moment kon ontploffen.

'En dat dan? Noem je dat vrienden?' Ze schopte driftig tegen een voetbal die tegen de bok aankwam in plaats van tegen de kegels, wat haar een woeste blik opleverde van Jeroen. Die stond net op het punt om te springen en moest door de bal zijn aanloop afbreken.

Esther blies hard op haar fluitje. 'En wisselen!'

Ze liepen door naar de bok, terwijl Amber steeds achterom keek om Mick en Mara in de gaten te houden. 'Wat moeten we hier doen?' vroeg ze afwezig toen ze bij de bok aankwamen. Nienke keek haar ongelovig aan. 'Je moet er zo snel mogelijk naartoe kruipen en er dan vijf keer omheen dansen,' grapte ze.

'Ha ha,' zei Amber chagrijnig. Ze gaf Nienke een zetje. 'Ga jij maar eerst.'

Nienke haalde haar schouders op. 'Best,' zei ze en nam een aanloop, maar toen ze wilde springen bleef haar vinger haken achter de ketting van het medaillon. Het vloog in een grote boog de gymzaal door en Nienke, die niet meer kon stoppen, botste met een noodvaart tegen de bok op. Ze viel hard achterover op de groene gymzaalvloer.

Esther kwam meteen aanlopen. 'Nienke, gaat het?' vroeg ze ongerust. Nienke stond alweer en wreef met een pijnlijk gezicht over haar stuitje.

'Ja, het gaat wel.' Ze was zich maar al te bewust van Appie en Jeroen die bij de touwen krom stonden van het lachen.

Ze klopte haar gymbroek af en voelde toen om haar nek. 'Mijn ketting – hij is weg!' riep ze geschrokken.

Ze keek in het rond en zag in haar linkerooghoek iets glinsteren. Daar was hij! Maar toen zag ze dat Patricia met grote interesse naar het medaillon liep. Nienke nam een sprint. Patricia boog zich net voorover om het sieraad te pakken, toen ze het voor haar neus weggriste. 'Dank je wel voor het vinden,' hijgde ze.

Patricia keek langzaam op. Haar ogen waren vernauwd tot spleetjes en ze keek Nienke intens aan.

'Hoe kom je daaraan?' vroeg ze ijzig kalm – te kalm.

'Die... die heb ik van mijn oma gekregen,' zei Nienke, die met trillende vingers de ketting weer om haar nek probeerde vast te maken.

Patricia ontplofte als een bom.

'Je liegt!' schreeuwde ze. 'Dat teken – ik ken dat teken!'

Nienke deinsde achteruit. Patricia leek wel waanzinnig. Als een dolle hond haalde ze opeens naar haar uit en greep haar hard bij haar keel.

'Geef hier!'

Opeens stond Fabian achter Patricia en trok haar hard achteruit. 'Laat haar los, ze heeft niets gedaan,' zei hij zo kalm mogelijk, maar Patricia trapte hard tegen zijn schenen en haalde weer uit naar Nienkes hals.

Toen klonk er een schel gefluit.

'Patricia Soeters! Ben je helemaal gek geworden?' Esther trok Patricia aan haar arm. Haar ogen spuwden vuur.

'Dit kan ik niet tolereren! Ga maar douchen, hup, afkoelen jij!' Ze duwde Patricia hard in de richting van de deur, weg van Nienke, die voorovergebogen over haar keel wreef.

'Gaat het?' vroeg Esther.

Nienke knikte, maar kon geen woord uitbrengen. Haar lippen trilden.

Patricia rende naar de deur. 'Ik heb je wel door!' gilde ze tegen Nienke. 'Dat teken – Joyce – jij hebt er iets mee te maken! Ik krijg je wel!'

'Patricia!' Esther wees dreigend richting deur.

Patricia verdween stampvoetend door de deuropening en sloeg de deur keihard achter zich dicht.

Nienke was ontzettend geschrokken.

'Begrijp jij waar ze het over had?' vroeg ze Fabian toen ze na de les in de kantine zaten. Ze pakte dankbaar het kopje thee van hem aan en vouwde haar handen eromheen.

'Ze had het over een teken. Mag ik je medaillon eens zien?'

Nienke keek eerst angstig om zich heen voor ze het medaillon van haar nek losmaakte en het aan Fabian gaf.

Hij bekeek het nauwkeurig. Op de voorkant stond een soort oog waaruit stralen kwamen. Er stond een driehoek omheen.

'Ik heb dit wel eens gezien,' zei Fabian. 'Het staat ook op een Amerikaans dollarbiljet.'

Hij wreef peinzend over het oog. 'We komen er wel achter. Maar wat Patricia er nou in zag...'

Hij gaf de ketting weer terug aan Nienke.

'Ik dacht dat het gewoon een versiering was,' zei Nienke en ze nam een klein slokje van de hete thee. Ze was nog steeds niet helemaal over de schrik heen en verwachtte elk moment dat Patricia voor haar zou staan om haar aan te vallen. Wat was er toch met haar aan de hand? 'Misschien heeft Patricia wel door onze spullen gezocht,' bedacht ze opeens. Die gedachte overviel haar zo dat ze hardop sprak.

Fabian keek onaangenaam verrast. 'Wat zeg je nou?'

Nienke vertelde hem zachtjes dat er in haar kast gerommeld was en dat Amber toen had voorgesteld om de wasrollen te begraven en de laatste te verstoppen in de stortbak van het toilet.

'Maar waarom hebben jullie het niet met mij besproken?' zei Fabian verongelijkt.

'Dat wilde ik ook, maar we hadden haast. En jij was aan het tafelvoetballen met Mick en toen zei Amber dat het te gevaarlijk was omdat hij erbij was,' ratelde Nienke schuldbewust. Ze keek beschaamd in haar kopje thee.

'Oké, oké!' Fabian hief zijn handen op. 'Maar laten we volgende keer dit soort dingen wel eerst bespreken.'

Nienke knikte en liet haar hoofd hangen. 'Sorry. Volgende keer kom ik meteen naar je toe, oké?'

Fabian lachte even om Nienkes bezorgde gezicht maar keek meteen weer serieus.

'Ben je er wel helemaal zeker van dat Amber te vertrouwen is?'
'Honderd procent. Ik ben alleen soms bang dat ze het niet serieus genoeg neemt. Ze doet soms zulke rare dingen.' Ze vertelde Fabian over de kruimeldief die Amber had meegenomen naar de zolder om geesten op te zuigen.
Fabian lachte, maar wel een beetje als een boer met kiespijn. 'Ja, Amber is soms wel een beetje impulsief.' Hij dacht even na. 'We moeten eigenlijk een manier vinden om ervoor te zorgen dat ze niet zomaar haar mond voorbijpraat,' peinsde hij.
Ze zwegen allebei.
Toen keek Nienke plotseling op.
'Ik weet het,' zei ze en er verscheen een kleur op haar wangen. 'We richten een geheime club op! Als we haar een eed van trouw laten zweren, dan weet ik zeker dat ze zich daaraan houdt.'

Zoals Nienke al had verwacht, was Amber dolenthousiast toen ze haar even later over het idee vertelde om een geheime club op te richten. Ze stonden samen in de gang en Amber gooide haar blikje cola light bijna over Nienke heen omdat ze meteen een yell wilde verzinnen.
'We doen een yell. En we moeten een geheim teken hebben. En natuurlijk een vlag... Mag ik de vlag ontwerpen?' Amber keek smekend naar Nienke.
'Maar het idee is juist dat we alles zo goed mogelijk geheim houden. Denk je niet dat een teken en een vlag veel te veel opvallen?' vroeg Nienke voorzichtig.
Meteen daarop gaf ze Amber een por in haar zij – Mick kwam aanlopen.
'Hoe gaat het hier?' Hij pakte Amber bij haar middel en wilde haar naar zich toe trekken, maar die duwde hem van zich af.
'Mihick! Zie je niet dat we bezig zijn?' Amber keek gepikeerd naar haar vriendje.
'Oh, sorry. Ik wilde je alleen vragen... '
Mick keek verlegen, maar Amber was zo vol van het hele geheime-clubidee dat ze dat niet zag.

'Ik zie je de laatste tijd zo weinig. Wil je wat leuks met me doen?' vervolgde hij.

Hij keek even heel ongemakkelijk naar Nienke en schopte vervolgens met zijn gymp tegen een onzichtbaar steentje. 'Misschien kunnen we uit eten gaan? Vanavond?'

'Ja, dat is goed,' zei Amber een beetje lauw en wuifde hem weg. 'Vanavond is prima. Kun je ons nu weer alleen laten?'

Mick grijnsde. 'Top! Dan zie ik je om zeven uur, oké?' Hij gaf de tegenstribbelende Amber een kus. 'Ga nu maar weer door met jullie *meidendingen*,' zei hij sarcastisch en liep fluitend weg.

'Hij is wel lief hoor,' zei Nienke terwijl ze Mick nakeek. 'Hoe lang gaan jullie nou al met elkaar?'

Amber pakte ineens Nienkes arm.

'Ik weet het! Ik weet het!'

Nienke keek dom naar Amber. 'Wat weet je? Hoe lang je al met Mick gaat?'

'SIBUNA!' riep Amber en keek triomfantelijk.

Nienke begreep er nu helemaal niets meer van. 'Sibuna?'

'Sibuna – Anubis achterstevoren,' zei Amber trots. 'Dat is toch de perfecte yell voor onze geheime club?'

Nienke zuchtte.

7

DE GEHEIME CLUB VAN DE OUDE WILG

Nienke stond in haar eentje in het dramalokaal en wachtte.

Ze keek nog een keer op het bureau of ze alles had: een paar wilgentakken, drie spelden, het document dat ze die nacht in alle geheim had gemaakt. Er stond "*De Geheime Club van de Oude Wilg*" op, in krullerige kalligrafieletters. De rest van het papier was nog helemaal wit. Nu nog wel.

Er werd geklopt.

'Binnen,' zei Nienke. Haar stem trilde een beetje.

Fabian en Amber kwamen het lokaal in. Ze keken verbaasd naar Nienke en naar de kaarsen die overal in het lokaal brandden.

'Wat is dit? We kregen een boodschap?' vroeg Fabian, hij zwaaide met het briefje dat Nienke bij hen in hun kluisje had achtergelaten.

Amber, die het al doorhad, greep met een kreetje Fabian bij zijn schouder. 'De club hè, het is de club!' Ze keek Nienke enthousiast aan.

Nienke knikte. Ze deed de deur achter Fabian en Amber op slot en stak de haarspeld weer in haar zak.

'Komen jullie?' Ze ging bij de tafel staan.

Fabian wees een beetje achterdochtig naar de spelden op Jasons bureau. 'Die zijn toch niet voor waar ik denk dat ze voor zijn, hè?'

Amber porde hem waarschuwend in zijn zij. 'Fabian! Je moet wel meedoen!'

'Ja natuurlijk.' Fabian wreef met een pijnlijk gezicht over zijn zij. 'Als jij het zegt.'

Nienke ging achter het bureau staan en schraapte gewichtig haar keel. Amber giechelde.

'We zijn hier bijeen voor de oprichting van de Geheime Club van de Oude Wilg...'

Amber gaf een kreetje. 'Wat een goede naam! Die had ik kunnen bede...'

'Sttt,' siste Fabian in haar oor en gaf haar een por in haar zij als wraak voor de por die zij hem net gaf.

'Auw!'

'We zijn hier dus bijeen voor de oprichting van de Geheime Club van de Oude Wilg,' herhaalde Nienke met een glimlachje. 'Jullie handen?' Ze hield het medaillon in haar uitgestoken hand. Fabian legde zijn hand op die van Nienke en Amber deed hetzelfde.

Nienke liet hen beiden zweren op diegene die hen het meest lief was (Fabian koos voor zijn broertje Peter en Amber voor haar goudhamsters Hector en Oellie, zelf zwoer ze op haar ouders) en daarna prikte iedereen met een speld in z'n vinger. Aan het eind van het ritueel stonden er drie bebloede vingerafdrukken met hun namen eronder op het document.

'Laten we elkaar beloven dat we nooit iets aan iemand anders zullen vertellen over het geheim van het Huis Anubis en dat we elkaar altijd zullen bijstaan,' zei Nienke.

Ze hadden elkaar handen vast. De andere twee knikten plechtig.

'Dat beloof ik,' zei Fabian serieus.

'Dat beloof ik met heel mijn hart,' zei Amber.

'Daarmee verklaar ik de Geheime Club van de Oude Wilg opgericht,' eindigde Nienke.

Amber gaf een kreet. 'Sibuna!' Ze omhelsde Fabian en Nienke.

'Sibuna?' vroeg Fabian zacht aan Nienke. Hij begreep er niks van.

'Anubis, maar dan andersom,' glimlachte Nienke.

'Natuurlijk, logisch,' zei Fabian droog. 'Sibuna!' Hij stak zijn armen naar Nienke uit en omhelsde haar stevig.

Amber was zo vol van het hele idee van het oprichten van de Geheime Club van de Oude Wilg, dat ze het er 's avonds nog steeds over had. Ze praatte honderduit over een logo en vlaggen en sjaals die ze voor hen drieën wilde ontwerpen, terwijl ze van opwinding in haar bed op en neer wipte.

Plotseling werd er een envelop onder de deur geschoven.

'Wat is dat nou?' zei Nienke. Ze gleed haar bed uit en pakte de envelop op: *Amber Rosenbergh* stond er in hanenpoten op geschreven.

'Voor jou,' ze overhandigde een verbaasde Amber de envelop. 'Vast een liefdesbrief van je vriendje Mick,' voegde ze er plagend aan toe.

'Wie weet,' lachte Amber. Ze pakte een nagelvijl uit haar toilettas en ritste de envelop in één haal open. Ze haalde er een blaadje uit en begon aandachtig te lezen.

Nienke keek nieuwsgierig naar Ambers gezicht maar daar kon ze geen wijs uit worden. 'Nou? Van wie is hij?' drong ze na een minuutje aan.

'Hij is van Mick.' Amber keek niet op.

'Ik zei het toch!'

'Hij maakt het uit,' zei Amber. Ze klonk heel koel. 'Omdat ik onze afspraak was vergeten.'

'WAT! Maar, maar...' Nienke kon haar oren niet geloven. 'Hij maakt het uit? Oh, Amber!'

Ze wachtte op de eerste tranen van haar vriendinnetje maar Amber deed kalm de brief weer terug in de envelop en legde die op haar nachtkastje.

'Gaat het wel?'

'Ja hoor, prima,' zei Amber met een vreemd rustige stem.

Nienke begreep er helemaal niets van. Ze kende Amber natuurlijk nog niet zo heel lang en had haar nog nooit meegemaakt in zo'n situatie, maar dit was wel de laatste reactie die ze van haar had verwacht.

'Ben je niet verdrietig? Vind je het niet erg?'

'Hm, ik weet niet... Als hij het uitmaakt omdat ik een afspraak ben vergeten, dan stelde het voor hem dus blijkbaar niet zoveel voor.' Amber pakte haar roze maskertje van haar nachtkastje en zette dat op haar hoofd. 'Sorry, maar ik ben moe. Ik ga slapen.' Voordat Nienke nog iets kon zeggen, trok ze het dekbed over haar schouders en draaide zich naar de muur.

'Amber?' vroeg Nienke ongerust, maar Amber reageerde niet. Nienke haalde haar schouders op. Wat moest ze hier nou mee? Ze keek op haar horloge. Het was pas half tien en ze was nog helemaal niet moe. Misschien moest ze maar naar Fabian gaan. Wie weet was Mick nog beneden en konden ze even naar de DAT luisteren. Ze wilde weten wat Fabian van die rare geestopname vond. Hem kennende zou hij er wel een of andere rationele verklaring voor hebben.

Nienke stapte zachtjes uit bed en trok haar kamerjas aan. 'Amber, ik ga even naar Fabian, oké?' zei ze terwijl ze bezorgd naar haar vriendinnetje keek die er heel klein en kwetsbaar uitzag onder het grote dekbed.

Amber reageerde weer niet. Zuchtend deed Nienke de deur open. Tot haar verbazing stond Fabian voor haar neus. Hij hield zijn hand omhoog, alsof hij op het punt stond op de deur te kloppen.

'Hé! Ik wilde net naar je toegaan,' zei Nienke verlegen.

'Oh, nou... twee zielen, één gedachte,' antwoordde Fabian met rode wangen. 'Kan ik binnenkomen?'

Nienke keek achterom naar Amber. Waarschijnlijk konden ze haar beter even met rust laten.

'Amber slaapt, we kunnen beter naar de badkamer gaan,' zei Nienke en liep de gang op richting badkamer. Er hing een dikke laag stoom in de ruimte en het rook er naar natte washandjes.

'Gatver,' zei Nienke. Ze stond met haar blote voeten in een grote plas water. Met een vies gezicht veegde ze ze af aan de badmat, terwijl Fabian zachtjes vertelde dat hij er net achter was gekomen dat er een heel stuk van de wasrol niet goed op de DAT stond.

Nienke schrok. 'Wat doen we nu?' vroeg ze met een bezorgd gezicht.

'We moeten de wasrollen weer opgraven. Ik kan er echt niet wijs uit worden. Ze heeft het over een man en een geheim en dan is het alleen maar gekraak en gepiep.'

'Een man en een geheim? Heb je verder nog iets gehoord?' vroeg Nienke nieuwsgierig.

Fabian sloeg zijn armen over elkaar en leunde tegen de wasbak. 'Niks wat ons echt verder kan helpen. Alleen dat haar ouders archeologen waren en blijkbaar nogal vaak naar Egypte gingen, vandaar natuurlijk de naam Anubis.'

Fabian legde uit dat Anubis de Egyptische god van de lijkenbalseming was. Nienke rilde. 'Wat een nare naam.'

'Dit is ook een naar huis, Nienke,' zei Fabian op zijn typisch droge, sarcastische manier.

Nienke knikte en zuchtte. 'Maar we moeten de rollen dus weer opgraven. Wanneer moeten we dat nou doen?' Ze plukte een stofje van haar kamerjas en bestudeerde het, alsof daar het antwoord op stond.

'Vanavond kan het niet. Victor houdt alles veel te goed in de gaten sinds Patricia's Ouija-bordspelletje.'

'Ja, en vergeet haar vooral ook niet,' zei Nienke somber.

Sinds ze het teken op het medaillon had gezien, hield Patricia Nienke nauwlettend in de gaten. Bij het eten had ze haar met argusogen gevolgd en van alles in een notitieboekje opgeschreven. Niemand had begrepen wat er met haar aan de hand was of wat ze in godsnaam deed, maar Nienke werd er helemaal zenuwachtig van.

'Ik weet het!' riep Fabian ineens. 'Morgen, tijdens de excursie. We gaan morgen toch naar het bos om de zonsverduistering te bekijken?'

'Dat is perfect!' zei Nienke enthousiast. 'Dan is er ook geen gevaar dat Patricia ons – mij – de hele tijd volgt.'

'En Victor,' zei Fabian. 'Victor zou toch meegaan als astronomie-expert? Als we nou net doen of er iets met ons aan de hand is...'

'Dan kunnen we in alle rust het kistje opgraven – en – en...' Nienke bedacht ineens iets en sprong op. Ze stond weer in de plas met water, maar besteedde er geen aandacht aan. Ze verdween in de wc.

'Wat doe je?' riep Fabian zachtjes.

Hij hoorde geschraap. Nienke vloekte zacht. Fabian klopte op de deur. 'Gaat het wel?'

'Hij is open!'

Fabian duwde voorzichtig tegen de deur. Nienke stond op de wc-bril en reikte met haar hand in de stortbak. Ze trok er een druipende plastic zak uit.

'Tadaa! De laatste wasrol. Die hebben we toch nog niet gehoord? Als we het kistje hebben opgegraven en zij zijn nog in het bos, dan kunnen wij meteen door naar de zolder!'

Fabian knikte instemmend. 'Perfect. Dan nemen we deze wasrol op en ook het ontbrekende gedeelte van die andere!'

Nienke en Fabian kwamen de volgende middag met hun handen om hun buik steunend de trap af. Victor stond onder aan de trap in de hal. Hij had zijn hand op een van de houten bollen op het begin van de trapleuning gelegd en hij stond met een voet op de trap. Hij zag eruit als een jager die net groot wild had geschoten en nu poseerde voor de foto. Alleen het safarihoedje en het geweer ontbraken. Onder zijn vale groene jas staken zijn voeten in enorme rubberlaarzen van dezelfde kleur.

'Wat is er met jullie?' vroeg hij wantrouwig.

Nienke kreunde en probeerde zo misselijk mogelijk te kijken. 'We hebben volgens mij iets verkeerds gegeten.'

Naast haar maakte Fabian een kokhalsgeluid. 'Ik heb al drie keer overgegeven en ik moet denk ik zo weer.' Hij klapte voorover. Nienke bewonderde zijn acteertalent.

'Waarom zijn de anderen dan niet ziek?' Victor keek naar het uitgelaten stelletje dat bij de voordeur stond. Vooral Appie voerde het grootste woord. Nienke zag dat hij een veldfles op zijn neus balanceerde, terwijl hij steeds naar Amber keek. Hij had vanmorgen het nieuws gehoord dat Mick met haar gebroken had en probeerde nu blijkbaar indruk op haar te maken. Zonder veel succes, want Amber staarde naar Mick. Nienke vroeg zich af of het haar echt zo weinig deed als Amber haar probeerde te doen geloven.

'Wij zijn de enigen die vanmorgen een restje gehakt van gisteren hebben gegeten,' loog Fabian. 'Het was vast bedorven.'

'Ik zal Trudie erop aanspreken.' Victor draaide zich om.

'Nee, het was niet Trudies schuld. Het stond buiten de koelkast,' zei Fabian snel. 'Het was gewoon dom van ons.'

'Wat staan jullie hier dan nog? Naar bed!' zei Victor en liep door de hal naar het groepje.

Terwijl Victor iedereen de deur uitleidde, zochten Nienke en Fabian hun spullen bij elkaar. Een kwartier later liepen ze door de verlaten hal. Terwijl ze naar de voordeur liepen, vroeg Nienke zich af waarom het altijd schemerde in huis. Er zaten toch zoveel ramen in?

Ze was blij toen ze de buitenlucht in kon ademen. De lucht was volledig helder. Ze keek naar de zon, maar zag nog niks van de verduistering.

'Dat is pas over een uur,' raadde Fabian haar gedachten. Hij hield haar tegen toen ze naar haar fiets wilde lopen. 'We kunnen beter gaan lopen. Als ze eerder terugkomen, ziet Victor misschien dat er fietsen ontbreken.'

Nienke knikte en ze liepen de oprijlaan af. Het was best een eind naar de wilg en ze moesten ook een stukje door het bos waar de rest nu ook was.

'Ben je niet bang dat we ze tegenkomen?' vroeg Nienke, maar Fabian schudde nee. 'Ze gaan naar de open plek, die ligt een stuk zuidelijker. Maar het kan geen kwaad om een beetje voorzichtig te zijn.'

Tijdens het lopen praatten ze weinig. Nienke keek zo af en toe stiekem naar Fabian. Ze had de heel gekke behoefte om zijn hand te pakken en hand in hand te lopen. Precies toen deze gekke gedachte in haar hoofd opkwam, keek Fabian op en keek haar met een peinzende blik aan. Ze draaide snel haar hoofd weg, omdat ze bang was dat hij aan haar gezicht kon zien wat ze had gedacht.

'Kijk, we zijn er bijna,' zei ze en wees naar de wilg. De grote boom reikte driehonderd meter verder met zijn majestueuze takken naar de heldere hemel. Het gaf Nienke een veilig gevoel, alsof hij waakte over de wasrollen en ook een beetje over haar.

Bij de wilg wist Nienke heel even niet meer waar ze het kistje precies hadden begraven, maar toen herinnerde ze zich weer dat Amber op het allerlaatst een grijze platte steen op de plek had gelegd om hem te markeren. Ze liep om de boom heen tot ze bijna onder de struiken verdween.

'Hier is het,' wees ze. Fabian pakte het schepje uit de rugzak en begon te graven. Nienke hielp mee met haar blote handen.

'Jij bent ook niet heel erg meisjesachtig,' zei hij toen hij Nienke grote klonten aarde met haar modderige handen opzij zag schuiven.

'Hé, dank je wel,' zei ze quasibeledigd.

'Nee, zo bedoel ik het niet. Het is juist een compliment,' zei hij snel. Hij leunde voorover naar haar toe en veegde een veeg modder van haar wang. Nienke keek op en keek in Fabians ogen, die nu vlakbij waren. Ze wilde een grapje maken, maar haar hoofd was helemaal leeg, ze kon alleen maar blijven kijken. Fabians gezicht kwam nog dichterbij... Nienke sloot haar ogen en hield haar adem in.

Toen klonken er ineens vlakbij stemmen uit de bosjes. Nienke duwde Fabian hardhandig naar de grond, die met zijn hele gezicht in de hoop afgegraven aarde terechtkwam. Jeroen en Appie liepen langs.

'Wat doen zij hier nou?' vroeg Nienke zacht, maar ze hield meteen haar mond toen de jongens bleven staan en spiedend om zich heen keken.

'Het was vast een of ander bosbeest of zo,' hoorden ze Jeroen na een tijdje zeggen. 'Kom op, we moeten opschieten!'

De jongens liepen weer door.

'Pfoeh, dat was mazzel,' zei Nienke opgelucht. Ze hoorde wat gesputter naast zich. Fabian probeerde zo goed mogelijk de modder uit zijn mond en ogen te halen.

'Kun je volgende keer een beetje minder hard duwen?' Hij ging met zijn hand door zijn haren die ook vol zaten met modder.

'Wat deden Appie en Jeroen hier nou?' Nienke keek de richting uit waarin ze verdwenen waren.

'Ja, dat is wel vreemd hè? Waarom zijn ze niet bij de anderen?'

'Zouden ze naar ons op zoek zijn?' vroeg Nienke bezorgd.

Fabian schudde zijn hoofd. 'Nee, ze zijn waarschijnlijk bezig met een van hun geweldige geintjes.' Hij rolde met zijn ogen naar Nienke die begon te lachen.

'Zullen we weer verder gaan?' Fabian pakte het schepje en stak het in de aarde. Er klonk een scherpe "tik".

'Volgens mij zijn we er al,' zei hij blij en dat klopte. Voorzichtig groef hij het kistje verder uit.

'Gelukkig is het er nog,' zei Nienke opgelucht terwijl ze Fabian meehielp het kistje uit het gat te tillen. 'Nu kijken of alles nog compleet is.'

Nienke opende met bonkend hart het kistje. Stel je voor dat het leeg was... Of dat de rollen ineens vergaan waren omdat er vocht bij was gekomen? Fabians oom had gezegd dat wasrollen snel schimmelden en vervolgens begroeven ze alles in vochtige aarde! Voorzichtig deed ze het deksel open. Alles zat er nog in. Nienke zuchtte opgelucht en sloeg het deksel weer dicht. Ze gooiden snel de kuil weer dicht. Nu moesten ze zo snel mogelijk naar huis, zodat ze meteen de zolder op konden om de wasrollen af te luisteren, maar ze besloten wel een andere route te nemen om Jeroen en Appie zo goed mogelijk te ontlopen.

Ze liepen over een klein bospaadje toen de zonsverduistering plaatsvond. Hoewel het gebladerte te dicht was om de zon daadwerkelijk te zien, begon het ineens te schemeren. Nienke en Fabian bleven staan.

'Luister,' zei Fabian met zijn vinger omhoog. Nienke spitste haar oren. Het was ongewoon stil in het bos.

'Ik hoor niks.'

'Klopt. Alle vogels houden op met fluiten, omdat ze tijdens een zonsverduistering denken dat het avond is. Gaaf hè?' Ze bleven nog een tijdje staan in het mystieke licht. Nienke voelde weer de neiging om Fabians hand te pakken, maar ze durfde het niet. Ze keek naar haar schoenen en luisterde naar het bos dat langzaam weer wakker werd.

'Denk je dat we de schat zullen vinden?' fluisterde ze zachtjes tegen Fabian.

'Ik hoop het. En ik hoop dat we straks een nieuwe aanwijzing krijgen.' Hij klopte op het kistje.

Nienke zweeg even. In de verte begon een vogel te fluiten. 'Denk je echt dat de ouders van het meisje vermoord zijn?'

Fabian keek een beetje moeilijk. 'Dat durf ik echt niet te zeggen,' zuchtte hij.

'Maar die stemmen op de rol? Amber zei dat het misschien hun geest was die geen rust kan vinden!'

'Ik geloof niet dat ik in geesten geloof,' zei Fabian voorzichtig.

'Maar het klonk wel eng, he?'

Nienke knikte. 'Zullen we weer verdergaan?' fluisterde ze. 'Dan zijn we thuis voor de rest en kunnen we nog zonder gevaar de zolder op.'

Het idee om een andere route te nemen was wel slim, alleen kwamen Fabian en Nienke na een half uur helemaal niet vlak bij het huis uit, maar bij een verlaten loods. Nienke keek naar het gebouw. Het was helemaal van golfplaat en er zaten geen ramen in. Aan de zijkant stond een enorme hoeveelheid pallets opgestapeld en er stond een roestig hek omheen. Het zag er naar uit. Echt een plek om iemand in op te sluiten, zo zonder die ramen, dacht Nienke.

'Waar zijn we?' vroeg ze.

Fabian keek om zich heen. 'Ik begrijp het niet, we zijn toch de hele tijd naar het noorden gelopen?'

'Zijn we de weg kwijt?' vroeg Nienke ongerust.

Fabian knikte langzaam. 'Laten we maar dezelfde weg terug nemen.' Hij wees achter zich.

Ze liepen terug het kleine paadje op, maar na nog een uur moesten ze toch echt toegeven dat ze volledig verdwaald waren.

'Die kant.' Nienke wees naar een dikke eik. 'Die boom herken ik.'

Fabian zuchtte. 'Ik ook, want we zijn er al drie keer langsgelopen. We lopen in een kringetje, Nienk.'

'Sttt!' Nienke keek naar de bosjes naast haar. 'Hoorde je dat ook?' vervolgde ze fluisterend.

Fabian spitste zijn oren. Hij hoorde geritsel, alsof er een groot beest – of een mens? – door de bosjes heen kroop.

De bosjes bewogen.

Iets kwam dichterbij... dichterbij...

'Rennen, Nienke!' Fabian pakte haar hand en trok haar mee. Ze holden zo snel ze konden het pad af. Het kistje bonkte tegen hun benen tussen hen in. Plotseling struikelde Nienke over een boomstronk, verzwikte haar enkel en viel op haar knieën. Het kistje viel met een klap op de grond.

'Auw!' Nienke gilde van de pijnscheut die door haar enkel ging.

'Nienk, gaat het?' Fabian hielp haar overeind. Terwijl ze over haar pijnlijke enkel wreef keek Nienke achterom het pad af. De wind ruiste door het lange gras langs het pad, waardoor het golfde als een groene zee, maar verder ze zag niks.

Of toch?

Het leek net of er aan de rand van het bos een grote donkere schaduw stond. Of was het alleen maar haar verbeelding? Opeens hoorde ze Patricia's stem in haar hoofd: *Ik zie hem. Overal. Eerst op het schoolplein en daarna ook op straat... Een donkere schim!'*

Nienke huiverde.

'Kom mee,' zei ze bang.

Er ging weer een pijnscheut door haar enkel toen ze haar gewicht erop zette. Fabian zag haar vertrokken gezicht. 'Hier, kom...' Hij sloeg zijn arm onder haar arm door. 'Ik ondersteun je wel.'

Al hinkelend kwamen ze na tien minuten bij een autoweg uit waardoor Fabian gelukkig wist welke kant ze op moesten. Het was al bijna donker toen ze bij Huize Anubis aankwamen. Het loerde dreigend naar hen in de invallende schemering. Fabian gaf Nienke het kistje en opende voorzichtig de deur. Die werd op hetzelfde moment aan de andere kant met zo'n kracht opengetrokken, dat hij de hal in werd gelanceerd. Amber stond in de deuropening.

'Godzijdank! Victor is ook buiten, hij is naar jullie op zoek!' Ze trok Nienke naar binnen, keek even naar buiten en sloot toen de deur.

'Waar bleven jullie nou?!' siste ze. 'Het is hier een gekkenhuis!

Appie en Jeroen hadden een kuil gegraven waar Van Swieten in is gevallen, hij heeft zijn enkel gebroken.'

'We waren verdwaald,' fluisterde Nienke. Ze zette het kistje neer en keek nerveus door de lege hal.

'Wat zei je nou over Van Swieten?' vroeg Fabian.

'Hij heeft zijn enkel gebroken. Is het gelukt?'

Fabian knikte en wees op het kistje.

'Stop dat snel weg, straks komt V...' Amber stopte abrupt. Ze hoorden de bekende zware voetstappen buiten op het bordes.

'Victor! Weg ermee!'

Fabian draaide naar de muur en trok het deurtje van een dressoir open. Hij propte de rugzak zo goed mogelijk naar binnen, maar het kistje was net iets te groot, dus het deurtje bleef op een kiertje staan. Hij stond net weer overeind toen Victor de hal binnenkwam.

'Fabian Ruitenburg en Nienke Martens... jullie waren toch ziek?' zei hij ironisch.

Fabian en Nienke knikten stom.

Victor deed een stap in Nienkes richting. 'Waarom zijn jullie dan – aangekleed – beneden?' siste hij met gevaarlijk kalme stem. Hij keek naar Nienkes modderige knieën die onder haar rok uitstaken.

'We waren in de tuin,' zei Fabian snel. 'Ik had wat uit het raam laten vallen.

'Is dat zo?' Victor zweeg even. 'Ik kan jullie aanraden om volgende keer op het rechte pad te blijven... En nu naar boven!'

Nienke zag Fabian twijfelen bij het dressoir.

Victor zag het ook. 'Wat sta je daar nou te lummelen?' Hij kwam wantrouwig dichterbij.

'N... niks. Ik doe niks,' stamelde Fabian.

'Heb je iets voor me te verbergen?' Victor kneep zijn ogen samen. 'Nou? Ben jij je tong verloren? Voor de dag ermee!' Er volgde een ijzige stilte, terwijl Victor Fabian aanstaarde. Nienke kneep haar nagels in de binnenkant van haar hand. Als Victor het kistje nou maar niet vond!

De stilte werd doorbroken door het rinkelen van de telefoon, maar Victors ene oog was nog steeds gefixeerd op het gezicht van Fabian. Er verschenen minieme zweetdruppeltjes op Fabians voorhoofd, maar hij bleef zonder zijn blik af te wenden of te knipperen, terugstaren.

De telefoon rinkelde nog een keer, en nog een keer... Toen stopte het gerinkel.

'Victor! Telefoon!' riep Trudie een paar seconden later vanuit het kantoor.

Victor reageerde nog steeds niet. Nienke zag onder zijn dunne grijze haar een adertje bij zijn slaap gevaarlijk kloppen.

'Victor! Het is voor jou!' klonk Trudies stem dwingend.

Eindelijk weekte Victor zijn blik los. 'Dat is geluk hebben, jongeman,' zei hij.

Hij draaide zich om en liep snel de trap op. Pas toen de deur van het kantoor dichtging, boog Fabian zich voorover en leunde met zijn handen op zijn knieën.

'Dat was op het nippertje,' zuchtte hij opgelucht. Hij veegde het zweet van zijn voorhoofd en trok voorzichtig het kistje uit het bruine kastje.

'Snel,' zei Amber. 'Naar boven! Ik weet een superplek!' Amber leidde Nienke en Fabian helemaal naar boven en trok een deur open.

'De torenkamer!' riep Fabian enthousiast. 'Dat we daar nog helemaal niet aan gedacht hebben!' Fabian liep het piepkleine ronde kamertje binnen en duwde het kistje achter de deur.

'Goed hè?' glunderde Amber. 'Hier kijkt nooit iemand.'

'Wacht!' zei Nienke en opende het kistje. Ze haalde er een wasrol uit.

'Oh ja, bijna vergeten,' mompelde Fabian.

Nienke stopte de rol onder haar trui en ze stapten het kamertje uit. Toen de deur dicht was, knielde Nienke neer en haalde haar haarspeld uit haar haren. 'Voor de zekerheid,' zei ze zachtjes en morrelde met de haarspeld in het slot. Na een tijdje hoorden ze een zachte klik en zat de deur op slot. 'Nu is het echt veilig.'

Ze haasten zich naar hun kamers. Nienke popelde om van Amber te horen wat er precies gebeurd was op hun tocht door het bos. Waarom hadden Appie en Jeroen een kuil gegraven? Hoe kwam Van Swieten op de bodem terecht? Maar Victor ging precies op dat moment de deur uit om Van Swieten in zijn oude Volkswagenbus uit het ziekenhuis op te halen. Zo'n kans mochten ze niet voorbij laten gaan.

Nadat ze Victors bus door het raam de oprijlaan af hadden zien rijden, haastten Nienke en Fabian zich daarom met de twee wasrollen naar de zolder. Het verhaal van Van Swieten moest maar even wachten.

Ze waren op van de zenuwen. Vooral Nienke schrok op de zolder van elk geluidje. 'Victor! Is dat Victor?' zei ze steeds gespannen.

Op het laatst pakte Fabian haar hand en trok haar achter de geheime wand vandaan. 'Dit werkt zo niet,' zei hij. 'Kom, we gaan zitten.'

'Maar de band dan?' Nienke keek nerveus naar het apparaat.

'Die draait vanzelf door. We luisteren er later wel goed naar. Anders staat er om de haverklap "Ik hoor Vicor!" doorheen.'

Nienke liet zich meetrekken naar de trap waar ze op de bovenste tree gingen zitten. Ze wreef met haar handen over haar gezicht. 'Waar zijn we toch mee bezig? Ik denk steeds: dit kan niet langer goed gaan!'

Fabian sloeg een arm om Nienkes trillende schouders. 'Rustig maar. Victor heeft ons niet betrapt en we komen steeds dichterbij.'

Nienke keek Fabian aan. Zijn gezicht was bijna niet te zien, want ze hadden de zaklamp uitgedaan. 'Denk je... denk je dat we de schat kunnen vinden?'

Fabian knikte. 'Je bent superdapper, Nienke. En als iemand het verdient, ben jij het wel.'

Ze voelde hoe zijn hand van haar rug gleed. Hij legde zijn hand op haar wang. Met zijn andere hand wilde hij een haarlok wegduwen die voor haar gezicht hing...

'Auw!' Nienke sloeg haar hand voor haar linkeroog.

'Oh sorry, sorry!'

Omdat het zo donker was, had Fabian per ongeluk met zijn vinger in Nienkes oog geprikt. 'Gaat het wel?'

'Ja, ja natuurlijk – sttt!'
Nienke luisterde gespannen.
'Volgens mij hoor ik Victor. Nu echt!'

Nienke kwam door het dolle heen de slaapkamer in. Ze knipte haar nachtlampje aan en begon als een gek haar vieze kleren uit te trekken, toen ze zag dat Amber nog wakker was. Ze staarde naar het plafond.

'Amber, Amber! Het is gelukt!' Nienke trok haar trui over haar hoofd. 'Jeetje, ik ben echt helemaal kapot. Eerst dat bos, toen bijna betrapt door Victor... en net, we waren net klaar met opnemen, toen Victor weer thuiskwam... We lijken wel gek geworden!' Ze zakte op bed en begon snel haar veters los te maken. Ze keek naar Amber, die nog steeds in dezelfde houding lag.

'Hé! Slaap je met je ogen open? Heb je me niet gehoord? Het is gelukt! Ik was zo bang dat Victor...'

'Het is geen spelletje, hoor! Besef je wel dat we heel veel risico lopen?' viel Amber haar abrupt in de rede.

Nienkes hand bleef tussen haar voet en haar sok hangen. Ze keek ongelovig naar Amber. 'Wat heb jij nou ineens?'

'Niks, laat maar,' zei Amber stug en ze draaide zich om. Nienke zag iets wits om Ambers hoofd zitten. Ze dacht eerst dat het haar oogmaskertje was, maar toen ze beter keek, zag ze dat Amber verband om haar hoofd had.

'Amber, wat is er met je gebeurd?' Ze ging bij Amber op de rand van haar bed zitten en schudde voorzichtig aan haar schouder.

'Niks,' zei Amber weer. Ze draaide haar gezicht naar Nienke, die zich kapot schrok. Boven Ambers linkeroog zat een rode vlek in het verband: bloed.

'Wat heb je gedaan? Je bloedt!'

Nienke stak haar hand uit, maar Amber duwde die weg. 'Ik ben uitgegleden in de douche,' zei ze tam.

'Moet het niet gehecht worden? Heb je hoofdpijn?'

'Gewoon een dom schaafwondje, laten we maar gaan slapen.' Amber draaide zich weer naar de muur.

'Als jij dat wilt,' zei Nienke voorzichtig. Ze stond op en ging weer op haar eigen bed zitten.

'Ja, dat wil ik.'

Nienke trok haar pyjama aan en ging in bed liggen. Ze geloofde niks van het verhaal van Amber. Maar waarom wilde ze niet vertellen wat er gebeurd was? Ze zuchtte en ging op haar buik liggen.

'Sibuna,' zei Amber zachtjes vanuit het andere bed.

Het klonk verdrietig.

8

€€N NI€UW RAADS€L

Toen Nienke de volgende dag wakker werd, duurde het een paar seconden voordat ze wist waar ze was. Ze had de hele nacht verwarde dromen gehad over eindeloze kuilen die ze moest graven en die steeds weer dichtvielen. Amber had haar in haar droom aangespoord – Sneller! Sneller! – terwijl er een straaltje bloed over haar gezicht naar beneden liep...

Nienke slikte en moest meteen hoesten, want haar keel voelde pijnlijk gezwollen. Eigenlijk wilde ze het liefst nog een tijdje blijven liggen, maar ze had ook geen zin om het eerste uur te missen – geschiedenis. Ze was gek op de verhalen van Jason. Gapend kwam ze dus maar overeind en keek naast haar. Het andere bed was leeg.

Ze keek vervolgens naar de klok en stond binnen een seconde naast haar bed.

Ze had zich verslapen! Ze moest over een half uur op school zijn! Ze graaide met een noodvaart een paar kleren bij elkaar en rende naar beneden. Zie je wel, het hele huis was leeg. De resten van het ontbijt stonden nog op tafel. Nienke stopte net een bruine boterham met niks in haar mond toen Trudie de keuken uitkwam met een schoonmaakdoekje in haar hand. 'Verslapen?'

Nienke knikte met haar mond vol.

'Schiet maar snel op dan! Wacht, hier.' Trudie grabbelde in haar schort, haalde er twee voorverpakte crackers uit en gaf ze aan Nienke. 'Dan eet je tenminste nog wat. Ga nu maar snel!'

Nienke sprintte naar buiten naar haar fiets. Het regende – ook dat nog. Doornat kwam ze tien minuten later bij school aan en ze kwam erachter dat ze zich veel te veel gehaast had, de eerste bel was nog niet eens gegaan. Ze speurde door de gang. Misschien kon ze Amber nog heel even spreken voor de les. Ze wilde haar toch nog een keer vragen hoe het zat met die hoofdwond. Ze *kon* gewoon echt niet geloven dat ze gewoon gestruikeld was. Waarom zou ze anders zo triest doen? En waarom had Amber haar helemaal niet wakker gemaakt? Dat was niks voor haar. Er moest haar iets heel erg dwars zitten.

Ze vond Amber uiteindelijk bij de koffieautomaat, waar ze druk met Mick in gesprek was. Het zag er heel serieus uit, dus Nienke bleef een stukje verder staan en bestudeerde zogenaamd de inhoud van haar tas.

'Het is echt beter, inderdaad,' hoorde Nienke Amber zeggen. 'Zoals je zegt: we zijn uit elkaar gegroeid.' Amber voelde even aan het nieuwe verband om haar hoofd en sloeg vervolgens haar armen over elkaar.

Mick keek naar zijn schoenen. Hij zag er niet heel erg blij uit, vond Nienke. Ze begreep er helemaal niks van: eerst hadden ze een jaar een leuke relatie en opeens was het uit. En het raarste van alles was dat het Amber niets scheen te doen.

'Goed, ik spreek je nog wel.' Amber tikte met haar nagels op de zijkant van de automaat en draaide zich om.

Nienke liep achter haar aan. 'Amber?'

Amber scheen het niet te horen en verdween in de toiletten.

In de wc hing de scherpe lucht van schoonmaakmiddel. Nienke deed de deur zachtjes achter zich dicht en wilde Amber net roepen, toen ze een enorm gebonk hoorde, alsof er een olifant opgesloten zat in een van de wc's. Op het zelfde moment klonk er een enorm gejammer.

'Amber?' Nienke sloeg met haar vuisten tegen de deur. 'Amber, doe open! Wat is er?'

'Ga weg! Ga weg!' gilde Amber. 'Ik wil alleen zijn!'

'Toe nou, kom er nou uit!'

'Nee, nee, nee!' schreeuwde Amber hysterisch en ze huilde met gierende uithalen.

'Amber, toe nou!' Nienke stak haar hand onder de toiletdeur door. 'Laat me je nou helpen. Wat is er?'

Het was even stil.

Toen voelde Nienke dat Amber even in haar hand kneep. Het slot werd opengedraaid en daar stond ze. Haar tranen liepen vermengd met mascara als twee zwarte riviertjes over haar wangen.

Nienke omhelsde Amber meteen. 'Wat is er nou met je?' zei ze terwijl ze zachtjes over haar blonde haren streek. 'Ik zag je net. Komt het door het gesprek met Mick?'

'Nee... ja... nee... ook... ik. Au, mijn hoofd doet pijn...' Amber wreef over het verband.

Nienke keek er met grote ogen naar. 'Dat heeft Mick toch niet...?' Ze durfde haar zin niet eens af te maken.

Amber schudde haar hoofd. 'Nee, dat zou Mick nooit doen! Ik zei toch dat ik gevallen was?' Amber sloeg haar ogen neer en draaide zich bruusk naar de spiegel waar ze haar mascara van haar wangen weg begon te vegen.

Ergens op de gang klonk de bel.

'Oh, we moeten naar de les,' zei Amber op een doodnormale toon, alsof ze niet net een wc-hokje had staan afbreken.'Ga je mee?' Ze wilde langs Nienke lopen, maar die pakte haar bij haar pols.

'Amber, weet je zeker dat je gewoon bent uitgegleden?'

Amber boog haar hoofd.

'Nee,' zei ze zachtjes. De tranen begonnen weer te komen.

'Wie heeft dit dan gedaan?'

Het bleef even stil.

'Patricia.'

Nienke schrok. 'Patricia? Wat... ?'

'Ze had gezien dat wij het kistje in de torenkamer verstopten. Ze stond blijkbaar weer eens op de uitkijk en toen jij en Fabian boven waren, kwam ze bij mij in de badkamer. Ze wilde weten wat wij te verbergen hadden...' Amber zweeg weer.

'En toen?' drong Nienke aan.

'Ik zei dat ze zich met haar eigen zaken moest bemoeien. Ze begon natuurlijk weer te schreeuwen dat het met Joyce te maken had en toen duwde ze me.' Een traan drupte van Ambers wang op haar vestje.

'Amber, wat erg! Maar waarom zei je gisteren niks?'

Er volgde nog een traan. 'Ik dacht dat jullie me dan misschien uit de club zouden gooien,' fluisterde Amber schor.

Nienke keek haar aan alsof ze water zag branden. 'Ben je gek geworden? Natuurlijk gooien we je er niet uit. *Wij zijn* de club – ik, Fabian en *jij* – wij samen. De Geheime Club van de Oude Wilg, zodat we elkaar kunnen helpen.'

Nog meer tranen rolden over Ambers wangen. Nienke veegde ze weg. 'We zijn toch vrienden? En toch alle drie onmisbaar in de club?'

Amber knikte langzaam en lachte zelfs weer een beetje. 'Kom, anders komen we veel te laat bij Jason,' zei ze. Ze pakte Nienkes hand en trok haar de wc uit. De gang was al helemaal leeg. 'Kom, rennen!' gilde Amber.

Jason stond op het punt de deur dicht te doen toen ze het lokaal binnenvielen. 'Net op tijd, dames,' zei hij en sloot de deur achter hen. Patricia keek met een vuile blik naar Ambers behuilde ogen, maar Nienke pakte Ambers hand, stak haar neus in de lucht en ging zo ver mogelijk bij Patricia vandaan zitten. Ze lachte intussen even naar Fabian, die er weer heerlijk serieus uitzag in zijn gestreepte trui (waar het labeltje uithing) en een enorme stapel boeken voor zijn neus.

Terwijl Jason begon te vertellen – het onderwerp was Amerika in de jaren zeventig – zag Nienke dat Fabian stiekem een paar oordopjes in zijn oren deed en de DAT aanzette. Hij pakte een pen en begon driftig te schrijven. Nienke brandde van nieuwsgierigheid. Wat zou er op de laatste rollen staan? Zouden ze een nieuwe aanwijzing krijgen? Stel je voor dat er een schat lag. Wat zou die dan zijn? Maar Nienke kon niets aflezen van Fabians gezicht. Ze moest wachten tot na de les. Ze probeerde zich te concentreren en keek naar Jason, die met opgerolde mouwen breed voor het bord stond te gebaren. 'Het Watergate-schandaal zorgde ervoor dat president Nixon in 1974 af moest treden als president van de Verenigde Staten,' sprak hij vol vuur. Nienke moest erom lachen. *Die passie van Jason voor geschiedenis kende geen grenzen*, dacht ze.

Plotseling boog Mick zich voorover en tikte Fabian op zijn schouder. Fabian trok de oordopjes uit zijn oren en draaide zich half om.

'Wat?'

'Wat luister je?' fluisterde Mick. 'Is het iets?'

Fabian schudde zijn hoofd. 'Vind je niks, Mahler – klassiek.'

Mick trok een vies gezicht, maar Jeroen, die al de hele les zijn kans afwachtte om rottigheid uit te halen, pakte bliksemsnel het apparaat. 'Leuk, Mahler!' zei hij spottend en hij stopte de dopjes in zijn oren.

'Nee, nee!' riep Fabian en graaide naar de DAT, maar Jeroen hield de recorder boven zijn hoofd.

'Lever maar in!' riep Jason. Hij stapte van het lage podium en liep naar Jeroen, die het ding opstandig in zijn uitgestoken hand legde.

'Maar Jason, klassieke muziek is toch heel goed voor onze algemene ontwikkeling?' zei hij temend.

Jason reageerde niet en legde het apparaatje op zijn bureau. Toen hij ging zitten, maakte Jeroen een scheetgeluid.

'Heel volwassen, Jeroen Cornelissen,' sprak Jason kalm. 'Waar waren we?'

Amber, Fabian en Nienke wisselden een ongeruste blik. Wat nu?

'Fantastisch, Fabian, zo komen we een stuk verder,' zei Amber boos. De bel was gegaan en ze liepen het lokaal uit. Fabian keek mistroostig om naar de DAT op Jasons bureau.

'Ik heb in ieder geval mijn aantekeningen nog.' Hij gaf Nienke een blaadje.

'Wie gaat er dan ook midden in de les naar dat ding luisteren?' zei Amber knorrig. 'Nu zijn we *mijn* DAT kwijt.'

'Kunnen we hem niet gewoon terugjatten?' opperde Nienke.

'Natuurlijk, we lopen gewoon naar binnen en pakken dat ding onder Jasons neus vandaan. Hij is wel knap, maar niet blind, hoor,' snauwde Amber.

'Wacht!' Ze begon ineens te lachen. 'Ik heb een geweldig idee.' Ze trok aan Nienkes trui en maakte de bovenste knoopjes los.

'Wat doe je?' Nienke probeerde haar tegen te houden, maar Amber trok haar aan haar trui richting de meiden-wc.

'Laat dit maar aan mij over!' schreeuwde ze tegen Fabian die er helemaal niets van begreep, maar er begon hem iets te dagen toen ze een paar minuten later opgetut de wc uitkwamen. Hoe ze het hadden geregeld, wist Fabian niet, maar Amber en Nienke hadden zelfs een rode en een paarse boa om hun nek.

'Blijf jij hier? We hebben dat ding in *no time* terug,' zei Amber en ze trok een tegenstribbelende Nienke naar de deur van het klaslokaal.

'Zing jij? Dan zorg ik voor de rest, oké?' Amber gaf haar een zetje het lokaal in.

'Ik weet echt niet of ik...' Maar voor Nienke haar bezwaren had geuit, stak Amber een arm omhoog en een heup naar voren.

'Hello Mister Winker,' zei ze zwoel.

Jason keek op van zijn correctiewerk. 'Wat krijgen we nou?' vroeg hij verbaasd.

Amber gaf Nienke een por, waarop Nienke begon te zingen.

'I wanna be loved by you, just you and nobody else but you... I wanna be loved by you alone... Pooh pooh bee doo!' zong ze schuchter terwijl Amber zich naast haar in allerlei verleidelijke poses kronkelde en vervolgens bij Jason op het bureau ging zitten. Die lachte een beetje ongemakkelijk en ging met zijn hand door zijn haar.

Terwijl Amber aan zijn stropdas trok, pakte Nienke heel stiekem de DAT van het bureau. Ze hield hem op haar rug en wilde hem net in haar zak laten glijden, toen de deur van het lokaal werd opengegooid.

Patricia kwam binnenstormen. Ze duwde Fabian, die haar tegen wilde houden, hardhandig van zich af en liep met grote stappen

114

naar Nienke. Die herinnerde zich hun vorige confrontatie nog maar al te goed en deinsde angstig achteruit.

'Geef hier dat ding!' schreeuwde Patricia.

Jason stond meteen op en trok Ambers boa van zijn nek. 'Patricia, wat is er?'

'Zij weten wat er met Joyce is gebeurd! Er staat informatie op die recorder!' gilde ze en ze haalde uit naar Nienke, maar Jason hield haar tegen. Ze maaide met haar armen om toch bij Nienke te komen, maar Jason was te sterk. 'Je kunt niet zomaar mensen aanvallen!'

'Luister er dan naar!' Patricia wees met een priemende wijsvinger naar Nienke.

Pas toen Patricia beloofde om wat rustiger te doen, vroeg Jason de recorder aan Nienke.

De spanning in het lokaal steeg.

Patricia sloeg haar armen over elkaar. 'Dan zullen we eens zien we er gelijk heeft,' siste ze naar Nienke.

Jason drukte op "play". Op dat moment klonken de klanken van K3 door de ruimte.

Was jij al ooit zo verliefd? Tot over je oren!
Was jij al ooit zo verliefd? Je hart binnenstebuiten!

Hun stemmen kweelden blikkerig door het kleine speakertje.

Jason schoot in de lach. 'Nou, dit bewijst niet veel, Patricia, hooguit dat Fabian een nogal, eh, *bijzondere* muzieksmaak heeft.' Hij drukte op 'stop' en gaf de recorder terug aan Nienke.

Patricia liep luid vloekend het lokaal uit. 'Ik krijg jullie nog wel!' gilde ze en liet de rest lachend achter. Maar pas nadat Jason ook het lokaal uit was, barstten Fabian en Amber los.

'Hoe kan dat, dat is mijn slaaptape!' gilde Amber terwijl ze de recorder heen en weer schudde. Ze keek ernaar alsof het ding betoverd was.

'Ik begrijp er helemaal niks van,' zei Fabian.

'Ik wel,' grijnsde Nienke. Ze graaide in haar achterzak en haalde er een bandje uit. 'Tadaa!'

'Je hebt ze verwisseld!' Amber vloog Nienke om de hals.

'Geniaal!'

'Maar? Wanneer?' Fabian kon het nog steeds niet bevatten.

'Toen Patricia binnenkwam. Ik had het andere bandje in mijn broekzak,' zei Nienke. 'Voor het geval het mis zou gaan.'

Fabian omhelsde Nienke ook. 'Wat een stunt. Hier krijg je een medaille voor.'

Nienke bloosde.

'Ja, de Medaille van de Oude Wilg!' gilde Amber enthousiast.

Fabian pakte het bandje van Nienke en verwisselde het met dat van Amber. 'Nou, dit was die belediging over mijn *bijzondere* muzieksmaak wel waard,' grapte hij en liep naar de geluidsinstallatie in het lokaal. Hij prutste wat aan de knoppen en verbond de recorder. 'Komen jullie?'

'Wat doe je?' vroeg Amber nieuwsgierig.

'We gaan luisteren naar het meisje, over de speakers.'

Nienke keek bezorgd.

'Ik zet hem niet te hard,' zei Fabian snel. Nienke en Amber ploften in een zitzak. De lollige stemming was verdwenen en ze keken alle drie met ingespannen gezichten naar de geluidsinstallatie. Wat stond er op de tape? Nienke hoopte maar dat het meisje iets zou zeggen over de schat. Dit was de laatste rol!

Fabian drukte op "play". Meteen schalde de stem van het meisje door het lokaal.

In de kelder. Daar maakte hij zijn brouwseltjes.

'Moeten we niet horen wat hier voor komt?' vroeg Amber. Fabian stopte de band. 'Dat heb ik al gehoord,' zei hij. 'Niets wat we konden gebruiken.'

'Oké, ga dan maar snel door voor Jason opeens voor onze neus staat.'

Fabian startte de recorder weer.

Hij was bezig met een levenselixer, waar hij elementen van verschillende dieren voor nodig had. In de kelder bewaarde hij daarvoor opgezette beesten zoals vogels en delen van dieren op sterk water...

Ze schrokken alle drie.

Amber was de eerste die het uitsprak: 'Dit gaat echt over Victor,' zei ze benepen.

'Er kan toch iemand anders geweest zijn die ook altijd in de kelder zat?' zei Fabian. 'Hé... wat was dat?' Hij stopte de band en spoelde een stukje terug.

Ze luisterden alle drie ingespannen, maar niemand kon wijs worden uit het gekraak en gepiep dat ze hoorden. Fabian draaide nog een keer aan een aantal knoppen. Hij spoelde terug en startte de band weer.

Nienke had het gevoel alsof iemand een emmer ijswater in haar nek goot toen ze een stem hoorde gevolgd door het krassen van een vogel: 'Corvuz, rustig, rustig.'

Het was de stem van Victor.

Nienke keek naar de andere twee. Amber zag eruit of ze elk moment van haar stokje kon gaan. Al het bloed was uit haar gezicht getrokken.

'Dat was echt Victor,' fluisterde ze.

'Dat kan niet!' zei Fabian, maar hij zag ook een beetje witjes om zijn neus. 'Hier moet een verklaring voor zijn!'

'Er is een verklaring voor,' zei Amber. Ze staarde als een zombie naar haar handen. 'Victor *is* honderddertig jaar oud.'

Nienke rilde.

Waarom niet? dacht ze. Had het meisje het niet net daarvoor over een man gehad die probeerde een levenselixer te maken? Stel je voor dat het Victor was gelukt? Dan leefde hij gemakkelijk nog een keer honderddertig jaar. En hij was dan dus diegene die vroeger op het meisje had gepast nadat haar ouders waren overleden – of vermoord?

Nienke deed net haar mond open om de anderen te vertellen wat ze dacht toen er een klik door de speakers klonk. De statische ruis hield op en het was even stil. Daarna schalde de stem van het meisje weer door de speakers, maar nu veel harder.

Ze schrokken op.

Vergeet niet: in één van de twee donkere holtes, met het zicht op het oog van Horus, zal ik vanuit het verleden tot u spreken.

Er klonk weer een klik. Ruis. En toen stilte. Het geroezemoes van stemmen drong door de deur.

Fabian keek op.

'Het is een nieuw raadsel,' glimlachte hij. 'In één van de twee donkere holtes...'

'... met het zicht op het oog van Horus...' vulde Nienke aan.

'... zal ik vanuit het verleden tot u spreken,' maakte Amber het af.

'Maar wat betekent het?' Amber keek vragend naar de andere twee. 'Eén van de twee donkere holtes? De enige donkere holte die ik op dit moment weet, is mijn hoofd.'

Fabian en Nienke kwamen tegelijkertijd omhoog. Ze keken elkaar aan en lachten.

'Wat, wat?' Amber keek verward van de een naar de ander.

'Zeg jij het?' zei Nienke tegen Fabian, maar hij stak hoffelijk zijn hand op.

'Nee, na u.'

'Toe nou!' Amber raakte helemaal gefrustreerd van dat geheimzinnige gedoe, ze begreep er helemaal niets van. 'Twee donkere holtes?' Plotseling kreeg ze een ingeving. 'Wacht! De zolder en de kelder! Natuurlijk!' Ze sloeg zichzelf tegen haar voorhoofd. 'Auw!'

Ze wreef over het verband om haar hoofd. 'Het klopt hè?'

Fabian haalde zijn schouders op. 'Dat weten we natuurlijk niet zeker, maar het is wel logisch, toch?'

Amber keek heel moeilijk.

'De kelder? Dat is *doodeng*. Daar ga ik niet heen, hoor.'

'Je bent ook al naar de zolder geweest,' zei Fabian verbaasd met zo'n blik van: soms-begrijp-ik-helemaal-niets-van-meisjes.

'Maar je weet toch wat Victor doet in de kelder?'

Nienke keek vragend. 'Wat dan?'

'Daar zet hij zijn dieren op. Nou ja, dat denk ik. Ik ben er nog nooit geweest – niemand. Hij wordt gek als we daar naartoe gaan.'

'Hij komt er nooit achter,' zei Fabian beslist. 'Als jullie naar de zolder gaan, ga ik wel naar de kelder.'

Nienke keek naar zijn vastberaden gezicht. Hij was dus echt nergens bang voor, zoals ze al had gedacht. Fabian had dan wel tegen haar gezegd dat hij haar superdapper vond, Nienke vond wat Fabian ging doen wel heel erg superdapper.

Die avond daalde de temperatuur tot bijna bij het vriespunt en het leek alsof het binnen in het huis nog harder waaide dan buiten. De drie hadden gewacht tot na het tien-uurritueel van Victor voordat ze tot actie zouden overgaan: Fabian beneden, Amber en Nienke boven.

Fabian was op dit moment waarschijnlijk al in de kelder, dacht Nienke, en ze rilde. Hadden ze hem wel alleen moeten laten gaan? Ze stelde zich een vochtige ruimte voor waar koude druppels in je nek drupten en spinrag in je gezicht waaide. Nou ja, dat had je ook op de zolder, maar de kelder? Daar was nog nooit iemand geweest! Wat bewaarde Victor daar allemaal? En stel je voor dat Victor opeens de kelder inkwam, straks werd hij zo boos, dat hij Fabian ter plekke opzette!

Ze keek naar Amber, die zichzelf tot Nienkes verbazing in een wit skipak hees, dat helemaal was afgezet met nepbont. Ze zag eruit als een modieus poolvosje.

'Wat zeg je als we Victor tegenkomen?' Ze wees op Ambers outfit.

'Gewoon, dat ik het koud heb.' Amber trok de capuchon over haar hoofd en wilde de rits dichttrekken, maar Nienke hield haar tegen.

'Hup, een pyjama, kamerjas en sloffen.'

Amber keek beteuterd. 'Maar dan kan ik het tenminste weer een keer aan,' klaagde ze en trok zuchtend de rits weer omlaag.

'Kom,' fluisterde Nienke, toen Amber zich had omgekleed. Ze deed het licht uit. Zachtjes schuifelden ze de gang op. In de verte klonk spookachtige klassieke muziek.

'Victor is weer aan het dirigeren in z'n kantoor,' fluisterde Amber in Nienkes oor. 'Net een horrorfilm, hè?'

Nienke knikte, Amber had precies gezegd wat zij had gedacht.

Nienke gebaarde tegen Amber dat ze stil moest zijn, er scheen nog licht onder de deur van Mara en Patricia. Muisstil slopen ze langs hun kamer naar de zolderdeur, waar Nienke haar zaklamp aanklikte. Het was gevaarlijk, maar het moest, want anders kon ze het slot niet openmaken.

'Hoe doe je dat toch steeds weer?' fluisterde Amber bewonderend toen de deur soepel openging. Ze glipten de deur door. Buiten de lichtstraal van hun twee zaklampen was het pikdonker op de zolder en het waaide hier nog harder dan beneden. Toen Nienke even omkeek, zag ze dat zelfs Ambers haar bewoog. Het zag er griezelig uit, alsof ontelbare onzichtbare handjes voorzichtig aan haar haren plukten. Nienke dacht aan Fabian. Zou alles wel goed gaan met hem? Als hem iets overkwam, zou ze het zichzelf nooit vergeven. Amber voelde blijkbaar dat Nienke banger werd, want ze kwam dichter bij haar staan. Ze schenen rug aan rug de zolder rond.

'Laten we eerst achter de wand kijken,' fluisterde Nienke. Amber knikte. Ze duwden samen de wand opzij, maar daar konden ze behalve het schilderij van het meisje, de fonograaf, een houten doosje met schrijfgerei en een kist met halfvergane kleren niks vinden.

'Verder op de zolder dan maar.' Ze begonnen zo zachtjes mogelijk tussen de rest van de oude spullen te zoeken. 'Misschien is dit het wel.' Nienke pakte een houten doos op met op het deksel een tekening van twee katjes die met een gekleurde bal speelden. Uit haar ooghoek zag ze Amber woest om zich heen slaan.

'Ik haat spinnenwebben,' sputterde Amber.

Nienke draaide het sleuteltje om dat uit het doosje stak en probeerde het deksel open te trekken, maar dat zat muurvast.

'Wat gek, het werkt niet,' zei ze en draaide nog een keer aan de sleutel. De deksel ging nu wel open, maar Nienke liet hem meteen weer dichtvallen toen er plotseling een ouderwets wijsje over de zolder klonk: het was een speeldoos.

'Wat zoeken we ook alweer?' vroeg Amber.

'Het oog van Horus,' zei Nienke.

'Maar wat is dat dan? Hé, deze had ik vroeger ook.' Amber liet Nienke een pop zien die gekleed was in ouderwetse klederdracht.

'Ik hoop dat jouw pop wel compleet was,' zei Nienke droog. Toen Amber beter keek, zag ze dat er een oog miste in het plastic hoofd. Ze gooide de pop snel terug op de stoel. 'Gatver, wat naar,' rilde ze.

'Dat is zeker niet het oog van Horus? Stil eens?' Nienke hoorde duidelijk het geluid van de zolderdeur.

'Kom mee!' siste ze, en ze duwde Amber richting wand en trok hem stilletjes achter zich dicht. Ze hoorden nu ook voetstappen op de trap...

Het was Patricia!

Amber en Nienke konden haar nu duidelijk zien door de spleet van de wand. Ze keek angstig om zich heen.

'Wat *spooky*,' hoorden ze haar mompelen. Daarna klonk er een bonk en een ingehouden kreet van pijn, ze was ergens tegenaan gestoten.

Nienkes hart ging snel. Patricia was Victor niet maar ze wilde absoluut niet dat ze hen zou betrappen. Misschien zou ze hen wel verraden en dan waren ze er alsnog bij. Ze dacht hard na. Ze moesten haar van de zolder krijgen, maar hoe?

Plotseling viel haar oog op de kist met kleren. Ze stootte Amber aan, gebaarde naar de kist en trok er zo stil mogelijk een paar kleren uit.

Patricia ging bijna dood van angst toen er vanuit het niets ineens twee donkere figuren achter haar opdoemden. Hun gezichten waren bedekt met een kanten voile en ze waren gekleed in ouderwetse kleding die in flarden om hun lichamen hing.

Ze stond aan de grond genageld.

Een van hen begon te spreken met een lage, slepende stem.

'Wie durft de Winsbrugge-Hennegouwens in hun rust te storen? Maak jezelf bekend!'

Patricia's mond vertrok in een "o", maar er kwam geen geluid over haar lippen. Ze kon van angst geen woord uitbrengen.

'Al tientallen jaren zijn we verdoemd... help ons!' zei de ander met een hoge stem. Haar bleke handen staken als klauwen uit de verweerde zwartfluwelen mouwen.

Patricia deinsde achteruit.

De ander strekte nu ook haar handen naar Patricia uit en ze begonnen schokkerig haar kant op te lopen. 'Verlos ons van de doem van Horus! Verlos ons van de vreselijke vervloeking!'

Patricia liep verder achteruit, struikelde bijna over een oude hoedendoos en stond toen vast tussen een koffietafeltje en een kast.

'Een verschrikkelijke dood heeft ons de adem ontnomen...' Een van de spoken maakte een geluid alsof het stikte. Patricia draaide zich om en begon wild aan de kast te trekken, maar die gaf geen centimeter mee. Ze hoorde achter haar dat ze dichterbij kwamen.

Ze draaide zich weer om. 'Wat moeten jullie van mij?' Patricia's stem trilde.

De gedaanten keken haar strak aan.

'Geef ons je ziel!' steunde het ene spook.

'Geef ons je leven!' siste het andere spook.

Het werd Patricia te veel. Ze waagde het erop en rende gillend langs de twee in het zwart geklede gedaantes de trap af.

9
HET NIEUWE LID

'Hier, wil je thee?'

Patricia kromp in elkaar toen Amber met een klap een kopje thee naast haar neerzette. Ze zag er verschrikkelijk uit. Ze had dikke wallen onder haar ogen en haar haren zaten op haar achterhoofd helemaal in de knoop, alsof ze de hele nacht had liggen woelen.

Amber had de grootste lol en grinnikte naar Nienke.

Helaas hadden ze het oog van Horus niet gevonden, maar het bang maken van Patricia was een goede pleister op de wond geweest. En wie weet wat Fabian allemaal had ontdekt in de kelder? Nienke wachtte vol spanning tot hij aan de ontbijttafel zou verschijnen. Hij had sinds gisteravond helemaal niets van zich laten horen en Nienke maakte zich eigenlijk een beetje ongerust.

Nienke nam een hap van haar croissantje, maar het smaakte haar helemaal niet. Ze keek nog maar een keer op haar horloge – kwart voor tien. Fabian was normaal een van de eerste die aan de ontbijttafel zat. Nienke durfde er bijna niet aan te denken wat er met hem was gebeurd in de kelder. Straks zat hij opgesloten, of had Victor hem betrapt!

De deur ging open en Nienke keek hoopvol op, maar het waren Appie en Jeroen.

Waar bleef Fabian nou?

'Ha! Zaterdagochtendontbijt!' Appie ging zitten en laadde met grote vaart zijn bord vol met een croissantje, een scone en drie harde bolletjes.

De deur ging weer open. Nu was het Victor. Hij klapte zijn zakhorloge open en keek naar de jongens.

'Moesten jullie om tien uur niet ergens zijn?'

Appie, die net een hap van zijn scone nam, keek zuchtend op. 'We zijn nog niet uitgegeten!' zei hij met volle mond.

'Dan had je maar eerder moeten beginnen. Hup, in de benen!'

De deur ging weer open en er ging een golf van opluchting door Nienke heen: Fabian kwam precies binnen toen Appie en Jeroen zuchtend de deur uitliepen.

'Waar gaan jullie heen?' vroeg hij verbaasd met een blik op de afgeladen ontbijttafel.

'Wandelen met Van Swieten,' zei Jeroen chagrijnig en hij liep achter Appie aan de deur uit.

Ze waren als straf voor het graven van de kuil in het bos (en daarmee dus het breken van Van Swietens enkel) benoemd tot de persoonlijke assistenten van de docent. Sindsdien waren ze verplicht hem rond te rijden in zijn rolstoel en hem op zijn wenken te bedienen. En volgens Appie en Jeroen had hij nogal wat eisen.

Fabian kon een lach niet onderdrukken. 'Wie een kuil graaft voor een ander...' mompelde hij zachtjes en hij graaide met een brede grijns de croissant van het verlaten bord van Appie en ging naast Nienke zitten. 'Goedemorgen,' zei hij luchtig, maar tegelijkertijd keek hij Nienke recht aan en schudde even nee.

Nienke begreep het onmiddellijk: hij had het oog ook niet gevonden – helaas.

Maar Nienke was wel heel erg opgelucht dat Fabian weer naast haar zat en dat er niks met hem aan de hand was. Ze popelde van ongeduld om te horen wat er in de kelder was gebeurd, maar helaas bleef Patricia eindeloos aan de ontbijttafel zitten. Ze at helemaal niets, maar staarde als een zombie in haar kop langzaam kouder wordende thee. Ook Victor bleef rondhangen. Hij was druk bezig met het oliën van alle deuren. Met hen beiden in de buurt durfde Nienke niet aan Fabian te vragen hoe het was gegaan.

Toen ze was uitgegeten, kreeg ze ineens een goed idee.

'Heb je zin om weer mee te gaan naar mijn oma?' vroeg ze

onschuldig aan Fabian, terwijl ze opstond en met haar bord naar de keuken liep.

'Natuurlijk, leuk!' zei Fabian enthousiast.

'Mag ik ook mee? vroeg Amber snel. 'Ik heb namelijk geen oma meer.'

Nienke knikte en ze liepen gezamenlijk de deur uit. Patricia staarde hen wantrouwig na. Eenmaal veilig op de fiets konden ze eindelijk aan elkaar vertellen wat ze de vorige avond hadden meegemaakt. Ze vertelden Fabian in geuren en kleuren hoe ze Patricia aan het schrikken hadden gemaakt. Hij vond het een superstunt en viel bijna van zijn fiets van het lachen toen ze vertelden dat Patricia praktisch op een kast had proberen te klimmen om maar aan de dode Winsbrugge-Hennegouwens te ontkomen.

Fabian had inderdaad niets in de kelder kunnen vinden wat op een "oog van Horus" leek. Hij vertelde hen dat de kelder heel naar en donker was, met stellingen vol met ogen in potten en beesten op sterk water. En Victor brouwde iets in de kelder, er stonden glazen stolpen op gasbranders te dampen en daarin zat een doorzichtige vloeistof. Fabian wilde er net voorzichtig aan ruiken toen Victor binnen was gekomen. Hij was in een kast gedoken en had gezien hoe Victor een reageerbuisje met de vloeistof had gedronken.

'Dan is het in ieder geval geen vergif,' zei Fabian. Ze hadden hun fietsen neergezet en liepen langs de vijver naar het bejaardentehuis.

'Wat zou het dan zijn?' vroeg Amber.

'Misschien een drankje om jong te blijven?' opperde Nienke.

Fabian keek sceptisch. 'Een soort toverdrankje? Dat bestaat denk ik niet, hoor.'

'Waarom niet? We hebben Victor toch op de band gehoord? En die zijn tachtig jaar oud,' zei Amber stellig.

Fabian kon niet anders dan Amber gelijk geven. Ze *hadden* Victors stem op de wasrollen gehoord en de wasrollen *waren* tachtig jaar oud. Hoezeer hij er ook over nadacht, hij kon er niet echt een verklaring voor bedenken, behalve dat Victor inderdaad al over de honderd was.

'Hé, ik hoor muziek,' zei Amber verbaasd toen ze door de gang naar de kamer van Nienkes oma liepen. Nu hoorden Fabian en Nienke het ook: rock-'n-rollmuziek. Het werd steeds luider naarmate ze dichterbij de kamer van Nienkes oma kwamen.

'Dat is anders nooit, hoor,' zei Nienke verbaasd en keek om de hoek de kamer in.

Ze kon haar ogen niet geloven. Haar oma stond te rock-'n-rollen met een kwiek uitziende bejaarde heer met geverfd zwart haar en een strakke zwarte spijkerbroek. Als een echte Elvis Presley heupwiegde hij op de muziek terwijl hij oma een paar swingende rondjes liet draaien.

'Oma? Denk om uw reuma!' gilde Nienke boven de muziek uit.

'Wat een gaaf bejaardentehuis,' zei Amber naast haar.

'Bewegen is juist goed voor me, klein konijn.' Nienkes oma kwam swingend op hen af en omhelsde hen alle drie.

'Jij bent zeker Amber, wat leuk!' zei ze tegen Amber, die geen tijd had om iets terug te zeggen, want de rock-'n-roller greep haar hand en sleurde haar de kamer in. '*Hey, hot mama*! Er staat hier een straf op stilstaan!' zei hij enthousiast en hij tilde Amber zo de lucht in.

Het was een geweldige middag. Ze dansten tot ze erbij neervielen op oude singletjes van Andries Boterhoofd, alias Billy the Tiger, die volgens Nienkes oma een beroemdheid was toen zij nog een jong meisje was.

'Ik wil ook zo'n oma,' zei Amber toen ze door de gang terugliepen. Fabian begon naast haar "*Hit the road, Jack*" te zingen en deed een paar danspasjes.

Nienke stopte plotseling bij een open deur. De oude vrouw zat in haar witte nachtjapon op bed. Haar grijze haar hing los op haar rug. Ze keek heel blij en lachte lief naar de oude man die bij haar op bezoek was. Hij had een ouderwets, maar keurig beige pak aan en heel kort, spierwit haar. Hij overhandigde de vrouw een taartje op een schoteltje, dat ze blij aannam.

'Wie is dat?' vroeg Amber.

'Dat is de vrouw van het geheim, van het medaillon,' zei Nienke.

De vrouw zag er heel gelukkig en ontspannen uit. Nienke kreeg een brok in haar keel.

'Zullen we...?' vroeg Fabian en hij gebaarde of ze naar binnen zouden gaan, maar Nienke schudde stellig nee. 'Niet doen. Misschien raakt ze wel van streek,' fluisterde ze, en ze liep door. Fabian pakte haar hand. 'Je hebt echt wat met die vrouw, hè?'

Nienke knikte en bleef staan. 'Ik weet niet wat het is, maar ze lijkt zo... verdrietig. Zo eenzaam. Toen ze me vertelde over de schat in ons huis... Ze wil zo graag dat ik hem vind.' Nienke keek even verlegen. 'Ze zei dat ze kon zien dat ik de kracht had om de schat te vinden...'

Ze zwegen alle drie even. Toen haalde Nienke diep adem. 'Maar misschien komt het ook wel omdat mijn ouders ook zijn omgekomen.' Ze slikte even en keek door het raam naar de groene vijver.

'Oh Nienke...' zei Amber geschokt en sloeg een arm om de schouders van haar vriendinnetje.

'Het is al lang geleden hoor, ik was vier,' zei Nienke snel, maar ze voelde de tranen branden en knipperde snel een paar keer met haar ogen om ze terug te duwen.

Fabian kneep even in haar hand. 'Ze heeft je niet voor niets uitgekozen, Nienke. En wij helpen je. Samen komen we er wel uit.'

Die avond kon Nienke niet goed in slaap komen. Ze dacht na over wat er allemaal was gebeurd de afgelopen tijd. De vrouw die haar het medaillon gegeven had, de raadsels die ze sindsdien had opgelost en De Club. Ze was heel blij dat ze er niet alleen voorstond.

'You ain't nothing but... hound dog...'

Nienke keek op. Amber lag te zingen in haar slaap. Ze lachte toen Ambers ene been een stuiptrekking maakte, maar moest meteen hoesten. De pijn die ze gisteren in haar keel had was van zeurderig naar erger gegaan.

Amber werd wakker.

'Kun je niet slapen?' vroeg ze slaperig.

'Nee, je zong in je slaap.' Nienke hoestte weer en zocht naar het glas water naast haar bed.

'Echt? Wat zong ik?' Amber kwam enthousiast overeind.

'Een van de nummers van vanmiddag.'

'Wat lachen. Zo wil ik ook wel oud worden, als een jeugdige oma.'

Nienke ging weer liggen. 'Ja, net of je het eeuwige leven hebt,' mijmerde ze.

Amber keek moeilijk. 'Dat wil ik niet. Dan gaat iedereen om je heen dood.'

Nienkes gezicht betrok. 'Daar hoef je niet het eeuwige leven voor te hebben,' zei ze bedroefd.

'Oh Nienke, sorry. Ik dacht er even niet aan.'

'Geeft niet.' Nienke wuifde Ambers bezwaren weg en begon meteen weer flink te hoesten. 'Heb je het ook zo warm?' vroeg ze tussen twee hoestaanvallen door.

Amber glipte uit bed en voelde aan Nienkes voorhoofd. 'Nienk! Je bent zo heet als een oven, je bent ziek!'

Amber had gelijk. Nienke voelde zich de volgende dag nog beroerder en kon niet naar school.

'Ik beloof je dat ik alle roddels zal vertellen,' zei Amber 's morgens vroeg.

'Dank je,' zei Nienke mat, draaide zich om en viel prompt weer in slaap. Ze werd pas weer wakker toen Amber weer in de kamer stond.

'Surprise!' zei ze. Nienke keek gedesoriënteerd om zich heen. Ze had geen idee hoe laat het was. 'Moet je niet op school zijn?'

'Tussenuur.' Amber plofte bij Nienke op bed en haalde een fles en een lepel uit haar tas.

'Levenselixer – voor al uw klachten.' Ze liet de lepel vollopen met een bruine stroperige hoestdrank en duwde de lepel vol in Nienkes mond.

Nienke slikte het met een vies gezicht door en ging weer liggen.

Haar hoofd bonsde als ze rechtop zat. 'Hoe was het op school?'

'Saai.' Amber deed haar twee speldjes die in haar haren zaten goed in de spiegel. 'Alleen Van Swieten...'

Amber stopte abrupt met praten en hield haar hoofd schuin. 'Hoorde je dat ook?'

Nienke, die een hoofd vol met snot had, hoorde helemaal niks.

'Wat moet ik horen?'

Amber antwoordde niet, maar opende zachtjes de deur. Op de drempel zat een zwart met wit gevlekte kat.

'Kijk nou, een poes! Hé, schatje, kom eens?' zei Amber en lokte haar met een klokkend geluidje.

De kat miauwde en kwam wijsneuzerig een stukje de kamer inlopen.

'Wat lief,' zei Nienke. 'Hoe komt die nou hier?'

Amber pakte de kat op en zette hem bij Nienke op bed. De kat gaf haar een kopje en wriemelde even op het dekbed. Toen ging ze luid spinnend liggen.

Plotseling hoorden ze voetstappen en Victors stem op de gang: 'Poesje, poes! Kom maar! Ik heb iets voor je. Psssst, kom maar.'

Amber sprong bliksemsnel op en sloot zachtjes de deur. Ze keek heel angstig en hield haar vinger tegen haar lippen om duidelijk te maken dat Nienke haar mond moest houden. Nienke begreep er niks van, waarom keek Amber zo bang? En waarom wilde ze niet dat Victor de poes vond?

'Hij wil haar vermoorden,' zei Amber toen Victors stem was weggestorven.

Nienke schrok. 'Wat?' Ze keek naar de kat die zich in haar armen had genesteld. 'Hoe kom je daar bij?'

Amber vertelde haar dat ze die ochtend aan Van Swieten had gevraagd of er zoiets als een levenselixer bestond. Hij had haar verteld dat al sinds de middeleeuwen alchemisten op zoek waren naar een middel om eeuwig te leven. Ze gingen alleen vaak zelf dood omdat ze hun eigen experimenten op zichzelf uittesten, totdat ze testen uit gingen voeren op proefdieren. Honden, katten, ratten... Volgens Van Swieten gebruikten ze vaak alles wat ze maar te pakken konden krijgen.

'Maar wat heeft dat te maken met Victor?' vroeg Nienke zachtjes terwijl ze de luid spinnende kat aaide.

'Ik kan wel merken dat je niet lekker bent,' zei Amber en rolde met haar ogen. 'Dat is toch logisch? Victor staat op de band. Die is tachtig jaar oud, ja?'

Nienke knikte.

'Dus moet hij honderddertig zijn. Fabian gaat naar de kelder en ziet daar allerlei beesten op sterk water en Victor is bezig met het maken van een of ander drankje. Conclusie: Victor heeft deze kat nodig om zijn levenselixer te testen,' zei Amber. Ze keek bezorgd.

'Ik denk dat je gelijk hebt,' zei Nienke langzaam en keek zorgelijk naar de kat in haar armen. 'Maar wat moeten we nu met haar?'

'Als we haar op de gang zetten, verdwijnt ze in een of andere Victorsoep of wat dan ook. Ze moet hier blijven,' zei Amber vastberaden.

Nienke vond het een goed plan. Nu ze ziek was, kon ze mooi een oogje op de kat houden. Terwijl Amber een kommetje melk voor de kat ging halen, aaide Nienke de spinnende kat die tevreden haar gele ogen dichtkneep. 'Wie zou zoiets liefs nou kwaad kunnen doen?' dacht ze en ze ging achterover liggen.

Het was wel heel gezellig... daar kon geen knuffeldier tegenop. Ze soesde en haar ogen vielen langzaam dicht.

'Nienke!'

Nienke schrok wakker.

'Nienke, waar is de kat?' Amber stond met een kommetje melk in haar handen naast haar bed.

'Ik was in slaap gevallen...'

'Nienke, de kat. De deur is toch niet open geweest?' Amber keek onder het bed. 'Ik zie haar nergens!'

De kat was niet onder Ambers bed en ook niet onder dat van Nienke. 'Hij kan toch niet weg zijn?' zei Nienke slaapdronken.

Maar de kat was wel weg en bleef weg. Nienke en Amber begrepen er helemaal niets van. Had Victor er dan echt iets mee te maken? Had hij de deur opengedaan en de kat weggelokt toen Nienke in slaap was gevallen?

Amber had niet veel tijd om erover na te denken, want op dat moment kwam Victor binnen en stuurde haar naar school. Nienke kwam de rest van de dag door met slapen en een beetje lusteloos door Ambers tijdschriften bladeren. Zo af en toe schrok ze op van een van de geluiden in het huis, maar de kat liet zich niet meer zien.

Om vier uur kwam Amber de kamer binnenstormen.

'Kijk!'

Ze duwde Nienke een papiertje in haar handen.

Nienke las het onbekende handschrift.

Als jullie meer willen weten, kom dan om vijf uur naar de oude wilg.

'Van wie is dit?' vroeg Nienke terwijl ze opkeek.

Amber, die weer op zoek was naar de kat, kwam met een rood aangelopen hoofd onder het bed vandaan.

'Dat weet ik niet, dat lag net in mijn locker. De kat?'

Nienke schudde haar hoofd en sloeg de dekens weg.

'Wat doe jij nou? Je bent ziek!' zei Amber toen Nienke opstond en de kast opendeed.

'Als jullie meer willen weten, kom dan om vijf uur naar de oude wilg. Denk je dat ik dat wil missen?' zei Nienke en trok een trui over haar pyjama aan. 'Voor geen goud!'

Amber vond het veel te gevaarlijk om Nienke met koorts naar buiten te laten gaan, maar Nienke was niet te vermurwen, dus stond ze dik ingepakt om iets voor vijf met Fabian en Amber vol spanning te wachten onder de dikke oude boom. Elke keer als ze hoestte, trok Amber haar jas nog verder dicht, totdat ze het gevoel had dat haar grijze sjaal in een boa constrictor veranderd was.

'Wie denk je dat het is?' vroeg ze terwijl ze haar neus voor de duizendste keer snoot. Ze negeerde de overbezorgde blik van Amber.

Fabian spuugde een grasje uit. 'Geen idee.'

Op dat moment klonk er een bekende stem. 'Zo, nou heb ik jullie!'

'Kijk nou, het is Patricia!' riep Fabian.

En inderdaad: Patricia gooide haar fiets neer en stampte half rennend naar de boom.

Nienke zuchtte. Daar gingen ze weer.

'Ik weet alles!' zei Patricia opgewonden. 'Hoe jullie Joyce vasthouden...'

Nienke keek verbaasd. 'Wat zeg je nou? Denk je dat wij Joyce...'

'Doe maar niet zo schijnheilig, jij!' schreeuwde Patricia. 'Tegen jou is al helemaal voldoende bewijs. Wacht maar tot Rufus dat medaillon van je ziet!'

Patricia klauwde naar Nienkes grijze sjaal, maar Fabian hield haar tegen. 'Rufus? Waar heb je het over?'

'Hij kan elk moment hier zijn!' schreeuwde Patricia en ze keek vuil naar Nienke. Maar Nienke zag het niet, ze staarde langs Patricia richting het pad.

'Rufus? Is dat een man met een lange zwarte regenjas?' vroeg ze bleekjes.

Ze wees naar een plek iets verderop in het gras.

Daar lag iets, iets menselijks, heel stil...

'Ken je hem dan?' Patricia draaide zich om en zag het toen ook.

In het gras lag een man met een zwarte regenjas!

'Wat hebben jullie met hem gedaan?' schreeuwde Patricia en ze holde naar de man. Fabian volgde haar op de voet.

De man zag grauw in zijn gezicht en hij had een bloedende hoofdwond, alsof iemand hem hard op zijn hoofd had geslagen. Zijn zwarte gleufhoed lag naast hem.

'Is hij...?' Nienke zag plotseling zwarte sterretjes voor haar ogen.

'Oh nee,' jammerde Amber naast Nienke. Ze had haar handen voor haar gezicht geslagen. 'Is hij *dood*?'

'Nee, hij ademt nog,' zei Fabian, die zo goed en zo kwaad als het kon zijn pols voelde. 'En hij voelt nog warm.'

Plotseling schrok iedereen op. In de verte hoorden ze gebrom van een auto en het kwam snel dichterbij.

Over het bospad kwam de oude grijze Volkswagenbus van Victor aan gehotst.

'Snel, achter die boom!' riep Fabian.

Ze zagen hoe Victor naar de bewusteloze man liep. Hij leek even te checken of hij nog leefde, deed toen de krakende klep van zijn bus open en sleepte de man met grote moeite aan zijn schouders over het zand naar zijn auto, waar hij hem als een zak aardappelen achterin ingooide.

Nienke hoorde hoe Ambers adem stokte. Ze begreep zelf ook totaal niet meer wat er gebeurde. Eerst kwam Patricia met het verhaal dat zij Joyce hadden ontvoerd, toen kwam ze met ene Rufus op de proppen, die bewusteloos in het gras bleek te liggen, en nu laadde Victor hem in zijn bus?

Ze keek om de boom heen en schrok. Victor stond maar twee meter van hen verwijderd en keek speurend om zich heen. Ze trok snel haar hoofd terug en hield ook haar adem in, totdat ze het busje hoorde starten. Toen ze weer durfde te kijken, zag ze nog net hoe de oude barrel uit het zicht verdween.

Amber zakte door haar knieën van spanning.

'Wat was...'

'Wat heeft Victor...'

'Waar gaat hij...'

Iedereen begon tegelijkertijd met praten, zodat niemand elkaar begreep, totdat Nienke met haar zere keel riep dat ze allemaal hun mond moesten houden.

'We moeten ergens naartoe waar we rustig kunnen praten.'

'Ja, maar niet naar het huis, ik wil niet meer naar het huis,' gilde Amber hysterisch.

'Waar moeten we dan naartoe?' Patricia was ook aangeslagen en gelukkig daardoor een stuk kalmer. Ze liepen een beetje trillerig naar hun fietsen.

'De school is nog wel open, laten we naar het dramalokaal gaan,' opperde Nienke. 'Ik weet wel hoe ik de deur open krijg.'

Ze fietsten stil en aangeslagen naar de school. Alle leerlingen waren al weg en het was vreemd stil in de gangen. In een paar lokalen zagen ze schoonmakers met een emmer en een mop in de weer, maar gelukkig was er niemand in het dramalokaal.

'Hierheen!' riep Nienke, die als eerste binnenkwam. Ze rende naar een hoek van het lokaal die het verst van de deur vandaan was. Ze wilde zich nu zo veilig mogelijk voelen.

Ze ging in een blauwe zitzak zitten en huiverde – ze had nog steeds koorts. Amber plofte naast haar en sloeg haar armen om haar knieën.

'Wat is er nou net gebeurd?' vroeg Nienke.

'Denk je... dat hij dood is?' Amber keek alsof ze een spook had gezien.

'Patricia, wie was die man?' vroeg Fabian.

Patricia keek met een scheef oog naar Nienke.

'Waarom zou ik dat vertellen? Zij zit waarschijnlijk in het complot met Victor!'

Fabian zuchtte. 'Hou nou eens op! Nienke kent die man niet eens.'

'Rufus waarschuwde me voor het teken!' Patricia wees naar Nienkes medaillon. 'Hoe komt ze daar dan aan?'

'Nienke kent die Rufus echt niet, Patries. Dat medaillon heeft ze van een oud vrouwtje in een bejaardentehuis gekregen,' flapte Amber eruit.

Fabian en Nienke keken vol afschuw naar Amber. Wat zei ze nou?

'Oh sorry,' mompelde Amber. 'Dat had ik niet mogen zeggen, hè?' Ze keek schuldig.

'Oud vrouwtje? Bejaardentehuis?' Patricia begreep het niet. 'Waarom staat dat teken er dan op?'

'Het is gewoon een cadeautje,' zei Nienke verdedigend, maar daar nam Patricia geen genoegen mee. Ze sprong op en liep dreigend op Nienke af.

'Patries!' Fabian sprong meteen tussen Nienke en Patricia in. 'Laat haar met rust!'

'Rufus waarschuwde me voor het teken! Dat medaillon heeft er iets mee te maken! Ik weet het zeker!' gilde Patricia. 'Ik wil NU weten wat er aan de hand is! Daar heb ik recht op!' Ze was hysterisch.

Fabian keek ongerust naar Nienke.

'Misschien moeten we het Patricia dan maar vertellen,' zei Fabian terwijl hij over zijn gezicht wreef. Nienke knikte. 'Maar alleen als je belooft dat je ons jouw verhaal vertelt over die Rufus. En dat je rustig blijft,' voegde ze er snel aan toe terwijl ze angstig naar Patricia's woedende gezicht keek.

'Rufus,' zei Patricia. Ze leek even te twijfelen, maar ging toen weer zitten en legde een hand op haar hart.

'Ik zweer dat ik jullie dan alles vertel. En dat ik rustig blijf.'

'Heb je iemand die overleden is?' vroeg Amber meteen.

'Doe niet zo eng, zo doe ik niet mee!'

'Nee, nee,' zei Nienke snel. 'Amber bedoelt dat je op iemand die is overleden moet zweren dat je *niets* doorvertelt van wat je nu te horen krijgt.'

De Geheime Club van de Oude Wilg vertelde Patricia alles: over de oude vrouw in het bejaardentehuis die Nienke het medaillon had gegeven, dat ze Nienke had verteld dat ze vroeger in het huis had gewoond en dat het huis een geheim had, dat er een schat verborgen lag.

'Een schat! Doe normaal!' Patricia keek ongelovig naar de andere drie.

'Laat me nou even verder vertellen,' zei Nienke zachtjes en ze vertelde Patricia hoe de raadsels haar naar de wasrollen hadden geleid, waar de stem van een klein meisje op stond. Ze dachten dat de oude vrouw, het meisje in het medaillon en het schilderij en de stem op de rollen allemaal dezelfde persoon was, het meisje dat tachtig jaar geleden in Huize Anubis woonde en na de dood van haar ouders werd opgevoed door een enge conciërge die dieren opzette.

Patricia wilde eerst niet geloven dat ze dachten dat dit Victor was en dat hij zo oud was omdat hij een levenselixer maakte.

'Jullie hebben te veel fantasie!' zei ze en ze wilde boos weglopen.

Fabian startte de DAT en liet Patricia de opname van Victors stem horen.

Corvuz, rustig, rustig... klonk het door het lokaal. Het was duidelijk Victor. Daarna klonk het krassen van een raaf. Patricia werd prompt stil en staarde tussen haar voeten door naar de grond.

'Misschien is Joyce hier wel op een of andere manier achter gekomen,' zei ze na een tijdje. 'En moest ze daarom verdwijnen.'

'Daar had ik nog helemaal niet aan gedacht,' zei Nienke. 'Dat Joyce hier ook mee te maken kan hebben!'

'Ja, en Rufus wist er ook iets van, dus die moest ook uit de weg geruimd,' zei Patricia opgewonden.

'Vertel nou *eindelijk* een keer wie Rufus is, alsjeblieft!' riep Fabian gefrustreerd.

'Oké,' zei Patricia en vertelde de drie anderen haar verhaal.

Nadat ze die gewraakte avond samen met Appie en Jeroen geesten had opgeroepen met het Ouija-bord en dat vreemde geluid had gehoord ('Oh, dat waren wij,' zei Nienke schuldig. 'Dat begrijp ik nu ook wel,' zei Patricia en ze werd gelukkig niet boos) was ze heel erg bang geworden. Mara had haar verteld dat je bezeten kon worden door een geest als je contact maakte met overledenen. Precies in die tijd was er een donkere schaduw opgedoken bij het schoolplein. Het ene moment was hij er, het volgende was hij verdwenen. Patricia was ervan overtuigd dat ze bezeten was en had steeds nachtmerries. Uiteindelijk had ze van Trudie hulp gekregen. Zij kende iemand die geesten uit kon drijven.

Maar vlak voor die sessie zou plaatsvinden had de donkere schim haar aangesproken. Het was geen geest, maar een man in donkere kleding die Rufus Malpied heette. Hij had een foto bij zich van Joyce en had Patricia verteld dat hij kon helpen Joyce terug te vinden.

'Maar volgens hem liep ik groot gevaar ik moest uitkijken voor een bepaald teken – een soort oog – en als ik dat zag, moest ik hem bellen.'

'Het teken van mijn medaillon,' zei Nienke. Patricia knikte.

'Vandaar dat ik compleet door het lint ging toen ik het zag.'

Nienke begon te lachen. 'Jeetje, het is ook wel een verhaal zeg...'

Ze keek naar Patricia. 'En nu heeft het waarschijnlijk allemaal met elkaar te maken.'

Patricia keek ontzettend schuldig naar Nienke.

'Het spijt me heel erg dat ik je heb verdacht,' zei ze en ze keek naar haar handen. 'Maar ik wil jullie heel graag helpen.'

Aan het begin van de avond stonden er geen drie, maar vier bloedige vingerafdrukken op het document van De Geheime Club van de Oude Wilg. Patricia had zonder blikken of blozen die naald zo in haar wijsvinger geduwd en Nienke besefte dat je Patricia maar beter niet tegen je kon hebben, maar dat ze een enorme aanwinst was als ze in jouw kamp zat, want ze was heel erg dapper. En trouw. Dat zag je wel aan hoe ze zich vast had gebeten in het voornemen om haar beste vriendinnetje terug te vinden.

Nienke was opgelucht dat ze daar nu misschien met z'n allen voor konden zorgen. Maar de grote vraag was nu: hoe? Ze hadden al hun vermoedens gehad, maar wisten het nu zeker. Victor had er iets mee te maken. Zowel met de schat in het huis, als met het meisje uit het medaillon, als met Joyce. En wat had Victor met Rufus gedaan?

Fabian en Patricia besloten om de bus van Victor te onderzoeken, maar daar was natuurlijk helemaal niets in te zien. Brandschoon. Het enige wat erin lag was een bonnetje van 'Jonkers autowasstraat.'

Wat ze *wel* hadden gezien, waren de krassen op Victors handen. Kattenkrabben.

Vooral Amber was vreselijk bezorgd over het lot van de poes. Ze was als de dood dat hij haar inderdaad zou gebruiken voor het testen van zijn levenselixer.

'En Rufus dan?' zei Patricia. 'Maak jij je daar niet ongerust over? Dat is een *mens*. Dat is wel wat erger dan een poes.'

'Ik ken Rufus toch niet?' zei Amber op haar eigen logische manier.

Maar Fabian moest Patricia wel gelijk geven. Rufus was een mens en hij was bewusteloos meegenomen door Victor, die hem waarschijnlijk buiten westen had geslagen. Dat was serieus. Het kon wel zijn dat Victor hem had vermoord. Moesten ze dan niet naar de politie? Maar dan hadden ze wel bewijs nodig, want wie geloofde hen nou als ze een politiebureau binnen zouden lopen en zouden zeggen dat hun conciërge iemand uit de weg had geruimd omdat die achter zijn geheim was gekomen dat hij al over de honderd was? Ze zouden hen vierkant uitlachen en zo het bureau weer uitsturen, dat wist Fabian zeker.

Daarom zat er niets anders op. Ze moesten naar de kelder om het levenselixer te halen.

'Ik wil niet!' riep Amber bang. Ze zaten met z'n vieren op hun kamer.

'Ik ben al geweest,' zei Fabian. 'Nu mag iemand anders gaan.'

Nienke lag in bed en hoestte.

Amber had wel een beetje gelijk gehad dat ze de deur niet uit had moeten gaan, ze voelde zich zieker dan die ochtend.

'Ik weet het.' Ze graaide in haar nachtkastje en pakte er een doosje lucifers uit. Ze haalde er drie uit en brak van eentje het kopje af. 'Wie deze heeft, hoeft niet, oké?'

De andere drie trokken een houtje. Fabian was de gelukkige. Hij zou de wacht houden, terwijl Amber en Patricia de kelder in zouden gaan om een flesje levenselixer te halen.

Amber trok wit weg. 'Moet... moet ik nu echt naar de kelder?' stotterde ze. 'Maar daar zijn allemaal enge dode beesten en misschien zit Rufus daar ook wel gevangen, of heeft Victor hem opgezet!'

'Ik ben toch bij je? Ik zorg wel dat de tarantula's je niks doen,' grapte Patricia.

Maar Amber was helemaal niet in de stemming voor grapjes. 'Zijn er echt tarantula's? Dat zijn toch...?'

'Vogelspinnen, ja.'

'Vergeten jullie niet ook te zoeken naar het oog van Horus?' vroeg Nienke toen Amber en Patricia met twee zaklampen klaarstonden om te vertrekken.

Beneden klonk Victors stem:

'Het is tien uur. We weten allemaal wat dat betekent...'

'Oog van Horus?' Amber stond zenuwachtig met haar voeten te schuifelen. Het vooruitzicht op een donkere kelder met grote, zwarte, harige spinnen maakte haar zo zenuwachtig dat haar hoofd een groot zwart gat was.

'Het is goed,' zei Patricia. 'We letten erop.'

Ze schoof de tegenstribbelende Amber zachtjes de deur uit.

Fabian liep achter hen aan.

'Duim je voor ons?' zei hij zachtjes. Nienke knikte.

'Doe je voorzichtig?'

Fabian stak zijn duim omhoog, draaide zich om en sloot de deur.

10
AFSCHEID VAN TRUDIE

Amber lag met haar hoofd onder de dekens bij Nienke in bed en snikte hartverscheurend. Fabian en Patricia stonden bleek en stil bij het bed en luisterden naar Ambers gesnik. Nienke probeerde haar zo goed mogelijk te troosten maar wist ook niet goed wat ze moest zeggen, want wat Amber in de kelder had ontdekt was te vreselijk voor woorden.

Amber had de kat gevonden.

Ze stond in een kast in de kelder, en haar kleine zwart-witte lijf was zo stijf als een plank. Haar gele ogen hadden nietsziend in de ogen van Amber gekeken.

Ze was opgezet.

Amber was compleet overstuur de kelder uitgerend en bij Nienke in bed gekropen. Ze huilde nu al bijna een half uur en er leek geen einde aan te komen.

'Het was zo afschuwelijk,' jammerde Amber gesmoord. 'Die ogen... helemaal dood...!'

Nienke aaide sussend over Ambers blonde haar dat boven het dekbed uitpiepte. Ze keek ongerust naar Fabian en Patricia.

'Wat doen we nu?'

Patricia haalde haar schouders op. 'We hebben niks mee kunnen nemen, dus we hebben nog steeds geen bewijs.'

Fabian keek somber. 'Naar de politie gaan is dus geen optie.'

'Van Engelen dan?' vroeg Nienke. De lerares Nederlands was ook hun decaan en vertrouwenspersoon. Misschien zou zij hen wel geloven.

Patricia schudde heftig haar hoofd. 'Die zit ook in het complot. En Jason Winker ook, ze deden allebei zo geheimzinnig toen ik naar Joyce vroeg.'

Patricia vertelde dat ze naar Jason was gegaan toen ze had ontdekt dat Joyce van alle schoolfoto's was verdwenen. Hij had haar op het hart gedrukt dat hij haar zou helpen.

'Maar uiteindelijk kwam hij met een slap verhaaltje dat er niks aan de hand was,' eindigde Patricia. 'Dus hem vertrouw ik al helemaal niet meer.'

Amber kwam met haar hoofd onder de dekens vandaan en keek hen met dikke rode ogen aan. 'Dan blijft er maar één over.'

De anderen keken vragend.

'Trudie.'

'Trudie?' Patricia keek moeilijk. 'Trudie is wel lief, maar...'

'Wat, maar? Zij is in ieder geval te vertrouwen!' zei Amber snuffend. 'En ze houdt van dieren.'

'Maar ze is echt zo'n zonnetjes-regenboogjestype. Ze gelooft altijd alleen maar in het goede van mensen,' zei Patricia.

'Zelfs bij Victor?'

'Zelfs bij Victor.'

Maar wat hadden ze voor keuze? Amber, Patricia en Nienke besloten met z'n drieën op haar in te praten om haar over te halen naar de kelder te gaan. Als Trudie de kat zag, zou ze hen vast wel geloven en dan konden ze altijd nog naar de politie. Met een volwassene erbij stonden ze vast een stuk sterker.

Het enige probleem was: Trudie begreep helemaal niets van hun verhaal. Haar gezellige gezicht stond verward toen de drie haar in de keuken bombardeerden met een – nogal warrig – verhaal over de kat die eerst levend door het huis liep en daarna zo stijf als een plank opgezet in de kelder stond.

'Zijn jullie in de kelder geweest? Meisjes toch!' zei Trudie ongerust en plukte aan haar gebloemde schort. 'Dat moeten jullie echt niet doen, hoor, dat is gevaarlijk!'

'De kat was opgezet, Trudie! Victor heeft haar vermoord!' siste Amber.

'Victor zet wel eens een diertje op, maar alleen als ze al dood zijn. Hij zou toch niet expres een kat...' stamelde Trudie. Ze keek met afgrijzen naar het grote mes in haar hand waar ze net kipfilets mee had staan snijden en legde het mes snel op het aanrecht.

Patricia zag de afschuw op Trudies gezicht en besefte dat ze haar bijna omgepraat hadden. 'Misschien kun jij met Victor praten? Hij zal jou vast wel vertrouwen.' Ze pakte Trudies hand en kneep erin.

'Ja, alsjeblieft, alsjeblieft, alsjeblieft?' Amber pakte Trudies andere hand.

Trudie keek van de een naar de ander en toen naar Nienke, die enthousiast ja stond te knikken.

'Nou, ik zal kijken wat ik kan doen. Maar we moeten wel voorzichtig zijn,' zuchtte Trudie uiteindelijk. De meiden begonnen te juichen.

'Laten we dan maar meteen gaan, voordat ik de moed verlies.'

Ze liepen met z'n vieren de trap op naar Victors kantoor. De deur stond open. Victor zat in zijn blauwe stofjas aan zijn bureau en zette net een scalpel in een dode muis. Trudie zag het en wilde meteen rechtsomkeer maken, maar Patricia hield haar tegen.

'Toe nou, je hebt het beloofd,' fluisterde ze en gaf Trudie een bemoedigend zetje richting deur.

'Victor?'

Victor keek verstoord op. 'Wat is er nou weer?' snauwde hij.

Trudie slikte even en schuifelde met haar ene slof zenuwachtig over de vloer. 'Deze meisjes vertellen mij net een vreemd verhaal. Over een kat.'

Nienke keek oplettend naar Victors gezicht voor een eventuele reactie, maar niets in zijn gezicht bewoog. Geen spiertje, niks.

Als hij het echt heeft gedaan, dan kan hij heel goed liegen, dacht Nienke terwijl Victor aan Trudie vertelde dat er inderdaad een kat in huis was geweest, maar dat hij de eigenaar had opgespoord en de kat gewoon weer had teruggebracht.

'Dus de kat is niet in de kelder?' vroeg Trudie met een onschuldig gezicht.

Bij het woord "kelder" keek Victor scherp op. Hoewel zijn pokerface niets verraadde, zag Nienke nu een gevaarlijk lichtje dansen in zijn ene oog.

'In de kelder heeft niemand iets te zoeken, dus katten ook niet.'

Trudie slikte. 'Zou ik toch misschien heel even mogen kijken? De meisjes maken zich erg ongerust,' vervolgde ze snel toen Victor haar aankeek alsof hij haar hoofd wilde afbijten. Hij stond zo abrupt op dat Trudie achteruitdeinsde en op Patricia's teen ging staan.

'Heel even dan – en alleen jij!'

Hij liep snel de trap af en hield de kelderdeur open totdat Trudie – heel wat langzamer – was gearriveerd.

'Na u,' zei hij sarcastisch. Trudie keek een beetje angstig het donkere gat in, maar liep uiteindelijk voorzichtig de trap af. Victor keek vuil naar de meiden en sloeg de kelderdeur voor hun neus dicht.

Ze stonden voor de kelderdeur en wachtten.

Eén minuut, twee, drie...

Ze hoorden niets. Geen gil van Trudie als ze de kat zou zien, niks.

Amber kauwde op haar nagels. Na nog een minuut hield ze het niet meer en trok de deur open. 'Straks zet hij haar ook nog op!' zei ze en voor Patricia en Nienke haar konden tegenhouden, rende ze de trap af naar beneden.

Patricia en Nienke keken elkaar angstig aan.

'Oh oh,' zei Patricia. 'Nu hebben we echt de poppen aan het dansen.'

Nienke slikte. Een paar seconden later hoorden ze voetstappen op de trap en Trudie, Victor en Amber kwamen de deur door. Amber keek verward.

'De hele kelder, er was niks meer,' stamelde ze heel zachtjes tegen de andere meisjes. 'Helemaal niks, geen kat, niks.'

Ze keken naar Victor die dreigend over Trudie heen gebogen stond. Hij stroopte zijn mouwen op, alsof hij zin had om haar een flink pak rammel te geven. Trudie keek zo beschaamd dat zelfs haar rode nepbloemetjes in haar haren leken te hangen.

'Goed Trudie, waar wilde je me van beschuldigen?' zei Victor.

'Tja, ik... het spijt me, maar de meisjes...' stamelde Trudie.

'Je begrijpt dat ik dit niet over mijn kant kan laten gaan.' Een zelfvoldaan glimlachje verscheen om Victors mond. Het was even stil.

'Je vliegt eruit.'

'Wat?'

Trudie keek hem met zo'n verbaasd gezicht aan, dat het grappig was geweest als Victor het niet serieus meende. Maar hij meende het wel. Ondanks de smeekbeden van haar en alle protesten van de bewoners ontsloeg hij Trudie op staande voet. Ze moest meteen vertrekken. Hij hielp haar zelfs haar spulletjes bij elkaar te pakken, stopte ze in een doos, legde Trudies jas erbovenop en duwde haar richting hal.

'En nu wegwezen!'

Nienke, Amber, Patricia en Fabian stonden in de hal. Ze konden niet geloven dat Victor dit echt deed!

Ze voelden zich verschrikkelijk schuldig. Zij hadden Trudie gevraagd om met Victor te praten en nu moest ze weg!

Trudie stond bij de deur. Ze zag er verloren uit met haar doosje waar de bladeren van een struikje basilicum uitstaken. Ze zette de doos bij de deur neer, glimlachte dapper en omhelsde iedereen.

Amber kon zich niet meer inhouden en begon te huilen. Grote tranen drupten over haar wangen naar beneden, terwijl ze Trudie om de hals vloog.

'Oh Trudie, nu moet je weg! En allemaal door ons!' snikte ze op haar schouder.

Trudie aaide haar over haar rug. 'Dat is toch helemaal niet waar,' zei ze sussend.

'Jawel, als wij je dat verhaal niet hadden verteld...'

Trudie gebaarde dat iedereen dichterbij moest komen. 'Luister, als jullie zeggen dat er een opgezette kat in de kelder was, dan geloof ik jullie. Maar nu is het belangrijkste dat jullie elkaar helpen.'

'Maar, maar, wie moet er dan voor ons koken?' zei Amber snikkend.

'Dat komt wel goed. Zorg goed voor elkaar en houd vol, lieverds.'

De bel van de voordeur ging.

'De taxi is er,' zei Fabian somber en deed de deur open. Amber begon nog harder te huilen en Nienke en Patricia sloegen aan beide kanten een arm om haar schouders. Als een hoopje zielige ellende keken ze toe hoe Trudie haar doosje oppakte. Bij de deur draaide ze zich nog even om en zwaaide.

'Ik sta achter jullie, niet vergeten, hè?' zei ze dapper, maar haar ogen glinsterden verdacht.

'Tru! Niet weggaan!' schreeuwde Amber dramatisch, maar de deur was al dicht.

Trudie was weg.

Ze wilden het niet geloven, maar het was echt waar. Trudie was ontslagen. En nu was het avond en stond Trudie niet zoals gewoonlijk zingend een heerlijke maaltijd klaar te maken maar was de keuken donker, leeg en heel stil.

Appie, Jeroen en Mick hadden intussen ook gehoord dat Trudie was ontslagen en waren daar op zijn zachtst gezegd natuurlijk niet blij mee. Iedereen hing lusteloos op de banken in de woonkamer. Niemand zei veel of had zin in iets. Vooral Nienke zat erbij alsof ze Trudie eigenhandig had ontslagen. Ze voelde zich zo schuldig dat ze niet eens zin had om na te denken over levenselixers, raadsels en ogen van Horus. Het kon haar allemaal even gestolen worden. Het leek in het begin allemaal zo spannend. De oude vrouw die *haar* speciaal had uitgekozen om de schat op te sporen die in het huis lag, de raadsels die ze had ontdekt... Het was in het begin net alsof ze in een spannend boek terecht was gekomen. Maar nu? Ze had het gevoel dat het helemaal uit de hand gelopen was met de kat die was opgezet, Rufus die was neergeslagen en bewusteloos door Victor was meegenomen in zijn bus, haar voorgangster Joyce die was verdwenen... Wat was er met haar gebeurd? En wat had Victor met Rufus gedaan? Er gebeurden dingen in het Huis Anubis die hen boven het hoofd groeiden... En nu was Trudie ontslagen.

Het was gewoon echt niet leuk meer.

Nienke zuchtte. De vrouw had haar beter niet uit kunnen kiezen. 'Jij hebt de kracht,' had ze gezegd, maar nu had ze alles verpest.

'Ik begin honger te krijgen,' zei Amber die het tijdschrift neerlegde dat ze al honderd keer had doorgebladerd.

'Ik ook,' zei Patricia geeuwend. 'Zullen we even kijken in de keuken wat we kunnen vinden?'

Amber en Patricia stonden op en rommelden in de keukenkastjes.

'Iemand zin in witte bonen in tomatensaus?' Patricia hield een groot blik omhoog.

'Waarom niet?' zei Fabian. Hij glimlachte magertjes. 'Soldaten gaan er ook niet van dood, toch?'

'Nee, die gaan eerder dood aan iets anders voor ze hiervan de pijp uitgaan,' zei Patricia ironisch. Ze kieperde de inhoud van het blik in de grote pan die Amber op het vuur had gezet.

'Vier blikken voor acht is wel genoeg, toch?' zei Patricia die nog drie blikken uit de kast haalde.

'Ik eet dat niet hoor,' riep Mick vanuit de woonkamer. 'Ik heb een speciaal dieet.' Mick probeerde in aanmerking te komen voor een internationale sportbeurs en was sindsdien als een dolle aan het trainen. Mara, die nogal wat van sport wist, probeerde hem zo goed mogelijk te coachen met een streng trainingsschema en een aangepast dieet met veel proteïnen en koolhydraten.

'Witte bonen bevatten heel veel proteïnen, hoor,' zei Fabian ironisch.

'Toch eet ik die troep niet.' Mick keek geïrriteerd op van zijn *Voetbal International*. Op dat moment kwam Mara de woonkamer binnen.

'Wat voor troep eet je niet?' Ze plofte naast Mick op de bank.

'Witte bonen in tomatenlerrie,' zei Jeroen sarcastisch.

Mara draaide zich om naar de keuken en zag Amber in een pan roeren.

'Waar is Trudie?'

'Die heeft de zak gekregen,' antwoordde Jeroen snel. 'Omdat die gasten leugens over Victor hebben rondgestrooid.' Hij vertelde in een paar woorden het verhaal over de kat.

Mara's gezicht stond op onweer. 'Waar is ze nu?' vroeg ze ijzig.

'Al weg. Ze moest meteen weg van Victor,' zei Amber kleintjes. Ze keek schuldbewust naar de andere drie van de club.

Mara ontplofte, ze sprong op en rende de keuken in.

'Het is allemaal jouw schuld met die zogenaamde samenzweringen en complotten. Kijk nou wat ervan komt! Besef je wel waar je mee bezig bent?' gilde ze en wees met een trillende vinger naar Patricia.

Patricia keek stomverbaasd naar Mara, die normaal heel kalm en meegaand was.

'Het is helemaal niet Patricia's schuld,' riep Fabian uit de woonkamer.

'Nee, het is jouw schuld, kwam jij niet met dat belachelijke verhaal dat Victor beesten vermoordt?!' riep Mick, nu ook boos.

Jeroen keek stomverbaasd van Mick naar Fabian. 'Victor die beesten vermoordt? Belachelijk!'

Iedereen begon nu door elkaar te schreeuwen en elkaar te beschuldigen, terwijl Appie er als een soort aap tussendoor rende en hard met z'n vuisten op tafel sloeg.

'Weet je wel wat je mensen aandoet? Wie is de volgende?' tierde Mara tegen Patricia, die nu ook boos begon te worden en hard een leeg blik op het aanrecht smeet.

'Ach man, je weet helemaal niet waar je het over hebt!' brulde ze boos terug en deed dreigend een paar stappen naar Mara. Amber sprong er met haar pollepel tussen. 'Wacht! Er klopt helemaal niets van! Ik kan het uitleggen!'

Ze hield abrupt haar mond toen Nienke haar waarschuwend aankeek. Die blik ontging Jeroen niet. Hij wees boos naar Nienke en Fabian.

'Hou toch eens op met dat gedoe! Trudie is dankzij jullie ontslagen! Als er een geheim is, dan wil ik het nu horen!'

'Wat is dit voor pandemonium?' Victor kwam binnen en rukte de pollepel uit Ambers handen. 'Naar bed jullie!'

'Maar we hebben nog niet gegeten,' stamelde Amber.

'Het is nog lang geen tien uur!' riep Mara boos.

'Kan me niet schelen. Ik wil absolute rust en stilte in dit huis. Wie zich daar niet aan houdt, kan naar bed.'

'Dat is belachelijk!' Jeroen priemde een vinger naar Fabian. 'Het is *hun* schuld!'

'Uit mijn ogen jullie – ALLEMAAL!' brulde Victor en zwaaide woest met de pollepel.

Ze hadden geen keuze. Iedereen droop af naar de hal. Fabian liep stiekem met Amber, Nienke en Patricia naar boven.

'Ga maar weer lekker met die wijven zitten smoezen,' riep Jeroen hem na voordat hij de jongensgang inliep.

'Dit loopt compleet uit de hand,' zuchtte Fabian bezorgd.

'GEEN WOORD MEER!' riep Victor vanuit de woonkamer. Zwijgend liepen ze de trap op naar de kamer van Nienke en Amber.

'Ik kan maar beter niet te lang blijven,' zei Fabian terwijl hij de deur sloot. Amber viel op haar bed en sloeg gefrustreerd op haar kussen. 'Dit kan toch niet? Wat moeten we nou?'

'Ik vertel je wat we moeten,' zei Patricia met haar armen over elkaar. 'We moeten tegen *niemand* meer iets loslaten hierover. Het is een groot complot. Eerst Joyce, toen Rufus, Trudie weg. We kunnen niemand meer vertrouwen.'

'Patricia heeft gelijk,' zei Fabian. 'We moeten eerst *zelf* bewijzen zoeken, dan krijgen we Victor wel.'

De vier zwoeren elkaar dat ze tegen niemand meer iets los zouden laten. Daarna vertrokken Fabian en Patricia snel naar hun eigen kamer, want ze wilden Victor niet nog bozer maken. Om negen uur was het doodstil in Huize Anubis en lag iedereen met een hol gevoel in z'n maag in bed.

De volgende morgen was de lucht net zo chagrijnig als de Anubisbewoners, grijs en grauw met een hoop donderwolken. Het ontbijt had hen ook niet op kunnen vrolijken. Victor had ontzettend vieze klontpap gemaakt die de kleur had van oud papier en rook naar vieze sokken. Niemand had er ook maar een hap van genomen en nu zat iedereen hongerig en lamlendig in de zitzakken bij Jason in het dramalokaal. Appie wilde net de wikkel van een Mars afscheuren om die eens lekker te verorberen, maar Jason zag het en stak er een stokje voor.

'Daar kun je na mijn les je tanden inzetten, Appie,' zei hij terwijl hij op het podium ging staan. Op het diascherm achter hem stond een afbeelding van een piramide.

'Oh leuk,' zei Jeroen zachtjes tegen Appie. 'We gaan het weer over dooie mensen hebben.'

Jason keek waarschuwend naar Jeroen. 'Ik wilde het vandaag hebben over een van de spectaculairste ontdekkingen in de geschiedenis: het graf van de farao Toetanchamon.'

Jeroen zuchtte en zakte nog een stukje verder onderuit in zijn groene zitzak, terwijl Fabian zichzelf omhoog wurmde. Hij vond dit juist *wel* interessant.

'In 1922 ontdekte Howard Carter het graf van Toetanchamon. In de vier grafkamers lagen meer dan tweeduizend kunstvoorwerpen,' zei Jason terwijl hij dia's liet zien van de ingang van het graf en de verschillende kamers die helemaal vol stonden met beelden van dieren, gouden sieraden en gebruiksvoorwerpen. 'Maar de mooiste was deze...' Hij klikte door naar een dia waarop een masker te zien was van een Egyptische man met zwart omlijnde ogen en een enorme hoofdtooi die bekroond werd met een cobra en een gier in het midden. 'Het dodenmasker van de farao Toetanchamon.

'Wauw, wat een boel goud.' Amber keek verlekkerd.

'Ja, Amber, het is alles goud wat blinkt hier. Samen met de sarcofaag waarin de mummie lag zo'n honderdtien kilo.' Jason klikte door naar de dia waarop de hele sarcofaag met het dodenmasker hen tegemoet blonk. Klas 4B kon een gezamenlijke kreet van bewondering niet onderdrukken.

Jason lachte. 'Ja, dat is indrukwekkend, hè? Het bijzondere aan de sarcofaag is dat hij eigenlijk voor een andere koning was bedoeld, die uit graf 55 dat in 1907 werd ontdekt. Op de sarcofaag zijn nog duidelijk sporen te vinden van de oorspronkelijke inscripties.' Hij liet hen een aantal close-ups zien van de sarcofaag waardoor de klas kon zien dat er inderdaad inscripties onder de andere stonden.

Jeroen gaapte hartgrondig en rekte zichzelf demonstratief uit. 'Maak me maar wakker als de bel gaat,' fluisterde hij tegen Appie.

'Egypte is een onderdeel van jullie examen, dus ik zou maar goed opletten als ik jullie was,' zei Jason met een schuin oog naar Jeroen. Jeroen trok een gezicht, maar ging toch wat rechter zitten. 'Het is nog steeds niet duidelijk wie die koning van graf 55 nou was, ondanks onderzoek van vele archeologen. Kijk, dit is Howard Carter.' Jason klikte naar een dia van een strenge heer met een scherpe neus en een ouderwetse snor. Jason klikte in een rap tempo door een aantal andere dia's met stoffige snorren en brillen: 'Verder Derry... Lord Carnarvon R.G. Harrison... Winsbrugge-Hennegouwen... Theodore M. Davis...'

Fabian veerde tegelijkertijd met Nienke op uit zijn zitzak. Ze keken elkaar aan. Ze durfden in de klas niets te zeggen maar lazen in elkaars ogen dat ze hetzelfde dachten. *Winsbrugge-Hennegouwen? Zouden dat dezelfde zijn als de oorspronkelijke eigenaren van hun huis? De ouders van het meisje in het medaillon?*

Meteen toen de bel ging, trok Fabian Nienke mee. Nienke gebaarde naar Patricia en Amber dat ze ook moesten komen, maar Amber werd tegengehouden door Mick.

'Amber, heb je even?' zei hij dwingend.

Amber twijfelde even, maar wuifde de anderen toen weg.

'Ga maar,' zei ze geluidloos en bleef met Mick in het dramalokaal staan terwijl de anderen de gang inliepen.

Daar barstten ze los.

'Hoorde je dat?' zei Nienke opgewonden. Jason zei dat de Winsbrugge-Hennegouwens onderzoek hebben gedaan naar het graf van Toetanchamon!'

Fabian knikte heftig.

'Dat moeten toch wel dezelfde zijn, toch? De ouders van het meisje?'

'Qua tijd klopt het wel,' peinsde Nienke. Ze wilde nog iets zeggen, maar slikte haar woorden in toen ze zag wie er een eindje verder in de gang stond.

Het was Trudie.

'Trudie!' riep Patricia en rende naar haar toe. 'Wat doe je hier?'

Op dat moment kwam Amber het lokaal uitlopen. Zo gauw ze Trudie zag, rende ze als een dolle naar haar toe.

'Trudie, kom je weer terug? We hebben je zooo gemist!' Ze omhelsde haar als een drenkeling die zich aan een boot vastklampt.

'Gut, gut, kindje toch,' zei Trudie lief. 'Zo vreselijk is het toch allemaal niet zonder mij?'

'Jawel, het is afschuwelijk. We krijgen alleen maar vieze dingen te eten en Victor kan niet schoonmaken en niet wassen,' ratelde Amber.

De anderen knikten bevestigend.

'Dan moet hij maar snel iemand anders vinden. Ik heb een nieuwe baan,' zei Trudie blij.

'Wat?' Ambers mond zakte open.

'Wat ga je doen?' vroeg Fabian ongelovig.

'Ik word hoofd van de huishoudelijke dienst van Carbeco,' zei Trudie. 'Dat is een groot internationaal bedrijf,' voegde ze toe. Haar wangen glommen van trots.

'Carbeco?' zei Amber nadenkend. 'Dat ken ik. Dat is het bedrijf van Micks vader!' Ze keek wantrouwig. 'Hoe kom je daar nou opeens bij?'

'Ik werd persoonlijk door hem gebeld,' zei Trudie, nog trotser. 'Hij zei dat hij had gehoord dat ik beschikbaar was en wilde me graag hebben en hij bood me een best salaris.' Ze keek op haar horloge. 'Oh, ik moet nu echt gaan. Ik kwam alleen maar even om jullie gedag zeggen en te zien hoe het met jullie gaat.'

Ze omhelsde hen één voor één. 'Nou schatten, het gaat jullie goed.'

Ze wilde weglopen, maar Fabian hield haar tegen.

'Van wie had Micks vader gehoord dat je beschikbaar was, dan?' vroeg Fabian. Zijn gezicht stond bezorgd.

'Oh, dat weet ik niet hoor. Ik mag blij zijn dat ik er zo vanaf kom. Als het aan Victor had gelegen dan was ik nooit ergens meer aan de bak gekomen,' zei Trudie en ze wierp weer een blik op haar horloge. 'Ik moet nu echt gaan,' zei ze weer en zwaaide naar de vier, die haar stomverbaasd nastaarden.

'Dat is toch vreemd?' zei Fabian toen Trudie weg was. Hij beende door de gang op en neer. 'Micks vader woont in het buitenland. En zo gauw hij een keer hier is, hoort hij toevallig dat Trudie beschikbaar is?'

'Het lijkt wel of iemand haar weg wil hebben,' zei Nienke.

Fabian knikte en dacht even na.

'Ja, daar lijkt het wel op, hè... Amber, kun jij hem niet bellen? Hij is toch jouw schoonvader?'

Amber keek moeilijk.

'Ik heb net geweigerd om met Mick en zijn vader uit eten te gaan.'

'Wat?' zei Patricia boos. 'Dit was onze kans! Jij had hem mooi kunnen vertellen dat hij Trudie niet aan moet nemen.'

'En dat ze bij ons terug moet komen,' vulde Fabian aan.

'Jullie begrijpen toch wel dat ik geen zin had om te gaan eten met mijn ex-vriend en zijn vader?' zei Amber geïrriteerd. 'Trouwens, toen wist ik nog niet dat Trudie voor hem ging werken.'

'Je moet naar Mick gaan en zeggen dat je toch meegaat,' besliste Patricia bazig. 'Nu!'

'Dat maak ik zelf wel uit,' zei Amber bits.

'Toe nou! Jij wil toch ook dat Trudie terugkomt?' Amber zweeg even en keek naar de andere drie, die haar smekend aankeken.

'Goed, goed!' Amber hief haar armen omhoog. 'Ik zal kijken wat ik kan doen. Maar ik kan niks beloven. Jullie kennen de vader van Mick niet.'

Amber vertelde dat Micks vader – een enorme hotshot – ontzettend autoritair was. Hij besliste blijkbaar altijd voor iedereen wat het beste voor hem of haar was en dan vooral voor zijn zoon. Mick moest arts worden en daarmee basta.

Hoewel hij Amber wel mocht ('Volgens mij heeft hij een zwak voor kleine blonde meisjes, z'n vriendin is een tien jaar oudere versie van mij,' zei Amber schamper), betwijfelde ze of hij zich zou laten overhalen Trudie niet in dienst te nemen. En dan moest ze hem er ook nog van overtuigen dat hij ervoor moest zorgen dat Victor Trudie weer aannam?

Amber had er een hard hoofd in.

11
HET MEISJE OP DE FOTO

Toen Amber tegen Mick wilde zeggen dat ze toch met hem en zijn vader uit eten wilde, kwam ze erachter dat ze te laat was. Hij had Mara al gevraagd om in haar plaats te gaan. En al zou Amber het nooit hebben toegegeven, dat vond ze niet leuk. Maar ja, zij had al gezegd dat ze niet wilde, dus toen Mick en Mara met een taxi naar het sterrenrestaurant *De Vosselaer* gingen, kreeg zij samen met de anderen een maaltijd voorgeschoteld van Victor: bruine bonen, crackers en ongewassen winterpenen. Na die maaltijd, waar Amber van weigerde te eten, was het nog duidelijker hoe belangrijk het was dat Trudie terug zou komen. Gelukkig kwam Micks vader na het eten nog even een kijkje nemen op Huize Anubis. Amber zag haar kans schoon. Ze wachtte bij zijn kapitale Mercedes tot hij weer naar buiten kwam en sprak hem aan op het feit dat hij Trudie in dienst wilde nemen.

Amber kwam tot een schokkende ontdekking. Trudie had op school gezegd dat Micks vader had gehoord dat ze beschikbaar was en volgens meneer Zeelenberg was het niemand minder dan Victor die Trudie had aangeraden!

Nu wisten ze het zeker, het was doorgestoken kaart. Victor had Trudie expres bij Micks vader aangeraden om er zeker van te zijn dat ze nooit meer terug kon komen.

Amber had nog geprobeerd om hem op andere gedachten te brengen, ze vertelde hem dat Victor Trudie juist had ontslagen, waarom zou hij haar dan aandragen voor een functie bij Carbeco?

Maar zoals ze al had voorspeld, moest meneer Zeelenberg er helemaal niets van hebben.

'Luister Amber, jullie hebben Victor gewoon verkeerd beoordeeld. Hij is een vriendelijke man die echt wel het beste met iedereen voorheeft,' had hij gezegd.

Op dat moment was Victor naar buiten gekomen en had Amber naar binnen geroepen. Hij was natuurlijk alleraardigst geweest toen meneer Zeelenberg er nog bij was, maar eenmaal in de hal had hij haar bij haar arm gegrepen en haar toegesist: 'Vergeet niet wie hier de baas is, Amber! Mijn wil is hier wet! Onthoud dat goed!'

En het ging van kwaad tot erger. Amber liep de volgende morgen langs Victors kantoor toen ze hem hoorde bellen met een uitzendbureau. Doodsbenauwd rende Amber de trap af, de woonkamer in, waar de rest aan het ontbijt zat.

'Ik hoorde net Victor aan de telefoon,' zei ze paniekerig.

'Goh, interessant' zei Jeroen lijzig.

'Hij belde met een uitzendbureau voor een opvolger voor Trudie.'

Iedereen stopte met eten en keek Amber aan.

'Nu al?' zei Patricia. Haar toast was ergens tussen haar bord en haar mond blijven hangen.

'Lijkt me prima,' zei Jeroen blij. Hij keek met een vies gezicht naar de toast "standje crematie" (zoals Appie het noemde). 'Hoeven we tenminste geen zwartgeblakerde toast meer te eten.'

'Luister nou even! Hij zei dat hij iemand zocht die van tucht en orde hield! En ervaring had met pene... ti...nitaire inrichtingen of zo.' Amber struikelde over haar woorden.

'Penitentiair?' vroeg Fabian bezorgd.

Amber knikte heftig. Dat was inderdaad het woord dat Victor had gebruikt.

'Dat is een ander woord voor gevangenis,' zei Fabian somber. Dat deed het hem. Iedereen schrok zich kapot.

'Victor wil een gevangenisbewaarder inhuren?' De rillingen liepen Nienke al over de rug bij het idee alleen al.

'Zeker zo'n kenau met een wapenstok!' gilde Appie. 'Dat wil ik niet hoor!'

Iedereen riep door elkaar hoe vreselijk het zou worden in huis als zo iemand de scepter zou zwaaien. De enige die niet meedeed, was Fabian. Zijn blik was gefixeerd op een schilderij van een grauw boerenlandschap. Hij zag eruit alsof zijn hersens op volle toeren draaiden.

'Ik weet denk ik wel wat,' zei hij uiteindelijk.

Het was in een nanoseconde stil. Iedereen keek hem verwachtingsvol aan.

'Maar dan heb ik wel jouw hulp nodig,' vervolgde hij tegen Appie.

'Mijn hulp? Waarvoor?' zei Appie verbaasd.

Meteen betrok Jeroens gezicht. 'Daar gaan we weer,' zei hij zacht, maar iedereen negeerde hem en schoof op het puntje van z'n stoel om te horen wat Fabian had bedacht.

'Jij kunt Victor zo goed imiteren?' vroeg Fabian.

Appie sprong meteen op en deed een denkbeeldig zakhorloge open. 'Het is tien uur. We weten allemaal wat dat betekent. Binnen vijf minuten in de kamers.' Het was een griezelig perfecte imitatie en alle meisjes begonnen te gillen, maar Jeroen sprong boos op.

'Appie, je weet wat er gebeurt met mensen die meedoen aan hun zogenaamde goede ideeën,' zei hij waarschuwend, maar Appie wilde er geen woord van horen. De gedachte aan een kenau met een wapenstok was blijkbaar zo angstaanjagend dat hij er alles aan wilde doen om dat te voorkomen.

Terwijl Jeroen boos de kamer uitliep, vertelde Fabian wat voor ingenieus plan hij had bedacht.

'Het enige probleem is dat Victor een tijdje uit zijn kantoor moet zijn want we hebben de telefoon nodig.'

'Laat dat maar aan mij over,' zei Amber vastberaden. 'Ik ben de koningin van het weglokken.'

Victor zat net een dierenskeletje in elkaar te lijmen toen Amber en Nienke hysterisch binnenkwamen met het verhaal dat er een gigantische spin in hun kamer zat. Victor was niet van plan om uit zijn stoel op te staan voor zoiets als een onschuldig spinnetje, maar nadat Amber in zijn oor had gejengeld dat het vast een exotische spin was die met de boot mee was gekomen met een kist bananen, omdat hij net zo groot was als haar hand, maar dan met heel veel zwart haar, was hij zuchtend opgestaan, had zijn vliegenmepper gepakt en was achter Nienke en Amber aangelopen naar hun kamer. Appie en Fabian zagen hun kans schoon. Ze belden het uitzendbureau met de repeatknop en Appie vertelde het alleraardigste meisje aan de andere kant van de lijn dat ze sprak met Victor Roodenmaar, hij had net gebeld.

'Ja,' zei ze, ze herkende zijn stem nog.

'Ik heb een vergissing gemaakt,' zei Appie en hij vertelde haar precies wat voor kandidaat hij dan wel in gedachten had...

Toen Appie klaar was en de hoorn had neergelegd, slopen de twee jongens het kantoor uit, de trap af naar de woonkamer. Ze waren net op tijd, Victor kwam luid mopperend de meisjesgang uitlopen. Hij zwaaide met zijn vliegenmepper. Amber liep achter hem aan.

'Het spijt me, Victor,' zei ze allerliefst. 'Net was hij er echt. Ik zweer het.'

Victor trok boos de deur van zijn kantoor open en draaide zich om.

'Hoor je dat?' zei hij tegen Amber en hij stak zijn vinger omhoog. Amber luisterde scherp.

'Ik hoor niets.'

'Dat bedoel ik. En daar geniet ik nou zo van.' Hij gooide de deur dicht in het gezicht van een verbouwereerde Amber.

Om vier uur 's middags zaten ze zich met z'n allen uit het zicht te verkneuteren achter de balustrade.

De bel ging en ze zagen Victor naar de voordeur lopen. Hij wreef in zijn handen. Het was tijd voor de eerste sollicitant.

'Da's mooi op tijd, die houdt van *pünktlichkeit*!' hoorden ze hem zeggen. Hij morrelde aan de deur en zwaaide hem wijd open.

Ze hielden hun adem in en rekten hun nekken om te kunnen zien wie er voor de deur stond.

'Ah, kom toch v...'

Victors stem stopte abrupt.

Wat er voor de deur stond, overtrof hun stoutste verwachtingen. Het was een broodmagere vrouw met diepe groeven in haar gezicht. Ze was gekleed in een trainingsbroek die waarschijnlijk ooit geel was geweest, maar nu de kleur had van verse babypoep. Om haar magere bovenlijf fladderde een lichtgevend groen T-shirt met de opdruk *"being sexy is a nasty job, but someone has to do it"*. Aan haar ene voet zat een blauwe plastic badslipper waar haar groezelige tenen doorheen staken, haar andere voet was bloot.

'Allemaggie, wat een puik optrekje,' zei de vrouw met een vet accent. Ze stak een bruingevlekte hand uit. 'Hallo, ik kom hier voor het schoonmaakklussie.'

'Gatsie, wat een smerig mens,' zei Amber huiverend.

Victor negeerde de uitgestoken hand en keek met een verbaasd gezicht naar de verwaarloosde vrouw. 'Huh? Wat? Wat komt u doen?'

'Van het uitzendbureau, u zocht een hullepie, toch?'

Ze zagen boven dat de vrouw zich ongegeneerd op haar bleke buik begon te krabben.

'Ik hoop niet dat hij haar aanneemt,' fluisterde Appie lacherig. 'Straks hebben we allemaal vlooien.'

De meisjes begonnen te giechelen en giechelden nog harder toen ze zagen dat de vrouw de hal in wilde lopen. Victor deed met opgetrokken neus een pas naar achter. Hij keek wantrouwig de hal in.

'Ik ken meteen beginne, toch?'

'Begin maar eerst eens met een goede wasbeurt!' bulderde Victor en hij smeet de deur dicht voor de neus van het vieze mens.

Boven konden ze hun lachen niet meer inhouden. Amber hield panisch haar hand voor haar mond, maar Victor hoorde toch iets en keek hun richting op.

'Wie is daar?'

Kokend van woede liep hij richting de trap.

'Nu zitten jullie goed in de nesten!' schreeuwde hij.

'Rennen!' siste Patricia, 'Rennen!'

'Horen jullie dat? Jullie zitten diep in de nesten!' klonk Victor woedend achter hen.

Hoe diep ze precies in de nesten zaten, merkten ze pas die nacht. Victor had nog dreigender dan anders zijn tien-uurritueel geroepen en iedereen had met een rommelende maag – het avondeten was weer niet te eten – zijn of haar bed opgezocht.

Een paar uur later schudde Amber Nienke ruw wakker. 'Nienk, Nienk!'

'Huh? Wat is er? Kun je niet slapen?' zei Nienke slaperig terwijl ze langzaam overeind kwam.

'Nee, ik stik van de honger, maar moet je luisteren!'

Nu pas hoorde Nienke op de gang een hels kabaal, alsof er een leger reuzen door de gang trok.

'Wat is dat?' vroeg ze verward.

'Ik weet het niet,' zei Amber angstig. 'Maar ik vind het doodeng. Mag ik alsjeblieft bij jou in bed?'

Voordat Nienke kon antwoorden, tilde Amber de deken op en schoof naast haar in bed.

'Wacht! Het is stil.' Nienke spitste haar oren. Na een tijdje klonk er een ander geluid, het geluid van een zaag.

'Hoe laat is het?' vroeg ze.

Amber keek op het klokje naast zich: 'Half één.'

'Wie gaat er nou op dit tijdstip zagen?' vroeg Nienke aan Amber, maar die antwoordde niet, want ze was met haar hoofd onder de dekens verdwenen toen het gezaag overging in een naargeestig geknars. Nienke begreep er niks van. Wie was er nou midden in de nacht aan het timmeren en zagen? En wat was dat geknars?

Nienkes nieuwsgierigheid won het van haar angst en ze besloot een kijkje te gaan nemen. Ze klom moeizaam over Amber heen, die nog steeds stijf van angst onder de dekens lag. Ze pakte haar kamerjas van een stoel en legde haar hand op de klink, maar net toen ze de deur open wilde doen, stopte het geluid.

Amber kwam met haar hoofd onder de dekens vandaan en keek naar Nienke, die bij de deur stond. 'Wat ga je doen?' vroeg ze timide.

'Ik ga kijken wat er aan de hand is,' zei Nienke.

Tot haar verbazing stapte Amber ook uit bed. 'Ik ga met je mee. Wil je dan met mij mee naar de keuken? Ik *moet* een boterham eten, ik sterf van de honger.'

Nienke knikte. Voorzichtig deden ze de deur open. De gang was donker. Alleen aan het einde van de gang zagen ze het schijnsel van het licht uit Victors kantoor. Zo zachtjes mogelijk liepen ze de gang uit en keken om het hoekje. Het kantoor was leeg. Alleen Corvuz zat midden op het bureau en staarde hen met zijn lege kraalogen aan.

Plotseling greep Amber Nienkes hand.

'Kijk!' fluisterde ze dwingend. Ze wees naar het einde van de trap.

Toen zag Nienke het ook. Er stond een groot ijzeren hek dat de trap afsloot. Ze renden de trap af richting het hek. Nienke voelde even aan de tralies, maar het hek gaf geen centimeter mee. De opening was afgesloten met een stalen ketting met een groot slot eraan. Ze zaten gevangen.

'Ik voel me niet lekker, Nienke,' zei Amber panisch. 'Ik ben claustrofobisch!' Meteen daarna begon ze hysterisch aan het hek te rammelen.

'Laat me eruit! Laat me eruit!' gilde ze en ze omklemde de tralies zo stevig, dat haar knokkels helemaal wit werden.

De kelderdeur ging piepend open en Victor kwam boos aanlopen met een scalpel in zijn hand. Zijn dunne grijze haar stond alle kanten op.

'Wat bezielt je? Er liggen mensen te slapen!'

'Wat is dit?' vroeg Amber. Ze was bijna in tranen.

Nienke stond stom naast haar. Ze kon van schrik geen woord uitbrengen en ze had het gevoel dat ze geen centimeter meer kon bewegen. Wat was dit? Ze zaten gevangen in hun eigen huis. Dit mocht toch niet?

'Dit zorgt ervoor dat jullie je niet meer met mijn zaken kunnen bemoeien,' zei Victor.

Hij ging vlak voor Amber aan de andere kant van het hek staan.

'Maar... ik heb honger!' jammerde ze.

Victor bracht zijn gezicht vlak bij het hare.

'Dat is dan jammer voor je,' zei hij ijzig. Hij draaide zich om en wilde weglopen, maar Amber pakte door de tralies zijn oud vest beet.

'Toe. Victor... ik mag toch wel een boterham pakken?'

Victor draaide zich weer om. Hij glimlachte gevaarlijk. 'Natuurlijk.'

Amber lachte hoopvol.

'Morgen, bij het ontbijt,' vervolgde hij en trok zijn vest met een ruk uit haar handen.

Hongerig en ontdaan zochten Nienke en Amber hun bed weer op. Ze konden het niet geloven. Victor had hen gewoon opgesloten! Alsof ze in de gevangenis zaten.

'Ik weet niet wat erger is: dit of een gevangenisbewaarster,' zei Nienke somber terwijl ze in haar bed kroop.

'Dit natuurlijk,' zei Amber. 'Van zo iemand kregen we in ieder geval iets te eten. Ik heb zo'n honger.'

'Morgenochtend is er in ieder geval ontbijt,' zei Nienke troostend.

Maar toen ze de volgende ochtend om half acht beneden kwamen, was er geen ontbijt. De deur van de keuken zat op slot en er hing een briefje op de deur met een aantal nieuwe regels. Een daarvan was: ontbijt van zes uur tot half zeven.

'Dat krijg je nou van die domme geintjes!' zei Jeroen en keek kwaad naar de anderen.

'Wat voor domme geintjes?' zei Patricia geïrriteerd.

'Omdat jullie die zwerver hebben geregeld, mogen we nu niet ontbijten!'

'Dat klopt,' hoorden ze achter hen zeggen. Victor stond in de hal met een zelfvoldane grijns op zijn gezicht.

'Je kunt ons niet opsluiten,' zei Fabian boos. 'Dat is bij de wet verboden!'

'Mijn wil is hier wet,' zei Victor op een toon die geen tegenspraak duldde. 'En nu naar school!'

Niemand durfde er tegenin te gaan en ze liepen allemaal zwijgend in de richting van Victors uitgestoken vinger de deur uit. Victor was nu echt gek geworden. Ze kregen niets te eten, hadden geen schone kleren en nu werden ze 's nachts nog opgesloten ook.

'Ik heb echt *zo'n* honger,' steunde Amber tegen Nienke.

Ze liepen haastig de school in, want de eerste bel was al gegaan. In de gang, bij het kantoor van Van Swieten zag Nienke een lange knappe man in een heel duur maatkostuum staan. Van Swieten sloeg hem amicaal op zijn rug en leidde hem zijn kantoor in.

'Kom toch verder, meneer Zeelenberg. Welkom, welkom, welkom,' hoorde Nienke hem op een slijmerig toontje zeggen.

'Kijk,' siste Amber en wees naar de knappe man. 'Dat is nou de vader van Mick.'

'Wat doet die hier?'

'Weet je dat niet?' Amber keek verbaasd naar Nienke. 'Meneer Zeelenberg is de voorzitter van het schoolbestuur en hij heeft het hele dramalokaal betaald. Vandaar dat Van Swieten voor hem door het stof kruipt.' Amber gaf Nienke een vette knipoog. 'Van Swieten zal wel geld willen hebben voor de musical.'

Nienke begreep het niet. Wat voor musical?

Amber vertelde haar dat een van de stokpaardjes van de school de musical was. Die werd elk jaar door leerlingen geschreven en opgevoerd. Ze liepen het dramalokaal binnen en ploften in de zitzakken, maar Jason gebood hen meteen weer te gaan staan en een kring te vormen, omdat hij het thema van de musical bekend wilde maken.

Amber stootte Nienke aan.

'Ik zei het toch!' fluisterde ze en stond op. Ze wankelde even en greep zich aan Nienke vast.

'Gaat het wel?' vroeg Nienke. Ze keek bezorgd naar Amber die naar haar hoofd greep.

'Ja, gewoon te snel opgestaan.' Ze gaapte hartgrondig. 'Het gaat wel weer.'

Jason keek onderzoekend de kring rond. De meesten stonden lamlendig een beetje voor zich uit te staren. Zijn blik bleef even hangen bij het T-shirt van Appie, er zaten een paar groezelige vlekken op, alsof hij z'n vieze handen eraan had afgeveegd.

'Is alles wel goed met jullie?' vroeg hij een beetje bezorgd.

Niemand antwoordde.

'Goed, dan wil ik nu het thema onthullen van de musical.' Hij liep naar een bord met een doek erover dat op het podium stond.

'En het thema is...'

Jason trok het doek weg. Op het bord hing een grote foto van het gouden dodenmasker van Toetanchamon.

'Egypte!' riep Fabian enthousiast.

Jason knikte.

Meteen begon iedereen door elkaar heen te praten. Mick wilde een enorm actieverhaal met paarden, maar volgens Jason lagen paarden niet echt binnen het budget. Appie sprong binnen de kortste keren rond en greep iedereen bij de keel als de uit de dood herrezen horrormummie en Patricia gilde om het hardst dat ze een romantisch verhaal wilde, waarop Jeroen spontaan kotsgeluiden begon te maken. Jason, die een eind probeerde te maken aan de totale chaos, klapte luid in zijn handen.

'Mensen! Rustig nou even... Het is al beslist. Het wordt een muziekstuk! Een musical!'

'Met liedjes?' vroeg Mick een beetje schaapachtig.

Jason knikte. Mick dacht even na.

'Dat is oké. Maar niet van die suffe liedjes, toch?'

Jason kon zijn lachen niet inhouden. 'Laat me het nou even uitleggen...' Verder kwam hij niet, want op hetzelfde moment draaiden Ambers ogen weg en viel ze als een slappe lappenpop op de grond.

Nienke gaf een gil. Jason nam een sprint vanaf het podium en boog zich over Amber heen.

Ze was heel bleek en het zweet parelde op haar voorhoofd. Haar ogen waren dicht.

'Amber?' vroeg hij.

Ze antwoordde niet. De anderen keken angstig toe.

'Geef haar een beetje lucht, jongens,' zei Jason en gebaarde dat ze achteruit moesten.

'Amber?' zei hij weer. 'Hoor je me?'

De deur van het lokaal ging open en Van Swieten kwam binnen met de vader van Mick.

'We zouden nog zo graag het lokaal van buiten een goede opknapbeurt geven,' zei Van Swieten dweperig tegen zijn gesprekspartner. Pas toen viel hun oog op het aangeslagen groepje.

Micks vader trok een wenkbrauw omhoog, maar Van Swieten stelde hem gerust. 'Die zijn aan het oefenen voor de musical.'

Mick viel hem meteen in de rede. 'Haal een dokter!' riep hij en hij keek bang naar Amber die slap in de armen van de dramadocent lag.

'Wat is er aan de hand?' Van Swieten vergat zijn zalvende toontje en kwam met grote stappen aangelopen. Micks vader volgde hem op de voet.

Nienke sprong op. 'Amber is flauwgevallen. Ze heeft al drie dagen niks gegeten.'

Van Swieten schudde afkeurend zijn hoofd terwijl hij naar Amber keek. 'Al die kinderen zijn tegenwoordig maar aan de lijn,' zei hij zachtjes tegen meneer Zeelenberg. Mick hoorde het en ontplofte.

'Wat klets je nou!' zei hij brutaal. 'Dit is Victors schuld!'

Meneer Zeelenberg keek boos naar zijn zoon die zo brutaal uitviel tegen de conrector, maar toen sprongen de anderen Mick bij. Ze vertelden hoe het eraantoe ging in het huis sinds Trudie was ontslagen. Toen ze het verhaal over het hek vertelden, wilde Van Swieten het eerst niet geloven ('kinderen kunnen zo overdrijven') maar Micks vader wilde opheldering over hoe de vork precies in de steel zat. En wel meteen, want zijn vlucht vertrok twee uur later.

Victor verbleekte toen hij de deur opendeed en meneer Zeelenberg op de stoep zag staan.

'We zijn zo weer weg.' Hij duwde Victor opzij en liep de hal binnen. De rest volgde in zijn kielzog.

In één oogopslag zag hij wat een puinzooi het in huis was. Overal lagen jassen op de grond, er lagen stofpluizen in alle hoeken en het washok puilde uit van de vuile was. Zijn oog viel op het ijzeren hek dat de trap afsloot. Hij draaide zich om naar Victor. 'Waar dient *dat* voor?'

Victor kneep zijn ogen even vals samen.

'Ik wil niet dat er midden in de nacht door het huis geslopen wordt.'

'En wat gebeurt er als er brand uitbreekt?' Micks vader klonk kalm, maar als je goed keek zag je hoe hij zijn kaakspieren om de seconde aanspande. Hij hield zich duidelijk in.

'Dat hek moet weg!' gilde Patricia ineens.

Victor keek haar heel even vuil aan, maar zijn gezicht stond meteen weer aardig toen Micks vader het woord tot hem richtte.

'Ik betaal een aanzienlijk bedrag voor de goede zorg van mijn zoon. Dit lijkt meer op een varkensstal,' zei hij gepikeerd en wees de hal rond. 'En hoe zit het met de vacature?'

Victor keek betrapt. 'Daar ben ik nog mee bez...'

Meneer Zeelenberg viel hem in de rede. 'Dat hoeft niet meer, meneer Roodenmaar. Op weg hiernaartoe heb ik even iemand gebeld.'

'Joehoe!'

Iedereen draaide zich om. Trudie stond met haar armen wijd open in de deuropening te stralen.

Amber juichte als eerste en sprong Trudie om de hals.

'Goed,' zei de vader van Mick. 'Dat lijkt me geregeld. En nu moet ik mijn vliegtuig halen.'

Iedereen was door het dolle heen. Victor moest van Micks vader meteen de hekken weghalen en Trudie trakteerde hen op zo'n geweldige lunch ('pannenkoeken, want we hebben wat te vieren') dat het leed van de afgelopen dagen snel vergeten was.

'En nu weer terug naar school, jullie!' riep Trudie met een oog op de klok. Ze veegde de resten van het poedersuikergevecht tussen Appie en Patricia bij elkaar.

'We hoeven niet naar school, we moeten naar de bibliotheek,' riep

Appie blij.

'Lekker *research* doen voor de musical,' zei Jeroen smalend. Hij keek een stuk minder blij.

'Ze hebben daar altijd supergave anatomieboeken met onwijs gore dingen erin, afgerukte ledematen en zo,' probeerde Appie Jeroen op te vrolijken, maar aan Jeroens gezicht te zien had hij een heel ander idee van dat soort boeken.

Fabian stootte Nienke aan. 'Mooi, dan kunnen we ook meteen een beetje persoonlijke *research* doen,' zei hij zachtjes. 'Naar de Winsbrugge-Hennegouwens.'

Nienke voelde even aan haar medaillon en knikte blij. Door alle commotie rond het ontslag van Trudie was ze bijna vergeten dat ze nog steeds op zoek waren naar het geheim van het huis. En ze moesten nog steeds achter het laatste raadsel zien te komen: *In een van de twee donkere holtes, met het zicht op het oog van Horus, zal ik vanuit het verleden tot u spreken.*

Jason stond hen op te wachten buiten de bibliotheek.

'Voor jullie naar binnen gaan, wil ik dat jullie even naar dit prachtige neoclassicistische gebouw kijken.' Hij wees naar het grote witte pand achter hem. 'We noemen deze bouwstijl neoclassicisme omdat het oud-Griekse elementen heeft.'

Jason wees naar de vier zuilen waarop een grote witte driehoek rustte. 'Dit is een Ionisch tempelfront,' vervolgde hij enthousiast.

Jeroen gaapte. Jason keek naar het groepje dat verveeld naar het gebouw staarde.

'Oké, oké, ga maar naar binnen. Het thema is immers Egypte en niet Griekenland,' lachte Jason. 'En het is de bedoeling om inspiratie op te doen en niet om keet te schoppen!'

Hij keek waarschuwend naar Jeroen en Appie die al high fivend de trappen van het gebouw opliepen.

'En in een bibliotheek is het stil!' riep hij hen nog na.

Het was inderdaad muisstil in de bibliotheek, en dat verbaasde Nienke niks, want de bibliothecaresse zag eruit alsof ze je een lijfstraf zou geven op het moment dat je het waagde je mond open te doen. Haar haren zaten in een pinnige knot strak achteraan op haar hoofd en haar mond stond zo zuur dat het leek alsof ze continu op een citroen sabbelde. Ze had een stijf gestreken blouse aan met een hooggesloten boord waaruit een lange pezige nek stak en vreemde witblauwe ogen die over een stalen brilletje dwars door je heen keken. Ze hield de wacht aan een zwaar eikenhouten bureau dat midden in de prachtige ruimte stond. Fabian en Nienke keken ademloos rond. De grote ramen reikten tot aan het plafond, waarop taferelen stonden uit de Griekse mythologie. Voor de ramen hingen zware rode fluwelen gordijnen die konden worden dichtgeschoven als het zonlicht te fel werd om goed te kunnen lezen aan een van de houten leestafels. Op de tafels stond om de meter een bibliotheeklamp, goud met een groene glazen kap.

Fabian stootte Nienke opgewonden aan. 'Dit is nou een echte bibliotheek, vind je niet?' fluisterde hij zachtjes.

Nienke knikte blij. Ze was dol op lezen en de aanblik van zoveel boeken bij elkaar maakte haar heel gelukkig en heel erg hebberig. Ze zag dat Fabian precies hetzelfde had. Hij keek begerig naar de eindeloze rijen met boeken die in de zware houten kasten stonden.

'Waar vind ik de horrorsectie?' hoorden ze Appie vragen. Ze keken in de richting van de bibliothecaresse en haar eikenhouten fort. Appie stond druk te vertellen dat hij het meest bloederige boek van de hele bibliotheek zocht, geïllustreerd graag.

'Bloed hoort niet in een bibliotheek,' zei de vrouw en ze keek Appie met haar ijsblauwe ogen strak aan. 'Hooguit in woorden.'

'Ze ziet er anders uit alsof ze zo zijn hoofd eraf wil bijten,' fluisterde Fabian tegen Nienke. 'Daar komt toch wel bloed bij vrij?'

Nienke gaf hem giechelend een por.

'Kom,' zei hij, en hij trok haar richting de sectie *geschiedenis*. 'We gaan aan het werk.'

Een half uur later zaten ze aan een van de leestafels in een enorme stapel boeken te bladeren met titels als "*Egyptische opgravingen in de twintigste eeuw*", "*Adellijke families in de voetsporen van de farao's*", "*Het oude Egypte in beeld*", "*De vloek van*

Toetanchamon" en nog zo'n twintig andere titels.

'Wat is er veel over verschenen,' pufte Nienke, die al vier dikke boeken zonder resultaat had doorgebladerd.

'Wacht!' zei Fabian ineens.

Vanuit de hoek van de ijskoningin klonk een streng 'stt!' en ze keek gevaarlijk hun kant op. Fabian lachte verontschuldigend.

'Hier,' vervolgde hij zachtjes. Hij stond op van zijn stoel en liep met een dik boek in zijn handen om de tafel heen. Hij legde een boek voor Nienke neer.

'Kijk!' Nienke volgde zijn vinger die op een grote zwart-witfoto lag.

Nienke keek. Het was een foto van twee echtparen in een tuin. De ene man had donker haar en keek serieus de camera in. De andere man, kalend en met een breed gezicht, lachte joviaal. Beide mannen droegen een ouderwets donker kostuum met een kraakhelder wit overhemd en een das. De twee vrouwen waren gekleed in hooggesloten, donkere jurken met een wit kraagje aan de bovenkant. De een had ondanks de glimlach die rond haar mond speelde, een streng gezicht, dat werd omlijst door donker, halflang krullend haar. De andere vrouw had dezelfde coupe maar dan blond. Voor de beide vrouwen stonden twee kinderen. Bij de blonde vrouw stond een nukkig uitziend jongetje en bij de donkere vrouw een heel klein lachend meisje met twee vlechtjes. Ze had een pop onder haar arm en hield met de andere hand de rok van haar moeder stevig vast.

Er ging een schok van herkenning door Nienke heen, ze haalde snel het medaillon van haar nek en vergeleek.

Nu wist ze het zeker. Het was hetzelfde meisje!

Nienke keek Fabian met grote ogen aan. Die lachte en knikte.

'En kijk naar het onderschrift,' zei hij zachtjes. Zijn vinger gleed naar de tekst onder de foto.

De twee beroemde archeologenechtparen Winsbrugge-Hennegouwen en Terpstra met hun kinderen Sarah en Zeno op bezoek bij de Van Batenberghs te Wassenaar.

'Sarah,' stamelde Nienke. Ze kreeg een brok in haar keel en streek

met haar vinger over de foto van het meisje dat lachend de camera inkeek. 'Ze heet Sarah Winsbrugge-Hennegouwen.'
Ze hadden haar gevonden.

12
HET LEVENSELIXER

Fabian keek op van het boek naar de klok die boven de uitgang van de bibliotheekzaal hing. 'Als we nu gaan, halen we het nog wel,' zei hij raadselachtig.

Nienke keek hem vragend aan.

'Om naar het bejaardentehuis te gaan,' vulde hij aan.

'Moeten we nu naar mijn oma?' vroeg Nienke suf.

'Nee, dommie,' Fabian gaf Nienke een duw. 'We gaan niet naar je oma, we gaan naar die oude vrouw – Sarah Winsbrugge-Hennegouwen – misschien kan ze ons iets vertellen.'

'Maar ze is helemaal in de war,' sputterde Nienke tegen.

'Misschien heeft ze een helder moment. Kom.'

Fabian trok Nienke aan haar arm de bibliotheekzaal uit.

Op de fiets naar het bejaardentehuis bespraken ze wat hun tactiek precies zou zijn om de oude vrouw aan te spreken, maar ze kwamen tot de conclusie dat ze alleen maar konden afwachten in wat voor staat ze Sarah zouden aantreffen.

In het bejaardentehuis probeerden Nienke en Fabian zo goed mogelijk Nienkes oma te vermijden. Gelukkig zat ze niet buiten bij de vijver en ook niet in de gemeenschappelijke ruimte.

'Misschien rust ze wel,' zei Nienke, toen ze samen door de gang liepen naar de kamer van Sarah. De deur was dicht. Nienke keek om zich heen. Toen ze zag dat er niemand anders in de gang was, duwde ze de deur voorzichtig open. Ze liepen zachtjes de kamer binnen, die vol stond met allerlei spullen die oude mensen in hun leven verzamelen. In de linkerhoek van de kamer, onder het raam, lag de oude vrouw te slapen in haar verhoogde eenpersoonsbed, met een groot wit laken over haar magere lichaam. Haar ogen waren gesloten en een doorzichtige infuuszak hing aan een stang naast haar bed. Met grote regelmaat drupte er een klein beetje vloeistof door het doorzichtige slangetje in de naald die in haar arm stak. Nienke keek naar de blauwe aderen die dik bovenop de perkamenten huid van haar handen lagen.

Wat ging er nog allemaal in haar om, dacht ze. Ze kon zichzelf niet inhouden en liep naar het bed. Ze legde haar hand op een van Sarahs handen. Haar hand voelde droog en koel.

'Wat doe je?' fluisterde Fabian verwonderd. Hij was achter Nienke aan de kamer ingelopen en keek nu nieuwsgierig in de boekenkast die aan de andere kant van de kamer stond.

'Wat doe jij?' fluisterde Nienke terug. Ze zag dat hij een boek uit de kast trok.

'Ik kijk of ik iets kan vinden wat ons verder kan helpen,' zei hij en hij keek een beetje schuldig. 'Zo kan zij ons ook niet helpen.' Hij wees op Sarah die diep in- en uitademde. Hij draaide zich weer naar de kast en pakte een beeldje op van een Egyptische kat.

'Mooi,' mompelde hij, maar er was niets bijzonders aan te zien.

'Kijk jij maar,' zei Nienke. Ze keek naar het serene gezicht van Sarah. Ze kon echt niet onder haar ogen haar spullen doorzoeken, dat voelde niet goed. Ze wreef nog even liefdevol over Sarahs hand en liet die toen los. 'Ik ga wel op de uitkijk staan.' Nienke ging in de deuropening staan en keek naar links en naar rechts. De gang was leeg, maar wat moest ze nou doen als haar oma ineens aan kwam lopen? Ze zocht op de muur tegenover de kamer naar het schilderij van het huis. Het was niet moeilijk te vinden. Het was het enige spookhuisschilderij tussen alle liefallige kleurrijke schilderijen waarop de zon scheen en je de bloemen bijna kon ruiken.

Nienke schrok op uit haar gemijmer door een ratelend geluid. Er kwam een verpleegster de hoek om met een metalen kar vol met ziekenhuisspullen. Nienke deed snel een stap achteruit en sloot zachtjes de deur. Fabian keek op van een groot rood boek. Hij was bleek en had een vreemde uitdrukking op zijn gezicht.

'Snel!' siste ze tegen hem. 'De zuster komt eraan.'

Nienke duwde hem richting de enige andere deur van het vertrek, de badkamer. Ze keek snel om zich heen. Waar konden ze zich verstoppen?

'Hier,' fluisterde Fabian en wees naar de badkuip. Nienke hoorde de deur van de kamer al opengaan. Ze stapten snel samen in de badkuip en trokken het gordijn dicht.

Vanuit de kamer klonk wat gemorrel.

'Zo, dat is weer gedaan,' hoorden ze de verpleegster na een poosje zangerig zeggen. Het was even stil. Was ze weg? Nienke spiedde door de spleet tussen de muur en het douchegordijn naar de dichte deur.

Nienke verstijfde. De deur van de badkamer ging open!

Naast zich hoorde ze de ademhaling van Fabian versnellen. De verpleegkundige liep naar binnen en bleef staan bij de wastafel. Ze was zo dichtbij dat Nienke de geur van haar parfum kon ruiken. Het rook naar goedkope bloemen.

'Eén, twee, drie... nog vijf hier,' hoorden ze haar tellen. Daarna klonk het geluid van het medicijnkastje dat open- en dichtging en daarna de zachte voetstappen van de vrouw over de tegels van de badkamervloer. Nienke dacht net dat ze veilig waren, toen de vrouw stopte en zich bij de deur omdraaide.

'Wat gek,' zei ze.

Nienke en Fabian hielden hun adem in. De hand van de zuster verscheen achter het gordijn. De schone vingers met heel kort geknipte nagels tastten over de witte tegels van de muur en vonden uiteindelijk wat ze zochten: het touwtje om het licht uit te doen. Ze trok eraan.

De hand verdween. Na een paar seconden hoorden ze de deur open- en dichtgaan. Ze was weg.

Nienke en Fabian bleven een tijdje in het donker staan voordat ze het licht weer aan durfden te doen.

Toen pas zag Nienke dat Fabian het rode boek nog onder zijn arm had. 'Wat is dat?' vroeg ze nieuwsgierig.

'Ik heb iets ontdekt,' zei hij langzaam.

'Wat dan?' vroeg Nienke blij en ze wilde het boek uit zijn handen trekken, maar hij liet het niet los.

'Niet hier, we moeten naar een plek waar niemand ons kan horen... En de anderen moeten ook komen, dit is belangrijk.'

Nienke begreep er niets van. Waarom wilde Fabian niet meteen vertellen wat er aan de hand was? Op weg naar school had ze hem een paar keer gevraagd of hij het niet wilde zeggen maar hij weigerde iets los te laten. Hij had überhaupt bijna niets gezegd en leek ergens vreselijk mee te zitten. Hij wilde eerst wachten tot de andere twee ook naar het dramalokaal kwamen. Als ze met z'n vieren waren, zou hij het wel vertellen, zei hij.

Eenmaal op school hield Nienke het bijna niet meer van nieuwsgierigheid, maar ze maakte zich ook een beetje zorgen. Fabian was eigenlijk nooit aangeslagen door iets, en nu was hij zo stil en afwezig...

'Gaat het wel?' vroeg ze bezorgd.

'Het gaat net zo goed als een minuut geleden toen je het me ook al vroeg,' zei Fabian met een lachje, maar zijn ogen lachten niet mee en hij staarde snel weer naar een poster aan de muur. Ze zaten naast elkaar in een hoekje van het dramalokaal te wachten.

De deur klapte open en Patricia en Amber stoven het lokaal binnen.

'We kregen een sms'je!' gilde Amber. Ze plofte naast Nienke neer. Haar ogen straalden van opwinding. 'Vanwaar deze spoedvergadering?'

Patricia sloot de deur en kwam ook zitten.

'Ik bespeur hier een beetje een begrafenisstemming,' zei ze met een blik op Fabian.

Amber keek naar Nienke met een blik van wat-is-er-met-hem? Maar Nienke wist het ook niet.

Fabian stond op en pakte het rode boek van het bureau.

'Ik heb iets gevonden,' zei hij serieus. Hij gaf het boek aan Nienke, die het opensloeg.

'Voor Sarah, van papa,' las ze hardop voor.

Ze keek blij op. 'Het is dus waar! De oude vrouw is echt Sarah Winsbrugge-Hennegouwen!'

Fabian knikte. 'Er is nog iets anders...'

Hij gebaarde naar Nienke dat ze moest verder bladeren.

'Het is een fotoalbum!' riep Amber, die achter Nienke was gaan staan.

Ze keken naar de zwart-witfoto's die in het album geplakt waren.

'Het is heel oud,' vervolgde Amber terwijl ze haar neus optrok voor de muffe lucht die van de vergeelde bladzijden opsteeg.

Fabian knikte. 'Bijna tachtig jaar oud.'

Nienke sloeg nog een bladzijde om. Meteen hield Fabian haar tegen. 'Dat is hem,' zei hij. 'Dat is de foto. Kijk maar goed.'

'Dat zijn de Winsbrugge-Hennegouwens weer,' zei Nienke.

Het was een groepsfoto van ongeveer twintig personen. Het echtpaar Winsbrugge-Hennegouwen stond in het midden. Mevrouw Winsbrugge-Hennegouwen was dit keer gekleed in een lichte zomerjurk en keek een beetje afwezig in de lens. Meneer Winsbrugge-Hennegouwen had een licht pak aan en een strohoed op, die een schaduw over zijn ogen wierp. In zijn hand hield hij een stok. Sarah stond ook op de foto, aan haar moeders rechterhand. Ze had dit keer pijpenkrullen met grote strikken in. Het was duidelijk een feestelijke gelegenheid.

'Tienjarig huwelijksfeest, 1933,' las Patricia hardop het onderschrift voor. 'Maar wat is er nou zo schokkend aan de foto?' Ze keek vragend naar Fabian.

'Ik zei toch dat je goed moest kijken,' zei hij terwijl hij zenuwachtig over zijn gezicht streek.

Ze bogen zich weer over de foto. Nienke keek naar de andere gasten. Mannen met grote snorren, vrouwen met korte golvende kapsels en zonnehoedjes, een hazewindhond in de hoek en...

'Oh nee!' schrok ze. 'Het is...'

Ze was met stomheid geslagen en keek angstig naar Fabian. Die knikte langzaam.

'We hebben nu echt het bewijs,' zei hij.

Amber zag het ook en begon te gillen.

Patricia begreep er niks van. 'Wat!' zei ze boos. 'Wat is er nou?' Ze boog zich over het album maar zag niks, totdat Nienke het aanwees. Links op de achterste rij, tussen een blonde slanke vrouw en een gezette man in pak, stond Victor.

'Dat kan niet!' riep Patricia. Ze wreef met haar vinger over de foto. 'Dit is toch een trucage?'

Fabian schudde zijn hoofd.

'Als deze foto in 1933 is gemaakt...' Amber rekende op haar vingers. 'Dan is hij dus inderdaad ongeveer honderddertig.' Ze zweeg en keek angstig naar de anderen.

'We moeten dit echt stil houden,' zei Fabian serieus. 'Niemand...' Hij keek even veelbetekenend naar Amber. 'Je mag dit tegen *niemand* vertellen. Beloven jullie dat?'

'Maar dit is toch juist mooi?' zei Patricia zakelijk. 'Dit is echt heel mooi, nu hebben we het bewijs en kunnen we eindelijk de politie inschakelen zodat we erachter kunnen komen wat er met Joyce en Rufus gebeurd is.'

Fabian schudde zijn hoofd.

'Waarom niet?' zei Patricia geïrriteerd en ze sloeg met haar hand op de foto. 'We hebben toch een foto? Plus die...' Ze wees op het meisje en keek vragend naar Nienke.

'Sarah,' vulde Nienke haar aan.

'Sarah, die vertelt over een enge man met een raaf die dieren opzet... En niet te vergeten zijn *eigen* stem die op de wasrollen staat!' Patricia sloeg triomfantelijk haar armen over elkaar.

Maar Fabian schudde weer zijn hoofd en zuchtte.

'Zowel de wasrollen als de foto zijn audiovisuele middelen. Juist omdat het zo makkelijk is om ermee te frauderen, wordt het niet geaccepteerd als bewijs.'

Nienke vond dat hij klonk als een advocaat uit een of andere Amerikaanse misdaadserie, maar ze wist dat hij gelijk had. Ze moesten het ultieme bewijs hebben.

Ze moesten terug naar de kelder om het levenselixer te stelen.

De rest van de dag ging als een roes aan Nienke voorbij. Ze kon alleen maar denken aan Sarah Hennegouwen en het risico dat ze liepen als ze weer de kelder in zouden gaan om Victors levenselixer te stelen.

Ze leken wel gek, ze hadden gezien hoe ver Victor bereid was te gaan om zijn gezag te handhaven en zijn geheim te bewaren. Was Joyce er echt achter gekomen dat hij het eeuwige leven had en moest ze daarom verdwijnen? Nienke durfde niet te denken aan haar lot, noch aan dat van Rufus, van wie ze niets meer hadden vernomen sinds Victor hem bewusteloos in zijn bus had geladen.

Die avond stonden ze bloedzenuwachtig in de hal. Ze waren klaar om te gaan, maar hadden op het laatste moment besloten dat het beter was dat er maar twee gingen en dat er dan twee de wacht zouden houden.

'Maar Victor is er toch niet?' zei Patricia.

Fabian keek bedenkelijk. 'Ja, maar straks komt hij opeens terug van zijn familiebezoek of, of...'

'Lijken-opzet-clubje?' vroeg Amber rillend.

'Wie gaan er dan?' fluisterde Nienke zachtjes.

'Ik ben allergisch voor stof en spinnen en alles wat kriebelt,' zei Amber snel. 'Daar ben ik vorige keer achter gekomen. Ik blijf wel hier.'

'Ja, dat is makkelijk. Denk je dat ik zin heb?' zei Patricia terwijl ze naar de kelderdeur keek.

De woonkamer ging open en Jeroen liep de hal in. Hij keek naar het groepje dat in de hal stond en plotseling stilviel.

'Let vooral niet op mij, hoor,' zei hij vrolijk en liep de jongensgang in.

'Wat is hij vrolijk. Hij heeft toch niets gehoord?' Amber keek Jeroen na. Hij draaide zich om met een rare grijns op zijn gezicht.

'Laat hem toch,' zei Patricia hard.

'Maar hij hing vanmiddag ook al de hele tijd om ons heen,' zei Amber. 'En nu kijkt hij zo raar.' Amber keek heel erg bezorgd.

'Je ziet spoken.' Patricia stampte ongeduldig met haar voet op de stenen vloer. 'Nou, wie gaat er?'

'We doen het op de oude manier,' zei Nienke en ze pakte een doosje lucifers uit haar zak. Twee lucifers werden onthoofd. Daarna hield ze de lucifers samen met twee hele in haar vuist, zodat je niet kon zien welke korter waren.

'Kort is kelder.'

Amber en Patricia waren de klos.

Amber begon te sputteren toen ze naar het korte houtje keek, maar Patricia sleurde haar meteen mee. 'Niet aanstellen!' siste ze en binnen een mum van tijd waren ze door de kelderdeur verdwenen. Nienke en Fabian staarden hen verbouwereerd na. Ondanks de spanning, moest Nienke ook een beetje lachen. Die Patricia had wel lef!

'Wat doen wij nu?' zei Nienke. Ze keek om zich heen, maar de hal was gelukkig leeg.

'Wachten,' zei Fabian terwijl hij haar hand pakte en haar de trap optrok.

Ze zaten met z'n tweeën bovenaan het kleine trappetje dat naar de meisjesgang leidde. Ze zeiden maar weinig, omdat ze bang waren dat iemand hen misschien zou horen.

Nienke staarde naar Victors donkere kantoor. Door de ramen kon je nog net een witte vlek dicht bij het plafond onderscheiden. Dat was de enorme opgezette witte zwaan die met gespreide vleugels aan het plafond hing. Ze spande zich in om Corvuz te zien, maar die was te donker om in het donker te kunnen onderscheiden. Ze zag wel de lege bureaustoel waar Victor normaal zat en huiverde. Fabian voelde het en legde even een arm om haar schouder.

'Maak jij je druk?' vroeg hij zachtjes.

'Soms... Ik denk soms dat we gek geworden zijn. Maar ik wil ook zo graag weten wat er in het huis verborgen ligt.' Nienke legde haar hoofd op haar knieën. 'Niet voor geld of zo, maar voor Sarah. Klinkt dat gek?'

'Helemaal niet, ik begr...'

Fabian kwam niet verder, want plotseling hoorden ze een luid tweestemmig gegil uit de kelder komen. Het volgende moment klapte de kelderdeur open en kwamen Patricia en Amber compleet hysterisch gillend de trap oprennen.

Fabian en Nienke sprongen gelijktijdig op en Fabian greep Amber bij haar arm. 'Wat is er?' vroeg Fabian.

Amber keek hem met verwilderde ogen aan.

'Ik... ik...'

Ze ademde met heftige stoten in en uit en wapperde haar handen als nerveuze vleugels voor haar gezicht.

'Rustig ademhalen, Amber,' zei Fabian lief maar dwingend. 'Wat is er gebeurd?'

'Het-was-een-dode...' zei ze hortend en stotend.

'Wat zeg je? Ik versta er niks van.'

Nienke en Fabian keken elkaar aan. Ze begrepen er helemaal niets van. Was er weer een dode kat in de kelder?

'Een zombie... Er was een zombie in de kelder...' zei Amber eindelijk verstaanbaar. Ze keek angstig achterom de trap af.

Nienke keek naar Patricia, die met haar handen op haar knieën en haar hoofd omlaag tot rust probeerde te komen.

'Ik weet het niet, ik weet niet wat het was,' stamelde ze.

'Ik wel! Het was Rufus! Victor heeft hem tot leven gewekt en nu zit hij in de kelder in een kast!' Amber was hysterisch en sloeg haar handen voor haar gezicht. 'Zijn gezicht was helemaal vergaan... Ooooh!'

Nienke pakte haar vast. 'Stt, het is voorbij, hij kan je nu niets meer doen,' zei ze en ze keek over Ambers schouders ongelovig naar Fabian. 'Een zombie?' zei ze zonder geluid tegen hem. Fabian trok een wenkbrauw op.

Patricia zag het en haar angst maakte meteen plaats voor boosheid.

'Ze staat niet te liegen, hoor! Er was echt iets. Het was doodeng!'

Fabian wilde net zijn handen sussend omhoog heffen, toen ze zacht gelach hoorden in de hal. Het werd steeds harder.

'*You did it, man*,' klonk een stem.

'Ik zei toch dat het een superstunt was!' klonk een andere stem.

Patricia keek woest. 'Jeroen en Appie... die vuilakken...'

Ze hing binnen een seconde over de balustrade. Jeroen en Appie stonden beneden in de hal te high fiven. Appies blote bovenlijf zat vol vieze vegen en hij was door het dolle heen.

'Geestig hoor,' riep Patricia naar beneden.

Jeroen keek op. 'Hee, dappere dodo's,' riep hij naar boven.

'Hier komt de zombie, hooeeeehooee.' Appie begon als een zombie met geklauwde handen door de hal te strompelen en trommelde zichzelf toen op de borst. 'Wie is de grappigste man van het land?' riep hij uitgelaten.

Jeroen trok Appies arm als een bokskampioen omhoog. 'Het is Appie, dames en heren, het is Appie!'

'Ontzettend grappig,' mompelde Patricia.

De jongens keken weer naar boven.

'Hee, Patries, ik wist wel dat Amber kon gillen, maar jij bent er nog beter in!' Jeroen lag dubbel van het lachen.

'Jij kleine arrogante...'

Patricia wilde naar beneden lopen, maar Fabian hield haar tegen.

'Laat hen maar, kom.' Hij trok een tegenstribbelende Patricia mee door de gang. Als een koppige ezel zette ze haar hakken in het tapijt.

'Laat me los! Ik zal ze!' Ze was witheet.

'Zo maak je het alleen maar erger.' Fabian duwde Patricia de kamer van Nienke en Amber in, waar de andere twee al op bed zaten. Patricia stampte van frustratie op de vloer maar Fabian sloot de deur.

'Wat hebben ze nou precies gedaan?' vroeg Nienke nieuwsgierig.

Amber nam het woord en vertelde dat er in de kelder opeens een doodeng spook uit een kast was gesprongen.

'Dat was Appie dus. Maar hij had een doodeng masker op met allemaal dood vlees en bloed en narigheid,' zei Amber gruwend.

'Het was gewoon een rotstreek.' Patricia keek boos.

'Ach, je weet toch hoe ze zijn.' Fabian haalde zijn schouders op.

'Jij was er niet bij!' zei Amber dramatisch. 'Ik had wel kunnen sterven aan een hartaanval! Of ter plekke gek kunnen worden!'

'Dat zal wel meevallen,' zei Fabian laconiek.

'Dat soort dingen gebeuren – of stel je voor dat mijn haar opeens grijs was geworden!' Amber sprong opeens verschrikt op en rende naar de spiegel, waar ze verwoed haar haren begon te inspecteren.

'Ik denk dat ik er een zie!' gilde ze.

'Misschien moet je hier dan wat van drinken,' zei Patricia geheimzinnig en ze hield opeens een klein glazen flesje omhoog.

'Wat?'

'Is dat...?'

De andere drie keken hoopvol naar Patricia, die langzaam ja knikte.

'HET IS JE GELUKT!' gilde Fabian door het dolle heen. Nienke en Amber renden naar Patricia en namen haar in een reuzenomhelzing.

'Voorzichtig, voorzichtig!'

Patricia hield het flesje boven haar hoofd.

Fabian pakte het van haar over en hield het flesje tegen het licht. Er zat een bruine, doorzichtige vloeistof in.

'Dus dit is het levenselixer,' zei hij plechtig. 'Zou dit nou *echt* het eeuwige leven bevatten?'

Amber sprong op en neer van enthousiasme. 'Mag ik het zien, mag ik het ook zien?'

Fabian overhandigde het kleine flesje aan Amber, maar die liet het meteen uit haar handen glippen. Iedereen verstijfde.

'Kijk nou uit!' riep Patricia geïrriteerd. Gelukkig was het flesje op het tapijt gevallen en was het nog heel. Ze bukte zich om het op te pakken.

'Sorry.' Amber bukte zich ook, maar deed dat zo onhandig dat ze tegen het flesje aanschopte, waardoor Patricia er bijna op stapte.

'Ga alsjeblieft zitten, Amber!'

Amber ging beduusd zitten terwijl Patricia het kleinood in veiligheid bracht. Ze draaide het kleine metalen dopje eraf dat het flesje afsloot en rook eraan. 'Nou, lekker is anders,' zei ze met opgetrokken neus. 'Maar met mijn neus dicht...'

Ze hield met haar duim en wijsvinger haar neus dicht en zette het flesje aan haar mond. Meteen stond Fabian naast haar en hield haar tegen.

'Niet doen!' waarschuwde hij.

Patricia keek hem verbaasd aan. 'Waarom niet? Ik drink niet alles op als je dat soms denkt.'

'We weten niet wat erin zit.'

'Ja, doe maar niet, Patries, dat is veel te gevaarlijk,' zei Nienke.

Patricia keek meewarig naar de twee.

'Wat zijn jullie weer heerlijk verstandig, maar oké.' Ze draaide het dopje er weer op en keek peinzend naar het flesje. 'We moeten het wel goed verstoppen zodat niemand het kan vinden, vooral Victor niet. Als hij merkt dat hij een flesje mist, dan is hij woest.'

'Maar wat is een goede plek?' Nienke keek de kamer rond. Victor zou waarschijnlijk als eerste in hun kamer zoeken, dacht ze. Dat had hij waarschijnlijk al een keer eerder gedaan. Op zolder dan? Maar dan konden ze er niet zomaar bij.

'Ik weet het, ik weet een goede plek.' Amber wees naar haar bureau dat vol stond met al haar potjes met allerlei verschillende crèmes, maskers, shampoo, make-up afhaalspul...

'Doe niet zo debiel. Als je het daartussen zet, kun je het net zo goed meteen aan Victor geven.' Patricia keek Amber aan alsof ze gek was geworden.

'Neehee, dat zijn potjes.'

'Ja, dat zie ik ook wel!'

'Een potje verstop je tussen potjes,' legde Amber omstandig uit. 'Dat is een flesje, dus dat verstop je tussen flesjes... In het medicijnkastje in de badkamer.'

Patricia moest toegeven dat Amber met een goed idee was gekomen en ze bood zich vrijwillig aan om het meteen te regelen. Ze vertrok met het flesje naar de badkamer om tien minuten later druipend van het water terug te komen.

'Wat is er met jou gebeurd?' Amber keek met een vies gezicht naar het straaltje water dat vanuit Patricia's haar op het tapijt drupte.

'*Revenge of the zombie* deel twee,' zei Patricia een beetje zuur. 'Appie en Jeroen vonden het grappig om me met mijn hoofd in de wc te duwen.'

'Gatsie!' Amber pakte een spuitbus van haar toilettafel en omhulde

Patricia in een wolk parfum.

'Fantastisch. Nu ruik ik ook nog naar toiletverfrisser,' zei Patricia sarcastisch en rolde met haar ogen. 'Oké, dat is genoeg,' beet ze Amber toe, die maar bleef spuiten.

'Hebben ze iets gezien?' vroeg Nienke bezorgd.

'Wat denk je? Natuurlijk niet. Ik heb gewacht tot ze weg waren en daarna het etiket van een hoestdrankflesje gepulkt en op ons flesje geplakt om het nog echter te laten lijken,' zei ze trots.

'Wat een briljant idee, Patricia!' Fabian keek zo mogelijk nog trotser dan Patricia zelf.

'Wat doen we nu?' Nienke gaapte uitgebreid.

'Nu gaan we slapen,' besliste Fabian die bij de aanblik van Nienke ook meteen moest gapen. 'Het flesje ligt nu veilig. Laten we morgen bespreken wat we verder gaan doen.'

'Maar waarom gaan we niet meteen naar de politie?' vroeg Amber, die aan haar toilettafel zat en gezichtsreiniger op een watje deed. 'We hebben nu toch een bewijs?'

'Maar we weten toch niet wat er precies in het flesje zit,' zei Fabian zakelijk. 'Daar moeten we eerst achter komen. Als we zeker weten dat de inhoud het levenselixer van Victor is dan komt de Dag des Oordeels.'

'Ik hoop maar dat die dag snel komt.' Amber gaapte nu ook. 'Want ik word doodmoe van al die nachten opblijven.'

Ze wreef met het watje over haar gezicht en keek in de spiegel. 'En dan heb ik het niet eens over hoe slecht dat slaaptekort voor mijn huid is.'

De volgende ochtend zocht Nienke in pyjama naar haar toilettas. Het irriteerde haar dat ze het ding niet kon vinden, want ze was al een beetje laat. Amber had al lang gedoucht en was aangekleed en al naar beneden gegaan voor het ontbijt.

Er werd een paar keer snel achter elkaar op de deur geklopt.

'Kom maar,' riep ze een beetje schor.

Fabian kwam binnen. Hij zag er slecht uit. Onder zijn ogen zaten donkere kringen, alsof hij de hele nacht niet geslapen had.

'Je gelooft niet wat er vannacht gebeurd is,' zei hij gapend en hij ging op Nienkes bed zitten.

Fabian vertelde dat Jeroen die nacht om een uur of twee aan zijn deur stond met een vaag verhaal. Appie zou de kelder weer in zijn gegaan, omdat hij het masker had laten liggen, maar hij was niet teruggekomen en Jeroen maakte zich ongerust.

'Jeroen die zich ongerust maakte?' giechelde Nienke.

'Ja, ik kon mijn oren ook niet geloven.'

Hij was met Jeroen meegegaan de kelder in. Eerst konden ze niks vinden en Fabian was er al van overtuigd dat Jeroen weer een van zijn flauwe grappen aan het uithalen was, toen ze heel zachtjes iemand om hulp hoorde roepen.

'Appie zat in een kast. Hij was verstijfd van angst en kon alleen maar 'help, help me' zeggen,' vervolgde Fabian zijn verhaal.

'Wat was er met hem?' Nienke keek verbaasd.

'Ik denk dat hij in shock was. Dat kan gebeuren als je iets heel traumatisch meemaakt.'

'Maar wat heeft hij dan meegemaakt?'

Nienke vond het verhaal steeds vreemder worden, maar Fabian kon haar niet vertellen wat Appie had meegemaakt, want Appie was totaal niet aanspreekbaar geweest. Ze hadden uiteindelijk Appie zover gekregen dat hij de kast uitkwam en de kelder uitging, maar hij bleef maar 'help me, help me' zeggen. Verder antwoordde hij nergens op.

'Toen ik Jeroen welterusten zei, nam Appie een sprint, rende de kamer in en draaide de deur op slot. Jeroen kon er niet meer in en moest bij ons slapen.'

Ondanks alles begon Nienke te lachen. 'Jeroen heeft bij jullie geslapen? Waar dan?'

Fabian lachte nu ook. 'Op het surfboard van Mick, met mijn slaapzak.'

'Wat een giller. Maar wat is er nou met Appie?'

'Ik weet het niet... Ik ga nu naar beneden, dan vraag ik wel aan Jeroen of hij meer weet.' Fabian stond op en liep naar de deur.

'Ik kom zo,' zei Nienke. 'Eerst even douchen.'

Fabian vertrok en Nienke zette haar speurtocht naar haar roze toilettas met hartjes erop voort. Intussen peinsde ze over Appie. Wat zou hij voor vreselijks hebben meegemaakt of gezien dat hij zo in shock was dat hij niet eens meer kon bewegen of ademen? Nienke vond het doodeng.

Ze hoorde plots de stem van Sarah in haar hoofd: *'Het is een donker huis... er loert gevaar...'*

Ze schrok. Had het misschien iets te maken met het geheim van het huis? Had Appie iets ontdekt over de schat? Iets gezien wat zo vreselijk was dat hij letterlijk verstijfd was van angst? Nienke huiverde. In het begin had ze nooit gedacht dat er iets of iemand in het huis zou zijn dat hen echt kwaad kon doen. Het was gewoon een spannend spel geweest. Maar nu?

Nienke ving een glimp op van iets roze onder een stapel rondslingerende kleren en trok haar toilettas onder een jasje van Amber vandaan. Ze keek op de klok en schrok. Ze moest toch eens leren om wat beter op de tijd te letten, want ze had nog maar drie kwartier. Ze vergat soms zo de tijd als ze aan het nadenken was. Ze trok snel de deur open en liep met haar toilettas onder haar ene arm en een handdoek onder de andere de gang op richting badkamer. Ze hoorde vaag het geroezemoes van de andere bewoners van beneden komen.

Ze trok de deur van de badkamer open en gilde.

13

APPIE IN GEVAAR

'Appie!'

Nienke knielde bij Appie, die in een vreemde houding op de badkamertegels lag. Hij lag met zijn linkerwang op de vloer en zijn ogen waren dicht. Hij zag lijkbleek.

'HELP ME! IEMAND!' schreeuwde Nienke zo hard ze kon. Ze tikte tegen Appies wang. 'Appie? Hoor je me?'

Ze luisterde vlak naast zijn mond, maar ze hoorde hem niet ademen. Ze rook wel een vreemde scherpe geur.

'Iemand! Help me dan toch!'

Er klonk gestommel op de trap en een tel later kwam Amber binnen met de rest van de bewoners op haar hielen. Ze viel naast Nienke op haar knieën.

'Oh God, is hij dood?' gilde ze met een blik op Appies bleke gezicht.

'Ik weet het niet,' snikte Nienke.

'Beadem hem,' riep Jeroen panisch. Hij leek compleet in shock en stond in een hoekje van de badkamer naar zijn beste vriend te kijken die levenloos op de grond lag. Nienke had Jeroen nog nooit zo gezien.

'We moeten z'n pols voelen,' zei Fabian. Hij ging aan de andere kant van Appie op de grond zitten en pakte zijn linkerhand, maar op dat moment kwam Victor de badkamer binnen.

'Wat is er? Wat is er met hem?' zei hij toen hij Appie op de grond zag liggen en zonder op een antwoord te wachten, duwde hij

Nienke opzij. Ze onderdrukte een kreet toen ze met haar knie op iets hards viel: het was een leeg flesje met een hoestdranketiketje erop...

Ze pakte het zo onopvallend mogelijk op en stopte het met haar rug naar de anderen toe voorzichtig in de mouw van haar pyjama.

'Word eens wakker, jongen.' Victor had Appie op zijn rug gedraaid en tikte hem op zijn wang. 'Kom op, hoor je me?'

Trudie was ook binnengekomen en voelde Appies pols.

'Ik voel zijn hartslag maar heel zwakjes,' zei ze bezorgd.

Amber gilde hysterisch toen er een straaltje donkerbruine vloeistof uit Appies mond langs zijn wang op de vloer liep, waar het een plasje vormde.

Fabian keek ongerust naar Nienke, die haar hoofd wegdraaide toen er nog een golf van de bruine vloeistof uit Appies mond stroomde. De scherpe lucht die Nienke al eerder had geroken, werd sterker. Het prikte in haar neus.

Victor veegde de rest van de vloeistof weg uit Appies mondhoek en tikte daarna tegen zijn wang. 'Wat heb je genomen? Appie? Zeg eens wat?' zei hij dwingend, maar Appies ogen bleven gesloten.

Trudie schudde haar hoofd.

'Hij reageert niet, we moeten een ambulance bellen.'

Toen de ambulancebroeders Appie de trap afdroegen, stond de rest aangeslagen in de hal te wachten. Appie lag klein en bleek op de brancard. In zijn rechterarm zat een infuus, dat door een derde broeder omhoog werd gehouden, terwijl de twee andere mannen de brancard voorzichtig de trap af manoeuvreerden.

Amber barste in tranen uit. 'Wat gebeurt er nou met hem?' snikte ze.

Trudie sloeg een arm om haar schouders. 'In het ziekenhuis weten ze wel wat er met hem is.'

'Maar... hij gaat toch niet dood?' Amber begroef haar hoofd in Trudies nek en sloeg haar armen om haar heen.

'Sjjj, natuurlijk niet...' suste Trudie, maar Nienke zag hoe bezorgd Trudie over Ambers hoofd heen naar Appie keek. Nienke beet op de binnenkant van haar wang. Ze wilde niet huilen. Ze keek omhoog naar de opgezette dierenkoppen aan de wand.

Zou Victor Appie ook opzetten als hij doodgaat, dacht ze vaag. Nee, nee, hoe kon ze nou dit soort dingen denken. Ze schudde even met haar hoofd en voelde hoe Fabian haar hand pakte. Ze kon niet beschrijven hoe blij ze daarmee was.

Victor hield de voordeur open voor de brancard. Buiten stond een witte ambulance met flikkerende blauwe zwaailichten. De achterklep stond open, klaar om Appie te ontvangen.

Nienke slikte. Ze kneep hard in Fabians hand en ondanks haar voornemen voelde ze toch een traan over haar wang rollen. Ook Amber begon weer te snikken en Mara kreeg het nu ook te kwaad. Mick, die naast haar stond, sloeg een arm om haar heen, terwijl de tranen over haar wangen liepen.

Jeroen was na zijn korte uitbarsting in de badkamer vreemd kalm. Hij stond naast de deur en keek met een vreemd strak gezicht naar Amber en Patricia.

'Dit hebben jullie gedaan,' siste hij zo zacht dat Victor hem niet kon horen. 'Jullie hebben hem behekst, uit wraak, omdat hij jullie gisteren heeft laten schrikken.'

Voordat iemand kon reageren, maakte hij zich los van het groepje en wilde achter Appie aan de deur uitlopen, maar Victor hield hem tegen.

'Ik wil mee,' zei Jeroen kwaad, en hij wilde om Victor heen lopen, maar die liet hem niet gaan.

'Je gaat niet mee, iedereen blijft hier.'

Victor keek naar de anderen. 'Weet iemand wat Appie genomen heeft?' vroeg hij terwijl zijn blik onderzoekend over de groep gleed.

Fabian kneep in Nienkes hand. Ze zwegen allebei.

'Meneer, we moeten gaan!' riep een van de broeders. Er sloeg een autodeur dicht en de motor werd gestart.

'Niemand verlaat dit huis voor ik precies weet wat er aan de hand is,' zei Victor dreigend. Hij draaide zich om en liep de deur uit. Hij sloeg de voordeur met een klap achter zich dicht.

Nadat Victor verdwenen was, barstte Jeroen los: 'Het is jullie schuld als Appie straks doodgaat!' En hij wees met een priemende wijsvinger naar de Club. 'Jullie hebben hem behekst of vergiftigd of zoiets!'

'Doe niet zo debiel,' siste Patricia. 'Als we iemand zouden willen vergiftigen, dan hadden we jou wel genomen.'

'Rustig,' kwam Trudie tussenbeide. 'Appie wordt hier heus niet beter van.' Ze liep in de richting van de woonkamer. 'Laten we even een kopje thee drinken. Dat is goed voor de schrik.'

Mara en Mick liepen gearmd achter Trudie aan, maar de rest bleef staan.

'Gaat het wel?' vroeg Fabian aan Nienke, die steeds bleker werd. Hij legde zijn handen op haar schouders, maar ze schudde haar hoofd en trok zich los.

'Nienke!' riep hij, maar Nienke rende de trap op, de gang door naar haar kamer, waar ze in een hoekje op haar bed ging zitten. Ze sloeg haar armen om haar knieën en graaide Noek, haar witte knuffelkonijn, onder het bed vandaan en begroef haar neus in zijn oude witte vacht.

'Nienke?' Fabian klopte zachtjes op de deur.

Nienke antwoordde niet, maar wiegde zachtjes heen en weer terwijl de tranen op haar konijn drupten. Fabian kwam binnen en zag het kleine hoopje ellende op bed zitten.

'Nienke, gaat het wel?'

'Je weet toch wel wat hij heeft gedronken, hè?' zei ze met een dikke stem.

'Ik heb een vermoeden,' begon Fabian.

Nienke trok het lege flesje uit haar mouw en gooide het op bed. 'Hier, en het is allemaal mijn schuld!'

Ze begroef haar hoofd weer in haar konijn.

'Waarom is het jouw schuld?' vroeg Fabian verbaasd.

'Omdat *ik* hiermee begonnen ben. *Ik* heb jullie allemaal aangespoord om door te zoeken naar de raadsels, naar het elixer...'

'Nou, dat was een fantastisch elixer,' zei Fabian ironisch en hij keek met een scheef oog naar het lege flesje.

'Straks gaat hij dood!' Nienke snikte nu oncontroleerbaar. De deur ging open en Patricia en Amber kwamen aangeslagen binnen.

'Wat een eikel,' zei Patricia. 'Ons een beetje beschuldigen dat wij Appie hebben vergiftigd.'

'Het klopt! Wij hebben hem vergiftigd!' riep Nienke. 'Hij heeft het flesje leeggedronken!'

Fabian liet de andere twee het lege flesje zien.

'Maar... het was toch een levenselixer?' Amber keek verdwaasd van het lege flesje naar haar panische vriendinnetje dat compleet overstuur op bed zat.

'Blijkbaar niet,' zei Fabian.

'En nu gaat Appie dood!' Nienke huilde hartverscheurend.

'Dat zal wel meevallen,' suste Fabian, maar echt overtuigend klonk het niet.

'Tjeetje, wie drinkt dat spul dan ook,' zei Patricia. Ze hield meteen haar mond. Ze had het de avond daarvoor immers bijna zelf gedronken als Fabian haar niet had tegengehouden. Dan was zij het geweest die op de brancard had gelegen.

'Wat doen we ermee?' Patricia pakte het flesje op.

'Geef maar hier,' zei Fabian.

Hij trok een paar tissues uit de tissuebox op Ambers toilettafel en pakte daarmee het flesje vast. Hij nam vervolgens de punt van Nienkes dekbed en veegde het flesje schoon. Daarna liep hij naar het raam.

'Wat ben jij nou van plan?' vroeg Amber.

'Dit,' zei Fabian, opende het raam en gooide het flesje met een boog in de struiken om het huis. Hij wreef in zijn handen. 'Opgeruimd staat netjes.'

'Joehoe! Komen jullie?' Trudies stem schalde door het huis.

'Kom, misschien heeft ze nieuws over Appie.' Fabian klapte het raam dicht en trok Nienke zachtjes van het bed af, die zich stom de gang op liet leiden richting trap.

'Weet je al meer?' riep Amber hoopvol vanaf de balustrade naar Trudie, die beneden in de hal stond.

'Och gut, kind, nee... dat kan toch niet zo snel?' zei Trudie. Amber keek sip.

'Komen jullie even verder eten? Dan kunnen jullie daarna naar school. Het heeft toch geen zin om hier de hele dag in spanning te zitten.' Trudie liep naar de keukendeur. 'Ik heb Van Swieten al gebeld. Hij weet ervan.'

Het was goed bedoeld van Trudie, maar niemand had trek en dus zat iedereen lusteloos met z'n boterham heen en weer te schuiven. Jeroen keek zo af en toe kwaad naar Amber, Patricia, Fabian of Nienke, maar hield verder zijn mond.

'Gaan jullie dan maar,' zei Trudie zuchtend toen ze zag dat het hopeloos was en ruimde de volle borden op. 'Als er nieuws is uit het ziekenhuis, dan bel ik Van Swieten, goed?'

Ze sleepten zich naar school, waar Jason hen opwachtte in het dramalokaal. Hij had van Van Swieten al gehoord wat er gebeurd was met Appie.

'Gaat het een beetje met jullie?' vroeg hij bezorgd, toen hij alle bleke, strakke gezichten voor zich zag.

Niemand antwoordde.

Hij tikte met een pen op zijn bureau. 'Misschien moet ik jullie maar gewoon een uur vrij geven.'

'We moesten van Trudie juist naar school, voor de afleiding,' zei Jeroen mat terwijl hij zich in een zitzak liet zakken. Hij zag er verdrietig uit.

'Jason?'

Iedereen veerde op. Van Swieten stond in de deuropening.

'Is er al nieuws?' vroeg Amber snel. Zeven paar ogen keken hoopvol naar de conrector, maar die schudde zijn grijze hoofd. 'Zijn maag is leeggepompt, dat is alles wat ik weet.'

'Hij leeft dus nog wel?' vroeg Nienke snel.

Van Swieten knikte langzaam.

Te langzaam, vond Nienke. Was Appie misschien in levensgevaar? Daar moest ze nu niet aan denken. Hij leefde nog, daar moesten ze zich nu op concentreren. Maar ja, haar moeder had ook nog geleefd na het ongeluk. Nog een hele dag had ze in het ziekenhuis gelegen. Nienke zou nooit meer vergeten dat haar oma 's nachts bij haar op bed kwam zitten. Haar ogen waren helemaal dik en rood, alsof ze net heel lang had gehuild. Ze had Nienkes kleine handjes in de hare genomen. 'Je moeder... ze is net overleden,' had ze gezegd. 'Oh Nienke, het spijt me zo...'

Nienke schrok op uit haar gepeins toen Jason begon te spreken. 'Ik wilde ze eigenlijk het uur vrijgeven,' zei hij tegen Van Swieten, maar die moest daar duidelijk niets van weten.

'Bent u van lotje getikt? De musical is over minder dan een week. We verwachten hoog bezoek, de naam van onze school staat op het spel!' sprak Van Swieten dwingend. Hij sloeg Jason op de schouders. 'Ik heb alle vertrouwen in je, *amice.* En in jullie ook.' Met die woorden deed hij de deur open en verdween.

'Nou, jullie hebben het gehoord,' zei Jason zuchtend. Laten we dan maar beginnen met een paar rek- en strekoefeningen, en daarna kunnen we wel even inzingen.

Iedereen kwam kreunend overeind, behalve Nienke, die bleek voor zich uit staarde.

'Nienke, doe je ook mee?' Jason had zijn jasje uitgetrokken en stond al met zijn armen te zwaaien.

'Nee, ik voel me niet lekker, ik kijk wel.' Ze keek naar beneden en plukte aan haar trui.

'Aanstelster,' siste Jeroen zacht, maar Jason hoorde het toch en keek hem waarschuwend aan.

Jason keek bezorgd naar Nienke. 'Oké, blijf jij dan maar zitten. De rest: armen omhoog en rek je zo ver mogelijk uit op je tenen...'

Nienke had de hele les met lege ogen naar de rest zitten staren die halfslachtig de instructies van Jason hadden opgevolgd. Toen de bel was gegaan, liep ze met gebogen hoofd het lokaal uit.

'Gaat het wel met je?' Fabian pakte Nienke bij haar arm.

Nienke antwoordde niet, maar liep de gang door naar het buitenplaatsje. Fabian liep samen met Amber en Patricia achter haar aan. Ze ging op een bankje zitten en staarde voor zich uit.

'Ben je zo bezorgd om Appie?' vroeg Amber. Ze ging naast Nienke zitten en sloeg een arm om haar heen. 'Zeg nou eens wat, alsjeblieft.'

Nienke keek op.

'Ik denk dat ik ermee stop.'

'Wat?' De anderen waren perplex.

'Je wil stoppen met de Geheime Club van de Oude Wilg? Ben je gek geworden?' Amber schudde aan Nienkes schouders.

'Ja, ik ben gek, gek dat ik hier ooit aan begonnen ben. Denk eens na: eerst Joyce, toen Rufus, nu Appie...'

Fabian ging voor het bankje op zijn knieën zitten en keek Nienke serieus aan. 'Je mag niet stoppen, hoor je me? Dan wint Victor.'

'Ga dan maar door zonder mij.'

'Dat kan niet,' zei Patricia stellig. 'Sarah heeft *jou* gekozen om het geheim op te lossen. Je *moet* doorgaan, *je moet*! Zonder jou vinden we de schat nooit!'

'We hebben je nodig Nienke, toe?' Amber keek haar smekend aan.

'Het komt heus goed met Appie. We moeten doorgaan, met zijn allen.' Fabian stak zijn hand uit. Patricia en Amber legden hun hand erbovenop.

Nienke aarzelde.

'Toe, Nienke?' vroeg Amber. 'Met z'n allen?'

Nienke keek naar hun uitgestoken handen. Gedachtes vlogen kriskras door elkaar in haar hoofd. Haar moeder die naar haar lachte, de begrafenis van haar ouders, de rit naar Huize Anubis, het afscheid van haar oma, de oude vrouw die haar het medaillon gaf, de foto van haar ouders in het album...

'Jij hebt de kracht, ik zie het in je ogen...'

Uiteindelijk legde ze haar hand op die van de rest.

'Oké, we gaan door.'

Nienke hief haar andere hand op en bedekte met haar gestrekte hand haar ene oog.

'Sibuna.'

De anderen volgden haar voorbeeld en bedekten ook hun ene oog.

'Sibuna,' zeiden de andere drie opgelucht.

De rest van de dag zaten ze in spanning. Van Swieten kon hen niets anders vertellen dan dat Appies maag was leeggepompt. Daarom durfde Nienke 's middags na school bijna niet het huis binnen te lopen. Ze was zo bang dat ze misschien iets vreselijks te horen zouden krijgen over Appie...

Ze stond te dralen bij haar fiets.

'Kom je nou?' Amber hield de voordeur voor haar open en tikte ongeduldig met haar hak op de stenen.

Zuchtend liep Nienke naar binnen en sloot de deur achter zich. Ze keek de hal rond. Er was niets bijzonders te zien. Gek hoe de dingen nooit veranderen terwijl de omstandigheden wel veranderen, dacht ze. Het maakt niet uit of ik doodga, of Appie, of de ouders van Sarah, of mijn ouders – het huis blijft hetzelfde.

Flarden van stemmen dreven vanuit de woonkamer de hal binnen. Nienke spitste haar oren. Trudies gezellige stemgeluid, gelach...

'Appie!' gilde Amber naast haar. 'Appie!'

Ze renden de woonkamer in. Daar lag Appie in zijn pyjama onder een dekbed op de bank. Trudie, Mick, Mara en Jeroen zaten om hen heen. Appie grijnsde van oor tot oor. Amber viel bovenop hem en gaf hem twee enorme zoenen. Dat beviel Appie uitstekend en hij kleurde tot aan z'n haarwortels. 'Appie! Oh Appie!' gilde Amber enthousiast in zijn oor.

'Nou, daar wil ik ook wel een flesje schoonmaakmiddel voor wegtikken,' zei Jeroen sarcastisch, maar het was duidelijk aan hem te zien dat hij dolblij was dat zijn beste vriend weer heelhuids thuis was. Hij glimlachte zelfs.

'Schoonmaakmiddel? Was dat het? Heb je dat genomen?' ratelde Amber. 'Hoe voel jij je nu? Wat hebben ze met je gedaan? We hebben...'

Trudie trok Amber voorzichtig van Appies deken af.

'Laat Appie het zelf allemaal maar vertellen,' zei ze tegen Amber en plantte haar in een stoel.

'Je ziet er niet slecht uit voor iemand die net uit het ziekenhuis komt.'

Fabian had gelijk. Appie zag er weer gewoon uit als Appie en niet meer als dat hele kleine, bleke jongetje op de brancard.

'Je moest eens weten wat ze allemaal gedaan hebben,' begon Appie

en de rest hing meteen aan zijn lippen. 'Mijn maag leeggepompt...'
Appie maakte een gebaar alsof hij een grote slang in zijn keel
stak.

'Gatsie,' was Ambers reactie.

Appie keek haar grijnzend aan. 'Dat was nog niet alles. Toen ik
bijkwam, hoorde ik zo'n flatline, weet je wel.'

Appie ging er eens lekker voor zitten, terwijl de anderen wat
dichterbij schoven.

'Ik hoorde het en toen dacht ik: Ik ga dood, ik kan niet meer
ademen, mijn hart doet het niet meer!'

'Wauw! Heb je een bijna-doodervaring gehad?' zei Patricia vol
respect.

Appie knikte. 'Dus ik kwam omhoog met al die flessen en buizen
aan me, met een pijp in mijn keel, dus ik kon geen geluid maken.
Wat bleek nou. Tegenover mij lag iemand dood te gaan! Alle
dokters stonden bij hem, dus ik begon te zwaaien met mijn armen,
met dat infuus erin.' Appie begon met zijn armen te zwaaien.

Amber keek heel moeilijk. 'Kun je wel zwaaien met een naald in
je arm? Scheurt die er dan niet uit of zo?'

'Ja, dat doet het zeker.' Appie stroopte prompt zijn mouw op en
liet een blauwe plek aan de binnenkant van zijn arm zien.

'Maar goed. Toen draaide een zustertje zich eindelijk om en
rende naar me toe. Zij trok de buis uit mijn keel, maar ik kreeg
nog steeds geen lucht, dus gaf ze me een enorme klap op mijn
rug. Toen ademde ik eindelijk weer,' besloot Appie zijn relaas en
leunde uitgeput achterover.

'We dachten dat je doodging. Je zag er zo eng uit... helemaal wit,'
stamelde Nienke. Ze kon wel huilen van opluchting dat Appie hier
levend en gezond en wel in de kamer zat.

'Kun jij je nog iets herinneren van wat er gebeurd is?' vroeg Fabian
geïnteresseerd.

Appie schudde zijn hoofd. 'Ik kan me de feestwinkel nog herinneren
waar we het masker hebben gekocht,' zei hij terwijl hij naar Jeroen
keek. 'Daarna is alles een groot zwart gat.'

'Volgende keer moet je maar niet meer zulke grappen uithalen, hoor.' Trudie pakte hem in een stevige omhelzing. 'Daar ben je ons veel te dierbaar voor.'

Appie maakte zich een beetje gegeneerd los. 'Pff, ik had een hele fles *Pokon* zelfs overleefd,' zei hij stoer. 'Mijn hele familie heeft een sterke maag. Mijn opa was proefpersoon in een testlab.'

Iedereen begon te lachen maar ze stopten abrupt toen Victor in de deuropening verscheen. Hij had plastic chirurgenhandschoenen aan en hield een klein glazen flesje omhoog. Nienke verstijfde.

'Wat is er zo geestig? Dat ik dit in de struiken vind?' vroeg hij met een venijnige glimlach.

Trudie was de enige die sprak. 'Wat is het?' vroeg ze in alle onschuld.

'*Dit* is het flesje waar Abdelah uit gedronken heeft.'

Amber schoot in een zenuwachtige giechel toen Victor 'Abdelah' zei maar na een blik van Victor hield ze snel op.

'Echt waar?' Trudie stond in een oogwenk naast Victor en wilde het flesje uit zijn handen pakken, maar Victor hield het boven zijn hoofd, zodat ze er niet bij kon.

'Dit flesje lag in de struiken. Het *lijkt* een gewoon hoestdrankflesje, maar kijk als je beter kijkt...' Hij trok het etiket van het glas. 'Dit flesje bevatte hetzelfde reinigingsmiddel dat Abdelah heeft geslikt,' eindigde hij onheilspellend en hij keek de groep rond.

'Maar dat is moord met voorbedachte rade,' riep Jeroen verontwaardigd. Zijn blik gleed meteen naar Amber en Patricia, die het allebei heel druk hadden met hun nagels bestuderen. Niemand zei iets.

Victor draaide zich om en liep naar de deur.

'Zwijg maar als het graf. Ik kom er toch wel achter wie hier de schuldige is.' Hij liep de deur uit. 'Ik houd jullie in de gaten!' klonk het vanuit de hal.

Nadat Victor weg was, zei Trudie dat het beter was dat Appie even uitrustte en ze stuurde iedereen de woonkamer uit. Dat kwam de Club alleen maar goed uit, want nu konden ze eindelijk in alle rust bespreken wat er die dag allemaal was gebeurd.

'Vreemd dat Appie zich niks meer herinnert. Hij mist een hele dag!' zei Fabian peinzend. Ze zaten in de kamer van Nienke en Amber.

'Het is zeker vreemd,' zei Patricia, die als een gekooide tijger door de kamer heen en weer beende. Op, neer, op, neer. 'Zou het door het schoonmaakmiddel komen?'

'Patricia, ga alsjeblieft zitten, ik word knalzenuwachtig van je,' zei Fabian quasigeïrriteerd.

'Ik ben ook superzenuwachtig,' zei Patricia, maar ze ging toch bij Amber op bed zitten, die snel een zijden rokje onder haar wegtrok voordat Patricia erop plofte.

'Straks komt Victor erachter dat wij een hoestdranksticker op dat flesje hebben geplakt.'

Fabian was zoals gewoonlijk de rust zelf en haalde z'n schouders kalm op. 'Die kans lijkt me vrij klein.'

'Dat zeg jij... We hadden dat flesje nooit uit het raam moeten gooien.'

'Ja, maar dat hebben we wel gedaan,' zei Fabian met z'n gekmakende logica. 'Het heeft geen zin om ons daarmee bezig te houden. Ik wil veel liever weten wat Appie in de kelder heeft gezien.'

Patricia rolde met haar ogen en pikte uit frustratie treiterig Ambers vijl van haar af. Amber keek verontwaardigd op en trok de vijl weer uit Patricia's handen. 'Hij heeft toch iets heel afschuwelijks gezien?'

'Denken jullie dat hij iets gezien heeft dat te maken heeft met het geheim van het huis?' zei Nienke.

'Misschien. Maar als hij zich niks kan herinneren, wat hebben we er dan aan?' zei Patricia gefrustreerd.

'Niks. Tenzij...' Fabian keek bedachtzaam.

'Maar dan heb ik wel Ambers hulp nodig,' vervolgde hij peinzend.

Amber keek op van haar vijlpraktijken. 'Ik?' vroeg ze gevleid.

'Wij kunnen ook best helpen,' zei Patricia een beetje beledigd, maar Fabian schudde zijn hoofd.

'Nee, het moet in dit geval echt Amber zijn,' zei hij en hij sprong op. 'Ik ben zo terug, even iets halen,' zei hij gejaagd en weg was hij.

De meiden keken elkaar aan en begonnen tegelijkertijd te lachen.

'Begreep jij daar wat van?' vroeg Amber beduusd.

'Nee, maar ik begrijp hem volgens mij nooit,' zei Patricia. 'Die vent zit volgens mij op een andere hersenfrequentie dan normale mensen.'

'Daar zou je best eens gelijk in kunnen hebben,' grinnikte Nienke. 'Hij gaat drie keer sneller.'

'Drie keer? Tien keer zul je bedoelen,' overdreef Amber.

De deur ging weer open en ze hielden allemaal prompt hun mond. Een hijgende Fabian kwam binnen en keek hen verbaasd aan.

'Waar hadden jullie het over?' vroeg hij een beetje wantrouwig.

'Oh niks, meidendingen, weet je wel,' zei Patricia en gaf de andere meiden een knipoog.

'Oh ja,' zei Fabian een beetje gegeneerd. 'Ik... ik heb het gevonden, hoor.'

Hij gooide een boekje op Nienkes bed. Ze bogen zich er nieuwsgierig overheen.

'Maar dat is...?'

Patricia keek vragend naar Fabian.

'Wil je dat ik dat doe? Dat kan ik niet hoor,' zei Amber en wapperde nerveus met haar handen.

'Luister nou even... Het is niet zo moeilijk, als je maar precies doet wat ik zeg,' zei Fabian en hij vertelde zijn plan.

Appie kon zijn ogen niet geloven toen hij die avond de badkamer inkwam. Hij ging bij de wastafel staan om zijn tanden te poetsen toen hij het douchegordijn achter zich hoorde opengaan. Geschrokken draaide hij zich om. Amber stond in de douchebak met een grote handdoek om zich heen gevouwen. Ze hield een zwarte kanten bh in haar hand.

'Hoi Appie,' zei ze zwoel.

Appie stamelde een paar onverstaanbare woorden.

'Weet je Appie, ik wist nooit hoeveel ik om je gaf,' zei Amber terwijl ze de douchecel uitstapte en naar Appie liep. Appies ogen puilden bijna uit zijn hoofd en fixeerden zich op de bh.

'Maar toen ik je daar zag liggen...' Amber begon met de bh te pendelen. '... besefte ik opeens hoeveel je voor me betekent...'

Amber slingerde de bh voor Appie heen en weer. Zijn ogen werden langzaam glazig. Na een halve minuut hield Amber op en zwaaide met haar hand voor Appies ogen. Die reageerde niet, hij was gehypnotiseerd.

'Kom maar,' riep ze zacht.

Nienke, Fabian en Patricia, die samen in de wc zaten en door een kiertje in de deur mee hadden kunnen genieten van de voorstelling, kwamen het kleine hokje uit rollen. Patricia keek bevreemd naar Appie, die met starende ogen in z'n blauwe pyjama op z'n blote voeten midden in de badkamer stond.

'Is hij echt onder hypnose?' fluisterde ze.

Amber trok haar handdoek af. Ze had een strapless topje aan en rolde haar broekspijpen weer naar beneden. 'Zullen we even testen?' Ze ging voor Appie staan. 'Appie, luister naar mijn stem,' zei ze, zalvend als een echte hypnotiseur. 'Je bent een ezel!'

Meteen begon Appie keihard te balken en met zijn nek te trekken. De anderen schrokken zich kapot van het harde geluid. Fabian probeerde zijn hand voor Appies mond te houden, maar die maakte zulke vreemde stotende bewegingen met zijn hoofd, dat het niet lukte.

'Snel! Zeg dat hij een standbeeld is,' siste hij naar Amber.

'Appie, luister naar mijn stem,' zei ze zenuwachtig. 'Je bent een standbeeld.'

Appie stond als bevroren, zijn handen gekromd en geklauwd boven zijn hoofd.

'Natuurlijk. Hij is een zombiestandbeeld,' giechelde Patricia tegen Nienke.

'Wat doen we nu?' Amber keek onzeker naar Fabian.

'Nu moet je hem weer terugbrengen naar de kelder,' zei Fabian. 'Van tien tot één, weet je nog wel?'

'Oh ja.' Amber ging goed voor de bevroren Appie staan.

'Appie, luister naar mijn stem. Ik tel van tien tot één...' Amber haperde en keek vragend naar Fabian.

'Bij de één ben je weer...' zei hij geduldig voor.

'Oh ja! Bij de één ben je weer terug in de kelder. Tien, negen, acht, zeven, zes, vijf, vier, drie, twee, één!'

Er ging een schok door Appie heen en Amber deed een stapje achteruit. Hij begon rond te lopen, en hield zijn handen geklauwd boven zijn hoofd.

'HUUUUH! Het monster van Frankenstein is op zoek naar bloed!' zei hij hard.

Nienke keek ongerust naar de deur, maakten ze niet te veel lawaai?

'Dit werkt niet, hij is nog steeds een standbeeld, maar nu een levend,' zei Patricia ongeduldig.

Amber knikte instemmend.

'Vraag hem wat hij ziet,' zei Fabian tegen Amber, die met een verbaasd gezicht naar Appie keek. Hij was van positie veranderd en reed nu op een denkbeeldig paard.

'Appie, luister naar mijn stem. Wat zie je in de kelder?' zei ze snel.

Appie stopte abrupt. Er kwam een dromerige uitdrukking op zijn gezicht. 'Flesjes... heel veel flesjes. Het masker moet mee... Oh oh... Victor! In de kast...'

Hij dook in elkaar en deed alsof hij in een kast zat en door een spleetje loerde.

'Zit je in een kast?'

'Ja, ja... Victor is in de kelder... verstoppen...'

'Wat zie je?' vroeg Amber scherp.

Appies ogen werden plotseling groter. Hij keek angstig in het niets. 'Iemand met lang haar,' stamelde hij.

'Joyce!!'

Nienke sloeg een hand voor Patricia's mond, voordat ze nog meer zou gillen en Appie misschien uit zijn hypnose zou komen. Fabian had verteld dat dat gevaarlijk kon zijn, dus Nienke wilde dat koste wat het kost voorkomen.

'Wie heb je gezien?' vroeg Amber aan Appie die dwars door haar heen keek.

'Hij... hij heeft lang haar.'

'Leeft hij nog?'

'Bruine ogen... ogen die niets zien!! Help, help me, help me...' Appie stond stokstijf van angst. Zijn armen waren tegen zijn lichaam aangeplakt en zijn stem klonk schor.

'Oh nee, daar gaat ie weer!' zei Fabian paniekerig.

'Luister naar mijn stem!'

Amber hield een keer haar hoofd koel: 'Je bent een lief lammetje, Appie! In een mooie groene wei!'

'Bèèèèèèèh!'

Appie viel op zijn knieën en begon tevreden op de witte badkamertegels te grazen.

Fabian keek blij verrast naar Amber, die spontaan in de lach schoot. Het zag er ook zo komisch uit. Appie probeerde nu met zijn kop langs de wasbak te schuren.

'Kijk nou,' zei Amber gierend van de lach. 'Hij heeft zeker jeuk.'

De anderen hielden het nu ook niet meer. 'Haal hem maar uit z'n hypnose,' zei Fabian met zijn handen tegen zijn buik.

Amber ging giechelig bij Appie het lammetje staan, wat vredig naar haar opkeek.

'Bèèèèèèèh!' zei hij verwonderd toen hij mensenbenen zag staan.

'Appie, als ik tot tien tel, val je in een diepe slaap. Als je ontwaakt, weet je hier niets meer van... en lust je geen pindakaas meer op je brood,' eindigde Amber.

'Gewoon, geintje,' zei ze tegen Fabian die verbaasd naar haar keek.

Amber telde en daarna sleepten ze Appie, die nu lekker op de grond lag te slapen, naar de wc en legden hem zo goed en zo kwaad als het kon zittend op de tegels naast de wc-pot. Appie smakte even met zijn lippen, maar sliep toen weer lekker door.

'Komt het wel goed met hem?' vroeg Nienke een beetje ongerust.

'Hij wordt vroeg of laat gewoon wakker,' verzekerde Fabian haar.

'Klasse gedaan, Amber. Zullen we gaan?'

Nienke wierp nog een ongeruste blik op de open wc-deur maar Fabian trok haar mee de gang op richting hun slaapkamer.

Daar barste Patricia los.

'Hij had het over Joyce, toch?' Ze beende weer heen en weer.

'Maar Appie had het over een "hij",' zei Fabian en hij gaf Patricia een zetje zodat ze naast Amber op het bed belandde.

'Hij kan zich toch vergist hebben? Het moet Joyce wel zijn. Zij heeft lang haar en bruine ogen.'

Ze waren even stil.

'Die man, die Rufus, had die geen lang haar?' vroeg Nienke.

'Half lang.'

'Kan die het dan niet geweest zijn?'

'Ja, dat is het!' riep Amber gruwend. 'Victor heeft hem meegenomen in z'n bus en daarna opgezet. Bruine ogen die niets zien!'

Fabian keek naar Patricia. 'Heb je dat telefoonnummer nog?'

'Ja, dat heb ik wel,' zei Patricia bedachtzaam. 'Maar dat heb ik al een keer geprobeerd en het was afgesloten.'

'Laten we het toch nog een keer proberen,' stelde Fabian voor.

Patricia rolde met haar ogen. 'Hallo! We hebben hier geen bereik, weet je nog wel?'

'Dat weet ik ook wel.' Fabian probeerde zijn frustratie te verbergen door met zijn handen over zijn gezicht te strijken. 'Ik bedoel morgen, op school.'

14

RUFUS MALPIED

'Ik weet zeker dat hij het was.'

Fabian en Nienke keken ongelovig naar Patricia die gefrustreerd tegen een kluisdeurtje sloeg. 'Jullie moeten me geloven.'

'Dus, euh, je wilde net Rufus bellen bij het hek.' Fabian wees vaag door het raam naar de ingang van de school. 'En op datzelfde moment beweer je dat Rufus langskwam in een rolstoel?'

'Ja! Hij werd geduwd door een verpleegster.' Patricia sloeg haar armen over elkaar.

'Maar... kon het niet iemand zijn die op hem leek?' vroeg Nienke voorzichtig. Met Patricia kon je niet voorzichtig genoeg zijn.

'Ja, dat zou toch kunnen? Wat zou Rufus nou in een rolstoel doen?' viel Fabian haar bij.

Patricia haalde haar schouders op. 'Ik weet dat het bizar klinkt, maar hij was het echt.' Ze grabbelde in haar tas en pakte haar mobiel eruit.

'Wat ga je nou doen?' Fabian keek verwonderd naar Patricia en toen naar Nienke, die er ook helemaal niets van begreep.

'Rufus bellen natuurlijk.' Ze toetste driftig een nummer in en luisterde ingespannen. Toen schudde ze haar hoofd. 'Geen gehoor.'

'Ook geen voicemail?'

'Noop.' Ze gooide haar mobiel weer in haar tas. 'Maar het nummer is in ieder geval niet afgesloten.'

'Klaar voor de pitch, mensen?'

Jeroen en Appie stonden achter hen. Ze hijgden, ze waren natuurlijk weer te laat en door Van Swieten over het schoolplein gejaagd.

'De pitch, voor de musical?' herhaalde Jeroen.

De Club keek elkaar verschrikt aan. Een idee voor de musical... helemaal vergeten!

'Jullie zijn er lekker mee bezig geweest, zie ik,' sneerde Jeroen. 'Dan ga ik zeker winnen!'

'Acta est fabula!' Van Swieten kwam de school binnen met een zilveren fluitje om zijn nek. 'Het spel is over. Naar binnen jullie, anders kunnen jullie het plein vegen.'

Ze renden naar het dramalokaal. Jason stond in zijn handen te wrijven toen ze binnenkwamen, hij had er duidelijk zin in vandaag.

'De grote dag!' zei hij gedragen. 'Wat gaat het thema van onze jaarlijkse musical worden? *To see or not to see, that's the question now*. Brand los!'

Met die woorden ging hij in een zitzak zitten en gebaarde naar het podium.

'Nou?'

Jeroen stond op en ging met een zelfvoldane grijns op zijn gezicht op het podium staan.

'Ik start wel, hoor. Appie?'

Appie ging achter hem staan. Jeroen vertelde dat hij een soort *Jekyll and Hyde in Egypte* wilde maken. Een trouwe hofdienaar van de farao verandert na het innemen van een geheimzinnig middel 's nachts in een moordmachine...

Het hele verhaal zat vol steekpartijen, die Appie achter Jeroen trots stond uit te beelden.

'Typisch dat *jij* zo'n onaardige hoofdpersoon bedenkt,' zei Patricia vals toen Jeroen zijn verhaal had gedaan.

'Er is niets tegen een onsympathieke hoofdrol. Richard de Derde was ook een eikel,' kaatste Jeroen de bal terug. Jason hief waarschuwend zijn handen omhoog. 'Volgende.'

Appie kwam, natuurlijk, met een horrorverhaal over een mummie die weer tot leven komt. Vol enthousiasme vertelde hij tot in de goorste details hoe armen en benen werden afgerukt en het bloed in het rond spoot. Toen hij klaar was, zag iedereen een beetje groen en maakte Amber kokhalsgeluiden.

Daarna hees Mick zichzelf op het podium. Hij zag het liefst een enorme actiefilm.

'Met jezelf als gespierde held zeker,' sneerde Patricia.

'Dat zou kunnen,' zei Mick bescheiden, die het zo te zien wel zag zitten om met ontblote bast met een machinegeweer over het podium te banjeren. Als spetterend einde zou hij dan uiteindelijk een piramide opblazen met dynamiet en zo de mensheid redden van het biologische wapen dat erin verborgen lag.

'En dat biologische wapen verspreidt zich niet als hij de piramide opblaast?' zei Fabian ironisch.

Mick keek een beetje moeilijk.

'Goed, waren dit de verhalen?' Jason keek de groep rond. 'Nog iemand? Een van de meisjes? Of zal ik beslissen?'

'Wacht, ik heb ook nog een idee!' Amber sprong op. Nienke keek haar verbaasd aan, daar had ze het helemaal niet over gehad!

'Voor de dag ermee,' zei Jason en wees in de richting van het podium. Amber nam plaats en nam ruim de tijd om haar haar – dat al goed zat – goed te doen.

'Mijn verhaal... '

Ze liet een dramatische pauze vallen.

'Schiet nou op, anders zitten we hier morgen nog,' zei Jeroen ongeduldig.

Amber keek hem vernietigend aan. 'Mijn verhaal gaat over een meisje dat haar ouders onder geheimzinnige omstandigheden heeft verloren nadat ze het graf van Toetanchamon hebben geopend...' begon ze.

Nienke verstijfde. Wat deed ze nou? Ze zond Fabian een blik van hoogste alarm, maar wat konden ze doen? Voor hun ogen vertelde Amber doodleuk het verhaal van Sarah Hennegouwen (gelukkig zei ze Sarahs achternaam niet) die met een enge conciërge opgroeit in een groot huis nadat haar ouders om het leven zijn gekomen bij een auto-ongeluk. Haar ouders hebben iets voor haar achtergelaten, een schat, en zij moet die in huis zien te vinden.

Nienke kreeg het steeds warmer. Waarom deed Amber dit? Ze keek naar Jason die dolenthousiast zat te knikken. Hij vond het super, dacht Nienke zuur. Jason begon inderdaad enthousiast in zijn handen te klappen toen Amber was uitverteld. 'Geweldig, Amber, wat een goed verhaal! Het is spannend, griezelig en ook ontroerend. Perfect!'

Amber lachte een beetje verlegen. 'Nienke heeft ook meebedacht hoor en zij gaat het schrijven.'

Nienke viel van de ene verbazing in de andere.

'Euh, ik weet niet of ik dat...' stamelde ze, maar Jason viel haar in de rede.

'Perfect. Hartstikke goed. Dit wordt hem!'

Oh nee, kreunde Nienke inwendig. Ze legde gefrustreerd haar hoofd op haar knieën. Natuurlijk koos Jason Sarahs verhaal. Het was natuurlijk precies wat hij leuk vond, want het ging over geschiedenis. Wat kon ze er nu nog aan doen? Als ze er nu iets van zou zeggen, zou iedereen nog veel meer argwaan krijgen. Nienke zag geen uitweg: Ze gingen het verhaal van Sarah opvoeren en ze moest het ook nog gaan *schrijven.*

Nienke zat zich de hele les op te vreten, en ze zag dat Fabian en Patricia er niet beter aan toe waren. Toen de bel ging, vroegen ze boos om opheldering maar Amber was zich van geen kwaad bewust.

'Waar ben jij in godsnaam mee bezig?' barstte Patricia los toen ze buiten gehoorafstand van Jason, Jeroen of wie dan ook waren.

'Dit was toch de afspraak?' Amber zette grote ogen op en wilde een cola uit de automaat trekken, maar Patricia hield haar tegen.

'Hoe kom je daar nou bij?'

'Waarom gingen we anders naar de bieb om al die info te zoeken?' vroeg Amber kleintjes.

'Dat was voor ons *eigen* onderzoek, Amber!' Nienke probeerde rustig te blijven maar haar stem trilde van boosheid.

'Straks komt iemand achter het geheim!' Patricia kon zich niet inhouden en schreeuwde zo hard dat Fabian haar tot kalmte moest manen.

Amber dook in elkaar van zoveel verbaal geweld. 'Maar Jason vond het een mooi verhaal,' verdedigde ze zich.

'Daar gaat het toch niet om. We nemen een te groot risico,' zei Nienke.

Ze keek ongerust naar Fabian, maar die kreeg ineens weer die ik-heb-een-idee-blik in zijn ogen.

'Victor komt toch ook?' zei hij nadenkend.

'Vast. Dat kan er ook nog wel bij.'

'Nee, nee, luister, het kan goed uitpakken. Op deze manier kunnen we hem confronteren met het feit dat wij het weten.'

'Wat weten?' vroeg Nienke. Ze begreep er niks van.

'Over zijn verleden. Over het levenselixer, dat soort dingen. Als hij in de zaal zit en dit ziet, weet hij dat we alles over hem weten.'

'Wat helpt dat nou?' Patricia begreep er ook niks meer van.

'Psychologische oorlogsvoering. Zo begrijpt hij dat we een partij zijn waar niet mee te spotten valt.'

Patricia keek naar het bord met aankondigingen. Er stond een diepe denkrimpel tussen haar wenkbrauwen.

'Oké... er zit wel iets in...' zei ze uiteindelijk. 'We zien wel hoe het uitpakt. Je hebt het in ieder geval mooi verteld.'

Amber glunderde, maar Nienke kon haar blijdschap niet delen. Ze was nog niet overtuigd dat dit wel de juiste beslissing was geweest. Ze zuchtte. Wat viel eraan te doen? Ze konden nu toch niet meer terug.

'Zullen we dan nu naar de bibliotheek gaan?' spoorde Fabian de anderen aan.

Jason had hen aangeraden om nog wat achtergrondinformatie te zoeken. Die kans hadden ze met beide handen aangegrepen, want zo konden ze twee vliegen in een klap slaan: informatie zoeken voor de musical en, veel belangijker, informatie zoeken over de Winsbrugge-Hennegouwens. Ze waren er immers nog steeds niet achter wat het oog van Horus precies was.

'Ik ga niet mee,' zei Patricia. 'Ik heb straks een luistertoets Frans die ik moet inhalen, zal wel helemaal super gaan,' zei ze met een zuur gezicht. 'En ik wil ook nog een keer Rufus proberen te bellen.'

'Oké, succes dan.' Amber, Nienke en Fabian liepen naar de kluisjes.

'Sibuna,' riep Patricia hen zachtjes na.

De bibliothecaresse met de ijsogen keek verstoord op toen ze binnenkwamen. Er heerste weer een diepe stilte in de bibliotheek. Waarschijnlijk herinnert ze ons zich van de vorige keer, toen Appie naar bloederige anatomieboeken vroeg, dacht Nienke en ze liep snel achter Fabian aan in de richting van de geschiedenissectie.

'Heb je dit allemaal gelezen?' vroeg Amber zachtjes aan Fabian en ze gleed met haar handen over de ruggen van stoffige dikke boeken.

'Natuurlijk, Amber,' grapte Fabian, maar Amber dacht dat hij het serieus meende en keek hem aan met een meewarige blik van: 'Arme ziel, die heeft zeker nooit iets beters te doen.'

Fabian zocht naar het boek waarin ze de vorige keer de foto van de Winsbrugge-Hennegouwens hadden gevonden. Ze waren zo snel vertrokken dat ze niet verder hadden gekeken. Misschien stond er nog wel meer in.

Met een schuin hoofd checkte hij de titels in de sectie "Egypte".

'Hier is het,' riep Nienke blij en ze trok *"Adellijke families in de voetsporen van de farao's"* uit de kast.

'Stttt!' klonk het geïrriteerd door de zaal. Nienke sloeg haar hand voor haar mond.

'Sorry!' riep Amber goedbedoeld, maar dat leverde haar alleen maar een nog strengere "sttt" op.

'Zou je daar nou op geselecteerd worden als je bibliothecaresse wil worden?' vroeg Amber giechelend.

'STTTTTT!"

'Kom,' ademde Fabian bijna onhoorbaar en trok de giebelende Nienke en Amber aan hun jassen mee naar een leestafel, zo ver mogelijk van de geïrriteerde bibliothecaresse vandaan.

'Straks worden we weggestuurd,' zei hij een beetje boos. 'Dan komen we nergens achter.'

Nienke en Amber bogen schuldbewust hun hoofd, keken elkaar

daarna aan en barstten weer in lachen uit.

'Meiden...' Fabian schudde zijn hoofd, ging in een stoel zitten en sloeg het boek open. Er steeg een muffe lucht uit op. Hij bladerde naar de foto in de tuin die ze de vorige keer gezien hadden. Iets verder stond nog een foto met de Winsbrugge-Hennegouwens erop. Ze stonden samen voor een groot bakstenen gebouw in de stijl van de Amsterdamse school. Meneer Winsbrugge-Hennegouwen had zijn arm stevig om het middel van zijn tengere vrouw geslagen en hij was gekleed in een donker pak met daaronder een kraakheldere blouse. Mevrouw Winsbrugge-Hennegouwen had een soort dophoedje op haar hoofd waar een grote bloem op zat. Naast hen stonden een blonde vrouw en een kalende man die Fabian vaag bekend voorkwamen.

Hij tikte de giechelende meiden aan.

'Heb je nog een foto gevonden?' Nienke hield meteen op met lachen en keek met haar donkere ogen speurend de foto af. Haar ogen bleven hangen op de voorgevel van het gebouw, waar in witte letters *ZINNICK BERGMAN* opstond.

'Zinnick Bergman? Waar heb ik dat toch eerder gehoord?'

Amber gaf Nienke een duwtje. 'Je hoeft je er echt niet voor te schamen dat je adellijke kennissen hebt, hoor.'

Nienke begreep de clou niet.

'Zinnick Bergman.' Amber tikte met haar gelakte nagel op de naam op de foto. 'Dat is een heel oud adellijk geslacht.'

'Oh. Nee, dat is het niet,' peinsde Nienke.

'Misschien een vroeger vriendje?' pestte Fabian maar hij kreeg meteen daarna een enorm rood hoofd.

'Haha!' Nienke kneep hem in zijn arm. 'Help nou even!'

Maar de anderen konden haar natuurlijk niet helpen. Nienke zocht alle donkere gedeeltes van haar hersens af. Ze wist zo zeker dat ze die naam ergens anders had gezien, maar waar? Het lag op het puntje van hersens, ze moest alleen het juiste laatje opendoen...

'Ik weet het!'

Een stralende glimlach verspreidde zich over Nienkes gezicht en ze stond op. Ze liep, nee, sloop met een angstige blik op de ijskoude vrouw naar de centrale leestafel die vol lag met onberispelijk opgevouwen kranten.

Zou ze die van tevoren strijken? dacht Nienke terwijl ze ingespannen naar alle voorpagina's tuurde, tot ze had gevonden wat ze zocht. Zie je wel, ze had gelijk gehad.

Ze liep met de krant in haar hand terug naar Amber en Fabian die verbaasd achter de tafel naar haar zaten te kijken. Ze gooide de krant neer en tikte op een advertentie.

'Ik zei toch dat ik die naam al een keer eerder had gezien,' fluisterde ze triomfantelijk.

Amber kon nog net een kreet onderdrukken toen ze de kop boven de advertentie las:

"Tentoonstelling van Egyptische artefacten in Museum Zinnick Bergman".

De advertentie was geïllustreerd met een foto van het beeld van Nefertiti dat Jason hen een keer op een dia had laten zien.

Fabian keek op van de advertentie.

'Daar moeten we heen,' zei hij langzaam. 'Wie weet wat we daar allemaal nog tegenkomen.'

Ze gingen meteen terug naar school met de bedoeling om Jason te vragen of ze naar het museum mochten, maar ze werden in de gang bij de kluisjes opgewacht door een bloedzenuwachtige Patricia.

'Er werd opgenomen,' zei ze zo gauw ze binnen gehoorafstand waren.

Amber begreep niet waar ze het over had: 'Wie is er opgenomen?'

'Het nummer van Rufus, dombo! Iemand nam zijn telefoon op.'

'Echt waar?' Nienke ging op een bankje zitten en haalde een appel uit haar tas. Ze begon de appel in sneltempo te verorberen, terwijl Patricia vertelde dat een vrouw de telefoon op had genomen. Ze had Patricia gezegd dat ze het niet op prijs stelde als Patricia nog een keer zou bellen.

'Maar heb je gevraagd naar Rufus?' vroeg Nienke.

'Ja, hallo! Ik ben toch niet gek. Maar ze zei dat ik het nummer van meneer Pijnvoet had gebeld.'

'Meneer Pijnvoet? Wat gek,' zei Nienke peinzend en nam nog een hapje van haar appel. 'Hoe zei je ook alweer dat die Rufus heette?'

'Malpied, hij heet Rufus Malpied.'

Nienke dacht even na.

'Die luistertoets ging zeker niet heel erg goed,' zei ze uiteindelijk.

'Nee dat klopt. Hoe weet jij dat nou? En wat heeft dat hiermee te maken?' zei Patricia geïrriteerd. Ze begreep niet waarom Nienke ineens van onderwerp veranderde.

'Malpied is Frans voor Pijnvoet,' zei Nienke.

Patricia sloeg zichzelf voor haar hoofd. 'Dat meen je niet.'

Nienke knikte. Ze meende het wel.

'We moeten meteen terug,' zei Patricia zenuwachtig.

'Terug? Waar naartoe?' Fabian keek alsof hij absoluut geen zin had om op zoek te gaan naar mannen in rolstoelen.

'Hier vlakbij, waar ik hem zag!' Patricia ramde haar kluisje open en trok haar jas eruit. 'Komen jullie?'

De anderen maakten tot haar grote ergernis totaal geen aanstalten om haar te volgen.

'We moeten naar Jason voor het museum,' zei Nienke zwakjes.

'Oké, best.' Patricia stak haar neus in de lucht en liep weg. 'Dan ga ik wel alleen.'

De andere drie staarden haar na.

'Ze is een schat,' zei Fabian, 'maar soms denk ik wel eens dat ze een beetje paranoïde is.'

Ze liepen snel naar het dramalokaal om Jason te vragen of ze naar het museum mochten. Zoals Nienke wel verwacht had, vond hij het een prachtidee. Hij was zo blij met hun initiatief dat hij hen opdroeg om vooral bij Van Swieten langs te gaan om geld te halen voor de kaartjes.

'Dat hoeven jullie natuurlijk niet uit je eigen zak te halen,' zei hij terwijl hij liefdevol naar het plaatje van Nefertiti keek.

Nienke realiseerde zich opeens waarom iedereen zo gek was op zijn lessen. Het kwam niet doordat hij jong was of zo knap (al hielp dat natuurlijk wel), maar omdat hij echt gek was op zijn vak. Hij was dol op geschiedenis en literatuur en toneel en zijn enthousiasme werkte gewoon aanstekelijk.

'Ontzettend bedankt,' zei ze tegen hem. 'We zullen u – je – vertellen of het de moeite waard was.'

'Dat zou ik erg waarderen,' zei Jason met een glimlach. 'Ik ben ontzettend blij met jullie.'

'Wat is het een schatje, hè?' lachte Amber tegen Nienke. Nienke knikte en ze liepen de gang in.

Daar stond Patricia. Ze was lijkbleek.

'Patries, wat is er?' Amber holde naar haar toe.

'Je ziet eruit of je een spook hebt gezien!'

Patricia schudde met haar hoofd om hen het zwijgen op te leggen en wenkte hen naar de uitgang van de school. Ze volgden haar gedwee.

De hele weg naar huis wilde Patricia niets zeggen. De andere drie vonden het angstaanjagend eng. Zo af en toe keek Nienke naar Patricia's verbeten, bleke gezicht. Wat was er met haar aan de hand? Waarom wilde ze niets zeggen?

Ze moesten wachten totdat ze in hun kamer waren, waar Patricia voor de zoveelste keer op en neer begon te lopen, maar dit keer was ze nog zenuwachtiger dan anders.

'Jullie moeten me geloven,' begon ze. 'Beloof het me.'

'Wat moeten we geloven?' zei Fabian kalm.

'Jullie hebben een eed gezworen aan de Club!' Patricia ontplofte. 'Ik ben trouw aan de Club!'

'Rustig maar,' suste Amber. 'Ik beloof je dat ik je zal geloven, jullie toch ook?' En ze keek met een waarschuwende blik naar Nienke en Fabian.

'Ik beloof het,' zei Nienke snel.

'Oké, ik beloof het ook,' zei Fabian, een beetje nukkig. Dit ging duidelijk volledig tegen zijn rationele geest in.

Pas toen vertelde Patricia wat ze had meegemaakt toen de anderen in het museum waren. Ze was teruggegaan naar de plek waar ze Rufus in zijn rolstoel had gezien. Al vrij snel kwam er een man aan in een rolstoel, zelfs inclusief verpleegster, maar dat bleek

Rufus niet te zijn. Maar daarna, tien minuten later, was hij *wel* langsgekomen. Hij had als een zombie in zijn rolstoel gezeten. Patricia was voor hem gaan staan en had de zuster aangesproken, maar die had alles ontkend en gezegd dat ze weg moest gaan.

'Ze bleef maar zeggen dat het mijnheer Pijnvoet was,' zei Patricia schor. 'Dus vroeg ik aan hem of hij me nog herkende van school en van Huize Anubis...'

'Maar je weet zeker dat hij het was?' vroeg Fabian sceptisch.

'Ik heb hem van drie centimeter afstand gezien, dan weet je zoiets toch wel zeker?' Patricia was in Nienkes stoel gaan zitten. Ze leek compleet uitgeput.

'Oké, dat is waar,' gaf Fabian toe. 'En toen?'

'Hij reageerde maar niet, hij leek wel onder hypnose of zo, ik werd er helemaal wanhopig van. In een opwelling liet ik hem toen een foto van Joyce zien – hier, deze.' Patricia haalde haar portemonnee uit de kontzak van haar jeans en trok de foto van Joyce eruit. Ze gaf hem aan Fabian.

'En toen? En toen?' vroeg Amber gretig.

'Ik kreeg ruzie met de verpleegster. Ze bleef maar zeggen dat ik weg moest gaan en duwde me zelfs en toen ik opkeek, was Rufus verdwenen.'

'WAT?'

'Ik weet dat het raar klinkt, maar hij was verdwenen. De verpleegster was woest. Ze zei dat ik niet wist hoeveel ellende ik had veroorzaakt en liep toen snel weg met de lege rolstoel.' Patricia's stem werd steeds schorder.

Fabian en Nienke keken elkaar aan. Wat een bizar verhaal. 'Hij zag deze foto, jij kreeg ruzie met de verpleegster, lette even niet op hem en toen je opkeek was hij opeens weg?' zei Fabian en hij gaf de foto weer terug aan Patricia.

'Dat zeg ik toch? Ik weet niet waar hij was of is, ik weet alleen dat mijn beste vriendin zomaar verdwenen is. Er gebeuren allemaal rare dingen. Onze eigen conciërge heeft haar misschien wel iets aangedaan!' Patricia begon te huilen. Ze probeerde het te verbergen door haar rode haar als een gordijntje voor haar ogen te laten hangen, maar het was duidelijk aan haar bevende stem te horen.

'Ik mis Joyce zo. Ik doe alles om haar terug te krijgen maar... het lijkt wel... ik... het klopt allemaal van geen kanten...' Patricia deed nu geen moeite meer om haar tranen te verbergen en dat kon ook niet, want ze drupten op haar rood met roze T-shirt waar ze donkere kringen maakten.

Nienke ging naast haar zitten en sloeg een arm om haar schouders. 'Ik geloof je hoor, echt.'

'En ik ook!' zei Amber, die aan de andere kant ging zitten.

Patricia was de rest van de avond akelig stil geweest en had nauwelijks iets aangeraakt van de lasagneschotel die Trudie had klaargemaakt. Nienke verdacht haar ervan dat ze haar tranen aan tafel ook niet kon bedwingen, want ze was opgestaan tegen de tijd dat het toetje op tafel kwam en normaal was ze altijd te porren voor een toetje. Ze had er eigenlijk achteraan willen gaan, maar Fabian had haar tegengehouden.

'Laat haar maar even alleen,' fluisterde hij zachtjes.

Amber en Nienke waren beiden onder de indruk. De stoere Patricia die huilt, dan moet er wel echt iets aan de hand zijn.

'Ik vind het zo zielig voor Patricia,' zei Amber, die met haar vaste make-up-afhaalritueel bezig was. Er zat dit keer een blauwe laag crème op haar gezicht.

Nienke keek op van de vellen papier die op haar bureau lagen en haalde een pen uit haar mond.

'Ik ook, maar daarom moeten we deze musical ook doen,' zei ze vastberaden. 'Dan weet Victor dat er met ons niet te spotten valt,' herhaalde ze de woorden van Fabian.

'Ben je al ver?' vroeg Amber nieuwsgierig.

Nienke knikte. 'De basis heb ik nu. Het middenstuk is Egypte. We beginnen het verhaal met Sarah, een meisje dat in een groot, mysterieus huis woont. Haar ouders nemen afscheid en zij blijft alleen achter met de conciërge, een oude man die in het geheim een levenselixer aan het brouwen is van dieren.'

Amber keek bezorgd. 'En als Victor ons nou iets aandoet als hij erachter komt? Of als Joyce nog leeft en na deze musical niet...'

'Sstt! Amber, wij vormen een front. Hij staat alleen.'

'Maar wat denk je dan dat hij zal doen als hij ziet dat we hem doorhebben?'

'Ik hoop dat hij in ieder geval vertelt waar Joyce is. Aan ons, of misschien wel aan de politie. Nee ik hoop dat hij zo boos wordt dat hij uit elkaar knalt.'

'Ja dat hoop ik ook,' zei Amber enthousiast en ze pompte lucht in haar wangen alsof ze werd opgeblazen. Onder het lichtblauwe masker werd ze steeds roder.

'PANG!' riep Nienke hard.

Op hetzelfde moment liet Amber haar wangen leeglopen en viel ze als een lege Victor op de grond.

15
HET OOG VAN HORUS

De Club was de volgende paar dagen zo druk met de voorbereidingen voor de musical dat ze totaal geen tijd hadden om na te denken over het geheim in het huis, het raadsel dat ze nog moesten oplossen, het oog van Horus of wat dan ook. Van Swieten zat hen constant op hun huid dat ze toch vooral het onderste uit de kan moesten halen, omdat de musical een prestigeproject was, het visitekaartje van de school. Vooral Nienke had het beredruk, omdat ze naast het schrijven van *"Sarah en het Geheim van de Tombe"* ook nog eens de titelrol van het stuk had gekregen, nadat Jason alle meisjes had verplicht om een stukje voor hem te zingen. Mick en Mara zouden haar ouders spelen, Fabian speelde Frederik de conciërge en Jeroen en Appie waren de levende decorstukken: de slang Cleo van Frederik (een venijnige cobra), een klok, een kameel...

Amber had geweigerd het podium op te gaan ('ik ben net een schorre kraai en ik ben totaaal niet tekstvast'), dus die had zich op de kostuums, het decor en de posters gestort.

Ze zouden zelfs vergeten zijn naar de Egyptische tentoonstelling in het Zinnick Bergman te gaan, als Jason hen er niet op geattendeerd had tijdens het "achtergrondverhaal". Zo noemde Jason de verhalen die hij vertelde die te maken hadden met het thema van de musical, zodat de leerlingen zich nog beter konden inleven, waardoor ze een natuurlijker spel zouden vertonen. Dit had hij geleerd tijdens een cursus *"Hoe haal ik het beste uit mijn leerlingen?"* in de Verenigde Staten.

'Vandaag ga ik jullie iets vertellen over de vloek van de farao,' zei Jason met een geheimzinnige stem. 'Ik heb jullie al verteld dat in 1922 het graf van Toetanchamon werd ontdekt. Toen Lord Carnavon op het punt stond de tombe te openen, vonden ze op het graf een zegel met een boodschap.'

Jason liet een stilte vallen en liet zijn blik over zijn leerlingen gaan die stuk voor stuk geïnteresseerd naar hem keken.

'Wat stond er dan?' vroeg Appie opgewonden.

Als iemand van nare verhalen hield, dan was hij dat wel.

'Wie de slaap van de farao verstoort, zal worden aangeraakt door de vleugels van de dood...' stond er op het zegel. 'Maar...' Jason nam even een slokje water. 'Ze namen het niet serieus en maakten de tombe toch open. En daarmee kwam de vloek van de farao vrij.'

'Wat een kinderachtige onzin,' zei Jeroen.

'Ja, dat zeiden zij toen ook, maar twee weken na het openen van de tombe werd Lord Carnavon plotseling doodziek. Vlak voor hij stierf, ijlde hij en vertelde hij steeds over een vogel die zijn gezicht probeerde open te krabben.'

Amber keek Nienke met grote ogen aan.

Nienke wist precies waaraan ze dacht: de raaf van Victor. Amber dacht net als zij aan Corvuz.

'Wat bewijst dat nou?' smaalde Jeroen. 'Die gast was gewoon gek geworden, meer niet.'

Jason schudde resoluut zijn hoofd.

'Lord Carnavon was nog maar het begin. Daarna stierven steeds meer mensen die met de graftombe te maken hadden gehad op vreemde wijze,' eindigde hij onheilspellend.

'Hoe dan?' vroeg Appie opgewonden. 'Met details graag.'

'Slangen en schorpioenen doken plots op uit het niets, iemand stikte in zijn slaap, jonge gezonde mensen verouderden opeens en stierven...' Jason keek veelbetekenend naar het groepje.

'Er zijn nog steeds heel veel mensen die niet bij de mummie, zijn sarcofaag of wat dan ook uit de graftombe, in de buurt durven komen. Jullie zijn dus gewaarschuwd,' zei hij donker tegen Nienke,

Fabian, Amber en Patricia.

Die begrepen er niets van. Wat bedoelde hij?

'Jullie zouden met het schrijfgroepje toch naar die Egyptische tentoonstelling gaan? Dat hebben jullie zelf voorgesteld! En daar zijn genoeg spullen die uit Egyptische graven komen.'

'Oh ja, natuurlijk,' mompelde Fabian.

Hij keek naar Amber en Nienke die een beetje geschrokken keken. Helemaal vergeten!

'Als jullie de kans krijgen, dan moet je even een praatje maken met doctor Zeno Terpstra, die weet er veel meer van dan ik,' zei Jason. Hij keek op zijn horloge. 'Misschien is het handig om nu te gaan, dan kan ik met de rest wat koorliedjes repeteren.'

De vier stonden op en pakten hun spullen bij elkaar.

'Hoeoeoeoeoe!' gilde Appie. 'Pas maar op voor de vloek van de farao.'

'Vergeet niet: doctor Zeno Terpstra!' riep Jason hen na.

'Die doctor Zeno Terpstra weet vast meer over Sarah en haar ouders,' zei Fabian tegen de anderen terwijl hij zijn jas aantrok.

'Hoe zijn de ouders van Sarah eigenlijk doodgegaan?' vroeg Patricia nieuwsgierig aan Nienke.

'In een auto-ongeluk, maar Sarah zegt op de wasrollen dat ze zijn vermoord.'

Amber schrok op.

'Natuurlijk! Door de vloek van de farao,' zei ze dramatisch.

De hele weg naar het museum speculeerden ze over de vloek.

Toen ze bij het gebouw aankwamen, herkende Nienke het meteen van de foto, het was in die tachtig jaar geen steek veranderd. Alleen de kozijnen waren misschien een keer vervangen, want het hout was stralend wit en helemaal gaaf. Nienke zag nu ook dat de bakstenen een dieprode kleur hadden. De letters *ZINNICK BERGMAN* die op de gevel zaten, waren niet veranderd.

Bij de kassa zat een heel mooi meisje dat maar iets ouder was dan de leden van de Club. Ze had pittig kort zwart haar en felgroene ogen. Nienke vond dat ze wel een beetje op een kat leek en ze zag duidelijk dat Fabian onder de indruk van haar was toen hij de kaartjes bij haar bestelde. Hij bloosde tot aan zijn haarwortels. 'Veel plezier,' lachte het meisje terwijl ze de kaartjes aan Fabian overhandigde. Hij werd nog roder en stamelde iets onverstaanbaars.

Nienke voelde een rare steek in haar maag. Ze keek naar Fabian, die voor haar uit door de klapdeuren de zaal inliep. Wat was dat net voor iets raars? Het leek wel alsof ze jaloers was op dat meisje. Alleen omdat ze er mooi uitzag en 'Veel plezier' tegen Fabian had gezegd?

Nienke begreep haar eigen reactie niet.

Heel veel plezier hadden ze trouwens niet, de sfeer in het museum was koud en sober. Door de kleine raampjes kwam maar weinig daglicht en daarvoor in de plaats hingen overal tl-buizen die een ongezellig licht over de Egyptische kleinoden verspreidden. De spullen uit de Egyptische oudheid lagen in zakelijke witte vitrines. Helaas nam de tentoonstelling maar één zaal in beslag. Nienke vond het eigenlijk een beetje teleurstellend.

Maar dat komt natuurlijk omdat we al die mooie dingen op de dia's van Jason hebben gezien, dacht Nienke. Hier hadden ze natuurlijk niet het dodenmasker van Toetanchamon. Dat stond vast in een museum in Caïro en werd alleen maar heel soms aan andere musea uitgeleend en dan natuurlijk alleen aan de allergrootste musea van de wereld.

Ze liepen langs de rijen gouden vaasjes, oorbellen, scherven met inscripties, aardewerken potten... Het hoogtepunt van de tentoonstelling was een gemummificeerde kat die bruin en stoffig op rood fluweel zijn eeuwige slaap sliep. Zijn magere pootjes staken stijf vooruit en zijn kop stak uit de half vergane windsels. Geen prettig gezicht, want je keek zo in de lege oogkassen en in de leerachtige huid van zijn wang zat een gat waardoor je zijn tanden kon zien zitten.

'Zielig,' vond Amber. En dat vonden de anderen eigenlijk ook, vooral toen ze lazen dat veel katten, ondanks hun heilige status, speciaal werden gefokt om vervolgens weer gedood en gemummificeerd te worden.

'Is dit alles?' vroeg Patricia teleurgesteld toen ze de zaal twee keer waren doorgelopen.

Nienke haalde haar schouders op. 'Ik denk het,' zei ze zachtjes.

'Wacht, misschien is daar nog meer.' Patricia wees op een dubbele klapdeur met een groen bordje met 'uit' erop.

'Ik weet het niet hoor,' begon Nienke, maar Patricia had de deur al opengemaakt. De andere drie volgden haar weifelend door de klapdeur. Ze stonden in een oud trappenhuis. Hier was de sfeer heel anders. De tl-verlichting was verdwenen, waardoor de vergane grandeur van het gebouw een stuk beter tot zijn recht kwam. De witmarmeren trap was breed en statig en de donkerbruine trapleuning glom van de boenwas. De muren van het trappenhuis bestonden gedeeltelijk uit glas-in-loodramen.

'Art deco,' zei Fabian zachtjes. Hij keek bewonderend naar de grillige patronen die in het lood zaten gevat.

Patricia wees naar boven en de anderen volgden haar de trap op. Boven gingen ze weer door klapdeuren, waarna ze in een lange gang stonden. Aan beide kanten zaten deuren in de muur en het rook er oud en muf, alsof er nooit meer iemand op de verdieping kwam.

'Drs. Michaele de Nooy, oude geschiedenis,' las Patricia op een klein koperen plaatje naast de deur die het dichtst bij hen zat. Ze liepen verder de gang in. Hun voetstappen klonken hol op de afgesleten houten vloer en in de zonnestraal die door het kleine raampje aan het eind van de gang kwam, dansten duizenden gouden stofdeeltjes.

'Dr. W. Wensink, Griekse Mythologie,' las Nienke op een andere deur.

'Kom eens!' fluisterde Patricia opgewonden.

Ze stond bij een deur en tikte op het plaatje.

'Dr. Zeno Terpstra, Egyptologie,' las Fabian hardop voor. 'Daar had Jason het over.'

Ze aarzelden even. Moesten ze aankloppen?

Patricia trok de stoute schoenen aan en klopte zachtjes op de houten deur. Niks.

Ze luisterde aan de deur en klopte nog een keer, harder nu, maar er kwam weer geen reactie. Ze voelde aan de koperen deurknop.

De deur was open.

'Hallo?' riep ze zachtjes.

Patricia spiedde om de deur heen de kamer in.

'Niemand.'

Patricia duwde de deur verder open en stapte naar binnen.

De kamer was overvol. Drie van de wanden werden volledig in beslag genomen door boekenkasten met daarin rijen en rijen boeken en dossiermappen, die ook overal op de grond opgestapeld lagen. De vloer was bezaaid met papieren en het enorme bureau dat tegen de vierde wand, de raamkant, stond ook. Overal stonden spullen die overduidelijk uit Egypte kwamen: een ingelijste schorpioen, een *presse-papier* in de vorm van een scarabee en ze zagen zelfs boekensteunen in de vorm van sfinxen.

Ze keken voorzichtig de kamer rond.

'Kijk!' Amber wees naar een ingelijste poster van het dodenmasker van Toetanchamon. Ernaast hing een oude zwart-witfoto.

Nienke voelde een ijskoud vingertje over haar rug gaan toen ze zag wie erop stonden. Het waren de Winsbrugge-Hennegouwens. Ze stonden lachend voor een piramide. Eronder hing een vergeeld artikel uit de krant.

'*Echtpaar omgekomen in tragisch auto-ongeluk,*' las Nienke de kop voor.

'De vloek van de farao,' zei Amber stilletjes.

'De dood komt op snelle vleugels naar degene die aan het graf van de farao komt,' sprak een zware mannenstem achter hen. De deur sloeg dicht.

Ze draaiden zich verschrikt om. Voor de dichte deur stond een kleine man met een ouderwets grijs pak aan. Er liepen diepe groeven in zijn gezicht en zijn spierwitte haar was heel kort geknipt.

Ondanks zijn lach vond Nienke hem niet sympathiek, zijn ogen lachten niet mee.

De man knakte met zijn vingers.

'De deur stond open, we dachten dat het bij het museum hoorde,' stamelde Amber.

De man keek met zijn koude ogen rustig over het groepje in zijn kamer. Hij negeerde Ambers opmerking.

'Dus jullie zijn geïnteresseerd in de Winsbrugge-Hennegouwens,' zei hij langzaam en zijn blik bleef even bij Nienke hangen. Ze sloeg haar ogen meteen neer, ze kon niet tegen de vreemde blik van die man.

'Kent u ze? De familie Winsbrugge-Hennegouwen?' vroeg Fabian dapper en wees naar de foto.

'De familie Winsbrugge-Hennegouwen. Dat is een lange geschiedenis met een tragisch einde.' De man schudde met zijn hoofd en keek treurig, maar om zijn mond zat een harde trek.

Nienke deed onwillekeurig een stapje naar achteren. Eigenlijk wilde ze heel graag weg, deze kamer uit. Ze keek naar Amber, die eruitzag alsof ze bij de duivel op de thee zat.

'Ik wil weg,' fluisterde Amber zachtjes.

Maar de man hoorde het toch. 'Als je ongevraagd bij doctor Zeno Terpstra binnen komt lopen, wil het niet zeggen dat je zomaar weg mag,' zei hij, weer met dat langzame, slepende toontje. 'Vertel eerst maar eens wat jullie hier denken te doen.'

Amber keek angstig naar de anderen en spiedde toen naar de deur, maar doctor Zeno Terpstra stond er met zijn stevige lichaam voor. Fabian stapte een beetje beschermend naar voren.

'Weet u wat het oog van Horus is?'

Nienke was verbijsterd. Hoe kwam Fabian erbij om dat op dit moment te vragen? Ze dacht dat ze even een glimp van interesse in het gezicht van Zeno Terpstra zag flitsen, maar misschien had ze het zich wel verbeeld...

Hij sprak in ieder geval niet anders dan daarvoor. 'Het oog van Horus? Dat is het alziend oog, een krachtig symbool uit de Egyptische oudheid.' Zeno Terpstra draaide zich half om naar de boekenkast achter zich, maar bleef het groepje in de gaten houden. Hij pakte een lijstje van een plank en blies het stof eraf.

'Dit is het oog van Horus.' Hij hield het lijstje op, zodat ze het allemaal konden zien. Het was een oog met stralen eromheen, gevat in een driehoek.

Nienke ademde hoorbaar in en greep onwillekeurig naar het medaillon om haar nek.

Dus dat was het oog van Horus! Hetzelfde teken als op haar medaillon! Ze had het steeds om haar nek gehad, zonder dat ze het doorhad!

Zeno Terpstra zag het.

'Wat heb je daar?' vroeg hij scherp. Hij nam een paar grote passen en voordat Nienke hem kon tegenhouden, had hij het medaillon al in zijn hand. De ketting sneed pijnlijk in haar nek en ze rook Zeno Terpstra's geur, een mix van pijptabak en ouderwetse aftershave.

'Hoe kom je hieraan?' Zeno Terpstra keek haar met zijn koude ogen aan. Ze waren zo donker dat je nauwelijks een pupil kon zien. Nienke wist opeens waar ze haar aan deden denken. Het waren de ogen van een witte haai. Die keken ook zo koud en emotieloos.

'Hoe kom je hieraan,' vroeg Zeno Terpstra weer, toen Nienke geen antwoord gaf.

'Gekregen,' zei ze uiteindelijk en probeerde het medaillon uit zijn handen te trekken maar hij hield het stevig vast.

'Dit is een heel zeldzaam en kostbaar stuk uit het oude Egypte. En dat heb je zomaar gekregen?' zei Zeno Terpstra hebberig. 'Ik zou het graag nader willen onderzoeken.'

'Ik houd het liever zelf.' Nienke slaagde er eindelijk in het medaillon uit Zeno Terpstra's grijpgrage vingers te halen en stopte het snel onder haar trui.

Zeno Terpstra keek teleurgesteld. 'Komt het uit de erfenis van de familie Winsbrugge-Hennegouwen?'

'We moeten gaan,' zei Nienke dapper en liep snel om doctor Zeno Terstra heen. Ze verwachtte eigenlijk dat hij hen niet zou laten gaan, maar hij bleef staan.

Toen ze bijna de deur uit waren, begon hij plots te praten.

'Het is de wraak van de farao. Omdat ze zich niet konden bedwingen, omdat ze een schat uit het graf van de farao hebben meegenomen. Laat het met rust. Het is niet van jullie,' klonk zijn donkere stem dreigend achter hen.

'Kom op, rennen!' siste Patricia.

Ze renden door de gang de trap af en klapten de deur open die naar de museumzaal leidde. Een suppoost keek verwonderd op, maar voor die doorhad waar ze vandaan kwamen, renden ze de deur al uit.

Buiten bij de fietsen voelden ze zich eindelijk veilig. Nienke hijgde van het rennen en van de spanning.

'Wat een engerd!' gilde Amber bang. 'Zag je hoe hij keek?'

'Hij ging bijna door het lint toen hij je medaillon zag, Nienk.' Fabian keek naar het gebouw, alsof hij zich ervan wilde verzekeren dat Zeno Terpstra hen niet volgde.

'Hij zei dat we het met rust moeten laten, dat de ouders van Sarah iets hebben meegenomen uit het graf...' Nienke sprak gehaast en voelde intussen voor de zekerheid of het medaillon nog wel om haar nek hing.

'Dat betekent dus echt dat er iets in het huis ligt,' zei Amber geschrokken. 'Wat een nare kerel.'

Fabian trok iets onder zijn trui vandaan.

'Hij vindt het vast niet erg dat ik dit even van hem heb geleend.' Het was het lijstje met de afbeelding van het oog van Horus erin.

Amber zette grote ogen op. 'Heb je dat gestolen?'

'Nee, geleend zeg ik toch?' zei Fabian verbolgen.

Ze keken naar het oog.

'Het komt me zo bekend voor,' zei Fabian langzaam.

'Ja, hallo, natuurlijk komt het je bekend voor, het staat op Nienkes medaillon!' zei Patricia bijdehand.

'Ja, hallo, dat weet ik ook wel! Ergens anders van.' Maar Fabian kon er niet opkomen.

'Deed die Zeno Terpstra daarom zo raar, denk je?' Nienke had nog steeds een beetje een naar gevoel in haar maag van die man.

'Omdat het oog van Horus op jouw medaillon staat? Misschien...' zei Fabian dromerig.

Hij leek er niet helemaal bij met zijn gedachten, maar staarde naar de wolken die voorbijdreven op de wind en de zwiepende boomtoppen eronder.

Hij heeft weer een denkmoment, dacht Nienke toen ze zijn ogen zag oplichten. 'Is er wat?' vroeg ze hem, maar hij schudde meteen zijn hoofd.

'Nee, nee, er is niks,' zei hij snel en liep naar zijn fiets.

Maar er was wel wat. En Nienke kwam er 's avonds achter wat het was.

'Nienke, Amber!'

Er werd op de deur geklopt. Patricia kwam binnenstormen in haar pyjama en knipte het licht aan.

'Patries, wat is er?' zei Nienke, die ruw gestoord werd in haar droom over Egyptische schatten en gemummificeerde katten op rood fluweel.

'Het-is-Fabian,' hijgde Patricia. 'Victor-heeft-hem!'

'Wat? Ik begrijp er niks van!' Nienke kwam overeind en wreef in haar ogen. 'Doe eens rustig!'

Amber werd nu ook wakker.

'Waarom is het licht aan?' klaagde ze. Toen pas zag ze Patricia en kwam ook overeind. 'Patries, wat doe je hier?'

Patricia haalde diep adem en begon opnieuw. Ze vertelde dat ze naar de badkamer liep om te plassen toen ze opeens stemmen hoorde. Het waren Victor en Fabian.

'Victor sleurde Fabian mee naar zijn kantoor,' zei ze gehaast. 'En weet je waar Victor het over had? Over een wasrol!'

Nienke schrok zich dood.

'Hij zei iets van "een wasrol. Er staat volgens mij nog ergens een afspeelapparaat op zolder".'

'Wat?' Nienke stond in één tel naast haar bed en pakte haar kamerjas. 'Hij weet van de fonograaf?'

'Ik denk het. En hij had een wasrol in zijn hand!'

'Ik wist het,' mompelde Nienke in zichzelf. 'Hij heeft het raadsel opgelost.'

'Wie? Victor?' vroeg Amber, die er niets van begreep.

'Nee, Fabian! Hij heeft het laatste raadsel opgelost en nog een wasrol gevonden! Victor mag die echt niet beluisteren!'

Nienke graaide in de la van haar bureau en haalde er twee zaklampen uit. 'Hier,' zei ze en duwde er eentje bij Patricia in haar hand.

Die had meteen door waar ze naartoe gingen. 'Gaan we het apparaat vernielen?'

'Nee, ik weet iets beters. We gaan het verstoppen,' zei Nienke en ze deed zachtjes de deur open. Een tel later was ze opgeslokt door de duisternis in de gang.

Met z'n drieën slopen ze over de zolder naar de geheime wand. Nienke was nog zenuwachtiger dan anders. Ze wist nu zeker dat Victor elk moment de zolder op kon komen. Ze hadden haast.

Ze schoof de wand weg en richtte haar zaklamp op de fonograaf. 'Help eens een handje,' zei ze tegen de andere twee.

Ze tilden met z'n allen het zware apparaat op en liepen er twee meter mee toen Amber begon te sputteren.

'Even neerzetten, ik houd hem niet meer.'

Ze zetten het apparaat voorzichtig neer en strekten even hun rug.

'Jeetje, dat ding is loeizwaar,' steunde Amber en dat was niet overdreven. Het ding was veel te zwaar om naar beneden te dragen.

'Wat moeten we dan?' fluisterde Patricia ongerust.

'Sttt!' Nienke hield haar vinger voor haar mond.

De zolderdeur ging open.

'Snel, snel!' Nienke duwde de andere twee achter de geheime wand en trok vervolgens de kap van de fonograaf. Ze morrelde even.

'Kom nou!' siste Patricia en trok Nienke aan haar schouder. De voetstappen waren al halverwege de trap.

'Nog één seconde.' Nienke klapte de kap dicht, nam een duik en duwde de wand dicht. Ze was net op tijd, de voetstappen hadden de bovenkant van de trap bereikt.

'Victor?' vroeg Patricia bijna geluidloos.

Nienke spiedde door de spleet. Het was inderdaad Victor die zich een weg baande door de oude rotzooi. Hij zwaaide wild met z'n zaklamp toen hij met z'n hoofd in een sliert spinrag liep.

'Verdraaide zolder,' hoorde ze hem mompelen. 'Waar is dat apparaat?'

Ze hoorden wat gerommel en Victor tikte per ongeluk tegen de wand. Er klonk een doffe dreun en Nienke voelde dat Amber naast haar in elkaar dook. Ze deed een schietgebedje. Als hij nou maar niet de geheime wand ontdekte, want dan waren ze er gloeiend bij.

'Aha!' hoorde Nienke een seconde later. Het klonk opgelucht. Victor had de fonograaf gevonden. Ze kwam heel zachtjes omhoog en spiedde door de spleet de zolder over. Victor stond over het apparaat gebogen en tilde het met zichtbare moeite op. Omdat hij beide handen nodig had, had hij de achterkant van zijn zaklamp in zijn mond gestopt en maakte daardoor rare snuivende geluiden bij het in- en uitademen.

Ze hoorden hem langzaam de trap aflopen, hem nog een keer onverstaanbaar binnensmonds vloeken... Toen was hij verdwenen.

Pas na een paar minuten durfde Nienke weer te praten.

'Kom, wij gaan ook naar beneden,' zei ze zachtjes en ze schoof de wand opzij. Ze kwamen trillend overeind en haastten zich de trap af. Aan het eind van de gang zagen ze licht branden. Victor zat in zijn kantoor en was nu waarschijnlijk bezig met het afspeelapparaat.

Ze slopen door de gang en gingen de donkere kamer binnen. Nienke stond voor haar bed toen ze bijna een hartverlamming kreeg.

Iemand pakte haar van onder haar bed bij haar voet!

Ze gaf een gesmoorde kreet.

'Stt! Ik ben het,' siste Fabian en hij stak zijn hoofd onder haar bed vandaan.

'Fabian, ik schrik me dood!' Nienke trok aan zijn armen om hem te helpen. 'Wat doe je hier?'

Fabian klopte het stof van zijn pyjama. 'Ik moest jullie spreken.'

Fabian vertelde zijn verhaal. Hij was er bij het museum al vrij zeker van dat hij het oog van Horus ergens in huis had gezien en was 's avonds naar de hal gegaan om daar te kijken. Hij had gelijk gehad. Op het plafond, boven het begin van de trap stond inderdaad het oog van Horus geschilderd!

'Toen wist ik het opeens. De twee donkere holtes waren niet de kelder en de zolder, maar de twee grote bollen aan het begin van de trapleuning,' zei Fabian gejaagd.

Hij had er eentje open gewrikt en daar had inderdaad een nieuwe wasrol ingezeten. En precies op dat moment had Victor hem betrapt.

'Hij wist heel veel,' zei Fabian ongerust. 'Hij wist dat we bij Zeno Terpstra waren geweest en dat het een wasrol was die ik bij me had... en toen zei hij dat...'

'... er een afspeelapparaat op de zolder stond,' maakte Patricia zijn zin af.

Fabian keek verbaasd.

'Ik moest naar de wc toen ik jullie stemmen hoorde... Ik zag dat Victor de wasrol van je afpakte en dat hij je meenam naar zijn kantoor.'

'Wij zijn naar de zolder gegaan,' zei Nienke snel. 'Om de fonograaf te halen.'

'Ja, maar dat ding was veel te zwaar voor ons,' zei Amber somber. 'En nu heeft Victor hem alsnog.'

'Alleen heeft hij er nu niks meer aan,' zei Nienke triomfantelijk en grabbelde in de zak van haar kamerjas. Ze haalde er een deel van de fonograaf uit.

'Ik heb de afspeelkop er afgehaald.'

Fabian sprong op en omhelsde Nienke. 'Geweldig, Nienke! Ik dacht dat alles verloren was...'

Nienke begon te blozen en keek verlegen naar Fabian, die weer ging zitten.

'Maar wat hebben jullie een mazzel gehad! Ik vroeg me al af hoe Victor wist dat ik precies op dat moment aan de trap stond te sleutelen. Ik dacht eerst dat het een ongelukkig toeval was, maar dat was het helemaal niet.'

Fabian vertelde hoe Victor hem had meegenomen naar zijn kantoor om te laten zien dat hij niet hoefde te proberen om de wasrol weer te pakken te krijgen. Victor had de kluis opengemaakt en voor Fabians ogen de wasrol erin gelegd.

'Dat meen je niet!' gilde Amber. 'Nu is alles wel verloren! Daar komen we nooit bij!'

'Stil nou!' siste Patricia. 'Laat hem nou z'n verhaal vertellen.'

Amber deed haar mond open om een weerwoord te geven, maar bedacht zich toen en deed haar mond weer dicht.

Fabian vervolgde zijn verhaal. Hij had allemaal rare apparatuur in Victors kantoor zien staan en er zat een doek over iets heen wat hij duidelijk niet mocht zien. Toen Victor de wasrol per ongeluk had laten vallen nadat hij de kluis had geopend, had Fabian er stiekem even onder gekeken.

Het waren monitoren.

En op eentje had hij Amber, Patricia en Nienke bij de zolderdeur zien staan.

'Overal in het huis hangen camera's. Er is geen plekje dat Victor niet in de gaten houdt!' zei Fabian ontdaan.

'Camera's?' Nienke kon haar oren niet geloven. Camera's? Hield Victor hen de hele tijd in de gaten? Dat kon toch niet?

Amber keek meteen paranoïde door de kamer. 'Camera's? Waar dan?'

'Niet hier,' verzekerde Fabian hen. 'Als hij hier camera's op zou hangen, zou hij wel heel fout bezig zijn, met meisjes en zo. Maar verder overal.'

'Dat kan hij toch niet maken? Dit kan hij gewoon echt niet maken!' Patricia zag witheet van woede en stond met gebalde vuisten op.

'Ik ga nu naar hem toe om er wat van te zeggen! Dat is wettelijk verboden!' Ze wilde naar de deur lopen, maar Fabian hield haar tegen.

'Denk je dat Victor zich daar iets van aantrekt?'

'Victor heeft gewonnen,' zei Amber gedeprimeerd. Ze zag eruit alsof ze elk moment kon gaan huilen. 'Hij heeft de laatste wasrol, het afspeelapparaat. Wat kunnen we nu nog doen? Het is compleet hopeloos.'

Ze zuchtte en viel achterover op haar bed.

'Nee! Er moet een manier zijn!' zei Nienke.

De anderen keken verbaasd op. Zo fel hadden ze Nienke nog nooit horen praten.

'Wat dan? Proberen de kluis te kraken met honderd camera's op je smoel?' zei Patricia sarcastisch, maar Nienke deed net of ze het sarcasme in Patricia's stem niet hoorde. Ze dacht even na.

'Het is niet onmogelijk,' zei ze na een tijdje. Ze had weer die vastberaden toon in haar stem. 'We doen het over twee dagen, tijdens de musical. Dan zit Victor toch in de zaal en dan kunnen wij de wasrol terugpakken.'

16
DE MUSICAL

Nienke was vastbesloten. De anderen verklaarden haar voor gek maar ze bleef bij haar standpunt.

'Ik ga dit echt doen, Fabian. Dit is onze laatste kans.' Ze stond samen met Fabian, Amber en Patricia achter op het podium. 'Ik heb een heel stuk niets te doen. Na de tweede scène ben ik weg en na de pauze ben ik terug met de opgenomen wasrol.'

'Nienk, je doet het niet. Die man heeft camera's! Hoe wil je die nou ontwijken?' bemoeide Amber zich ermee. Ze zwaaide driftig met haar script om haar woorden kracht bij te zetten.

'Jongens, blijf er even bij!' Jason liep zenuwachtig naar het groepje. 'We hebben nog maar een dag en het loopt nog lang niet soepel. Nienke, trek jij ook je kostuum aan? Ik wil zo nog even het beginlied met je doornemen.'

Nienke knikte en wachtte totdat Jason buiten gehoorafstand was. 'Ik doe het wel!' zei ze stoïcijns.

Fabian trok even aan zijn zwarte cape, het kostuum van Frederik de conciërge, en zuchtte nog eens diep. 'Waarom kan het niet op een andere manier?'

Op de voorgrond begonnen Mick en Mara te zingen. Het klonk nog nergens naar. Jason kauwde van frustratie op zijn script en Appie en Jeroen stonden smakelijk te lachen.

'Ik ga tijdens de musical naar de kluis. Die wasrol, die moeten we hebben!' Er fonkelde iets in Nienkes bruine ogen die normaal zo zachtaardig keken. 'Niets anders dan dat! En dit is onze laatste kans!'

'Ja, ja, je valt in herhaling.' Patricia keek moeilijk. 'Maar hoe wil je die kluis openmaken? Een deur met een haarspeld, oké, maar een kluis met een cijferslot, daar heb je wel wat heftigere instrumenten voor nodig.'

Daar wist Nienke ook niks op. Eigenlijk wilde ze daar niet over nadenken. Ergens had ze het – kinderlijke – idee dat de kluis op een magische manier gewoon open zou gaan, maar ze wist ergens ook wel dat het onzin was.

'En de camera's dan?' zei Amber weer. 'Hij ziet alles!'

Fabian dacht even na. 'Daar moet toch wel wat aan te doen zijn?'

'Appie, ga eens iets opzij.' De vermoeide Jason probeerde Appie ertoe te bewegen om uit de scène van Mick en Mara te verdwijnen.

'Hé Ap, kun je even komen?' vroeg Fabian nonchalant.

'Wat doe je?' siste Patricia, maar Fabian negeerde haar. Appie kwam blij aangerend en nam Amber en passant mee in een woeste wals.

'Engerd, laat me los!' zei ze terwijl ze met haar handen op zijn trui sloeg. Appie liet haar prompt tijdens een draai los zodat ze bijna achterover viel, terwijl Appie een buiging naar Fabian maakte. 'Wat wilt u, edele heer?'

'Jij weet toch zoveel van computers en apparatuur?' vroeg Fabian.

'Zeker,' zei Appie trots. 'Voor u staat de jongste hacker van Nederland die ooit de site van de Algemene Inlichtingen- en Veiligheidsdienst heeft gekraakt en het bericht *"A. was here"* achterliet.'

Fabian knikte bewonderend en trok hem mee de coulissen in. Hij vertelde hem snel dat ze erachter waren gekomen dat Victor iedereen in het huis met camera's in de gaten hield.

'Dit is ziek. Dit komt regelrecht uit *"SAW"*, man. Straks moeten wij elkaar vermoorden terwijl hij toekijkt,' reageerde Appie op z'n typische Appie-manier.

'Waar heb je het over?' zei Amber.

Appie wuifde het weg. 'Laat maar, dat is geen film voor chicks.'

'We hebben het niet over een film. Dit is echt!' zei Patricia geïrriteerd.

'Ja, dat weet ik ook wel!' zei Appie nog geïrriteerder.

'Rustig! Denk na! Er moet een oplossing zijn. De apparatuur onschadelijk maken of zo.' Fabian spreidde zijn handen in een gebaar van ik-bedenk-ook-maar-wat.

Appie schudde zijn hoofd.

'Ik weet iets beters.'

Ondanks herhaaldelijk aandringen van de anderen wilde Appie niets meer loslaten. Hij moest eerst even wat regelen, had hij geheimzinnig gezegd. Ze moesten maar vertrouwen in hem hebben. Als het allemaal goed ging, zou hij 's avonds wel bij hen langskomen om te laten zien wat hij had gedaan.

Nienke, Amber en Patricia zaten vol spanning na het eten op hun bedden. Appie had het blijkbaar zo druk gehad dat hij niet eens tijd had genomen om te eten. Hij was tijdens het avondeten niet aan tafel verschenen, wat helemaal niets voor hem was. Hij nam zijn taak blijkbaar heel serieus.

Er werd op de deur geklopt.

'Binnen,' riep Nienke snel.

Appie kwam binnen met een laptop en een aantal snoeren in zijn handen. Fabian kwam erachteraan. Hij droeg een soort joystick en een zwart kastje met zilveren knopjes.

Nienke keek hem vragend aan, maar hij haalde zijn schouders op. 'Kan ik hier zitten?' Zonder op antwoord te wachten, veegde Appie een paar boeken van Nienkes bureau op de grond en zette voorzichtig de laptop neer.

'Zeg nou eens wat! Is het gelukt?' riep Patricia gefrustreerd. Maar Appie hield zijn vinger op zijn lippen ten teken dat ze haar mond moest houden. Hij begon in sneltreinvaart de laptop en alle andere dingen klaar te zetten. De anderen keken elkaar vertwijfeld aan. Waar was hij mee bezig? Nienke had zelf niet zo heel veel kaas gegeten van computers – dat was het enige nadeel van het opgroeien bij je oma – en keek vol bewondering toe hoe Appie de laptop en het apparaat met allerlei snoertjes aan elkaar verbond, en vervolgens ingespannen op het toetsenbord begon te rammen.

'Kijk!' zei hij trots toen hij klaar was. Hij sprong op om ruimte te maken voor de anderen. Ze verdrongen zich om de laptop heen. Op het scherm zagen ze een lege gang en een dichte deur.

'Dat is onze deur!' gilde Amber.

'Ja, en?' zei Patricia.

'Loop maar eens naar buiten?' zei Appie.

Patricia keek hem aan alsof hij gek was geworden, maar deed toch wat haar gevraagd werd. Ze deed de deur open en liep de gang op. Nienke hield haar adem in. Op het scherm bleef de deur dicht.

'Kom maar weer terug!' riep Appie tegen Patricia.

'Goed hè? En dat is met elke camera zo.' Hij scrolde met de muis. Ze zagen achtereenvolgens een lege woonkamer, een lege jongensgang, een lege hal...

'Dit is het enige wat Victor ziet.'

'Je bent geweldig, Ap,' gilde Amber en omhelsde hem enthousiast, waarbij ze bijna de laptop van het bureau af stootte.

'Kijk uit! Dit ding moet wel weer heel terug naar Thomas,' zei Appie bezorgd. 'Anders krijg ik mijn opa's horloge niet meer terug.'

'Sorry,' zei Amber schuldbewust en ze deed voor de zekerheid een stapje achteruit. 'Heb jij je opa's horloge als onderpand gegeven?' vroeg ze ongelovig.

Appie haalde zijn schouders op.

'Met een horloge kan je dit niet.' Hij begon op een aantal toetsen te rammen. 'Let op!'

Plotseling verscheen Victors kantoor op het scherm. Victor zat achter zijn bureau met Corvuz op zijn schoot.

'Wauw,' riep Fabian enthousiast. 'Hoe krijg je dat voor elkaar?'

'Ik heb de camera van de hal gedraaid. En dat is nog niet alles...' Appie lachte geheimzinnig en tikte weer iets in op het toetsenbord. Meteen werd Victor groter. Daarna pakte hij de joystick en bewoog het hendeltje. De camera bewoog eerst naar links en toen naar rechts.

'En zo kunnen we hem gewoon volgen...'

'Mag ik even?' zei Fabian.

Nienke lachte om de gretigheid die ze in zijn ogen zag.

Appie maakte plaats voor Fabian. 'Natuurlijk, ik moet toch even naar de plee.' Appie liep naar de deur. 'Maar wel voorzichtig, hè?' zei hij terwijl hij de gang inliep.

Fabian knikte afwezig. Zijn ogen zaten vastgeplakt aan het scherm. Hij speelde met de joystick, maar Victor deed maar weinig, dus echt veel was er niet aan.

'Dat is nog eens een leuke game,' zei Nienke sarcastisch.

'Wel als je hem kunt afschieten of opblazen...' zei Patricia lachend. 'Oh kijk, hij beweegt.'

Victor trok op het scherm een laatje open en haalde daar een map uit. Hij kwam uit zijn stoel en liep richting de muur.

Fabian volgde hem met de knoppen op het toetsenbord.

'Het zal toch niet?' fluisterde Nienke gespannen, maar het was waar. Victor stond voor de kluis.

'Snel! Pen en papier!' gilde Nienke tegen niemand in het bijzonder. Amber keek om zich heen en gaf Nienke uiteindelijk een zwart oogpotlood en een tissue aan. Intussen zoomde Fabian tot het maximale in. Ze zagen nu alleen nog de kluisschijf en Victors harige hand.

'Kun je het zien?' Nienke zat met haar oogpotlood in de aanslag.

Fabian boog zich voorover naar het scherm om niks te missen. 'Hij zit ervoor. Nee wacht! Een 2... een 6... een 1... nog een 1... en nog 1.'

'Drie enen?' vroeg Nienke, die zo goed mogelijk de code noteerde met het vettige potlood.

'Ja, en een 9... een 2 en nog een 2.' Fabian leunde achterover. 'Dat was het.'

Op het scherm trok Victor de kluis open en legde het dossier erin. Ze konden de wasrol duidelijk zien liggen.

'Dus: 2-6-1-1-1-9-2-2... We hebben het!' riep Nienke en ze begon te juichen.

Fabian kwam uit zijn stoel en omhelsde haar, maar liet haar meteen weer los toen de deur openging. Appie kwam binnen en keek naar het scherm. Victor zat weer op zijn stoel.

'Heb ik iets gemist?' vroeg hij nieuwsgierig.

'Ja, Victor peuterde heel smerig in zijn neus,' zei Patricia en stak haar vinger in haar eigen neus.

'Echt? Ranzig!'

Nienke droomde 's nachts dat ze in haar pyjama op de zolder stond. Er scheen een geheimzinnig licht achter de geheime wand, die vanzelf openging. Nienke schrok even, maar zag toen dat Sarah achter de wand stond. 'Je mag niet opgeven, Nienke!' zei ze dwingend tegen haar en strekte haar armen naar haar uit.

Toen Nienke wakker werd, voelde ze zich nog meer gesterkt in haar plan. Ze had bijna het gevoel dat Sarah ervoor had gezorgd dat ze de code van de kluis had gekregen.

's Ochtends bij het ontbijt was ze bloednerveus, maar dat viel niemand op. Ten eerste was iedereen zelf nerveus voor de opvoering van die avond en ten tweede dacht iedereen dat ze zo zenuwachtig was omdat ze de hoofdrol moest spelen.

Maar Nienke dacht helemaal niet aan de musical, ze dacht aan haar plan, de laatste kans om de wasrol te pakken te krijgen! Zo af en toe keek Fabian een beetje zorgelijk naar haar. Nienke wist dat hij haar voor gek verklaarde, dat hij het veel te gevaarlijk vond, maar zij was ervan overtuigd dat het zou lukken. Als ze zoiets onmogelijks voor elkaar hadden gekregen als een kluiscode te pakken krijgen, dan moest de rest ook lukken, toch?

Na het ontbijt haastten ze zich naar het theater, waar ze eerst 's middags de try-out en 's avonds de opvoering van het stuk zouden hebben. Voor de ingang bespraken Fabian en Nienke de laatste details van het plan. Amber plakte intussen nog een extra poster van *"Sarah en het Geheim van de Tombe"* op het raam.

'Kijk! Kijk! Kijk! Hier staat ie ook mooi, toch?' riep ze enthousiast met een mond vol plakbandstukjes.

'Mooi hoor!' riep Fabian, maar hij was er helemaal niet bij met z'n hoofd.

'Goed hè? Ik ben zo nerveus,' ratelde ze. 'Stel nou dat het niet lukt. Of dat Victor helemaal niet komt kijken? Wat dan?'

'Victor zit zeker in de zaal,' zei Fabian rustig maar Nienke zag aan zijn gezicht dat hij veel zenuwachtiger was dan hij zich voordeed.

'Oké, luister.' Nienke trok Fabian aan zijn mouw. 'Ik vertrek bij de laatste scène voor de pauze. Ik ga af, trek mijn jurk uit en ren naar de fiets. Met de pauze erbij heb ik voldoende tijd om heen en weer te fietsen.'

'Scène met Mick en Mara... dan dat stuk met de dans... en dan het verhaal van de farao... Dan heb je ongeveer een half uur,' telde Fabian.

'Dat moet meer dan voldoende zijn, toch?'

'En je wil de wasrol zeker opnemen? Kun je hem niet meenemen? Dat geeft meer tijd,' suggereerde Fabian.

'Nee, natuurlijk niet, gek! Dan weet Victor toch dat we zijn kluis hebben gekraakt? Dan kan ik het net zo goed een andere keer doen.'

Amber keek op van haar poster. 'Waarom doen we het eigenlijk niet vannacht of morgen?'

'Nee, we doen het nu. Ik wil het nu,' zei Nienke koppig. 'Dit is het moment... Als Victor de voorstelling heeft gezien, weet hij dat wij hem op het spoor zijn. Misschien vernietigt hij de wasrol dan wel!'

'Je hebt gelijk,' knikte Fabian. 'Dit is onze enige kans. Maar eigenlijk is het absurd, het risico is veel te groot.' Fabian wilde wel positief doen, maar hij vond het eigenlijk belachelijk dat Nienke dit risico wilde nemen. Maar ze wilde er niks van horen. Ze had weer diezelfde felle twinkeling in haar ogen. 'Dit gaat lukken. Dit moet lukken!'

'Heb je alles wat je nodig hebt?'

Nienke stopte haar hoofd in haar tas. 'Even kijken... de datrecorder en het ontbrekende gedeelte van de fonograaf.' Ze stroopte haar broek omhoog en liet Fabian de cijferreeks zien die op haar been stond. 'En de code van de kluis.'

Fabian keek op zijn horloge. 'We moeten opschieten, anders

zijn we te laat voor de eerste doorloop en vilt Jason ons denk ik levend.'

Ze renden het theater binnen, waar Jason inderdaad al zenuwpezend op hen stond te wachten.

'Ga je maar snel verkleden,' zei hij en hij wees richting kleedkamers. 'We beginnen over tien minuten.'

Zowel de eerste doorloop als de try-out gingen niet briljant, maar dat stemde Jason niet al te somber. 'Een slechte try-out is een goede opvoering,' riep hij positief terwijl hij een heel klein, huilend brugklassertje dat uit haar slavenkostuum was gescheurd, probeerde te troosten. Ze hadden nog tien minuten voor de aanvang en het was één grote chaos achter het toneel. Overal liepen Egyptisch geklede figuranten en iemand was per ongeluk op een van de piramides gaan staan en er met z'n voet dwars doorheen gestapt, waardoor ze die niet meer konden gebruiken.

'Appie en Jeroen!' riep Jason terwijl hij met zijn script in zijn hand door de chaos via de coulissen het podium opliep. 'Jullie moeten klaar gaan staan.'

Appie kwam lachend aanlopen met een zwart-groen omhulsel in de vorm van een slang om zijn hand heen, dat was Cleo de cobra. Jeroen kwam er mokkend achteraan. Op zijn hoofd zat een grote kartonnen wijzerplaat, hij was de klok.

'Niet te veel aan de zijkant gaan staan, Jeroen.' Jason gaf hem nog een duwtje om hem goed te positioneren. 'Anders zien we je niet.'

'Dat is ook de bedoeling,' mompelde Jeroen met zijn gezicht op halfzeven.

Jason deed net of hij het niet hoorde en liep weer de coulissen in, waar Nienke, Amber, Fabian en Patricia via een spleet in het gordijn de zaal ingluurden.

'Wie is dat, naast Van Swieten?' Nienke wees op een streng kijkende vrouw op de eerste rij.

'Weet je dat niet? Dat is de rectrix,' zei Amber. 'Hé, kijk! Je oma!'

Nienke zag inderdaad haar oma, die door mevrouw van Engelen

naar haar plaats werd gebracht. Nienke kreeg een brok in haar keel.

'Wat geweldig,' zei ze zachtjes.

'Wist je niet dat ze zou komen?' vroeg Amber.

Nienke schudde haar hoofd. Ze had het natuurlijk wel gehoopt, maar haar oma had het vanwege haar wisselende gezondheid niet kunnen beloven. Ze pakte even het medaillon vast dat onder haar ouderwetse witte jurk met kantjes zat. Als Sarah nou zou komen, dacht ze vaag, maar ze wist ook wel dat dit niet kon.

Naast haar sprong Amber van de zenuwen op en neer. 'Waar blijft Victor nou?'

Nienke speurde de zaal door maar er was nog geen spoor van hem te bekennen.

Ze slikte. Wat als hij nou niet kwam opdagen?

Ze hoorde plotseling muziek, de eerste tonen van de ouverture. Het ging beginnen!

'Nienke?' Jason stond achter haar. 'Je moet zo op.' Hij zag haar zenuwachtige gezicht en pakte haar even bij de schouders. 'Rustig ademen, niet te snel en vooral luid praten, dan komt alles goed,' zei hij en liep snel door naar twee als palmboom verklede derdeklassers.

'Wat doen jullie hier? Jullie moeten pas in de tweede scene op!' zei hij gejaagd en hij duwde ze richting kleedkamers.

'Nienke!' Amber wenkte haar.

Nienke spiekte weer de zaal in. Er ging een golf van opluchting door haar heen: daar zat Victor. Hij zat vlak bij de rectrix. Zijn dunne grijze haar zat glad achterover gekamd en hij droeg een vreemd ouderwets pak, lichtblauw met een donkerblauwe bies langs de broekspijp en een witte blouse met ruches aan de voorkant.

Amber keek naar Nienke en omhelsde haar. 'De voorstelling kan beginnen,' fluisterde ze zacht en pakte Nienkes beide handen vast. 'Succes!'

Nienke haastte zich het podium op. Ze hoorde de ouverture veranderen in de eerste maten van haar lied en de rode gordijnen gleden langzaam open. Ze kon de voorste rijen met mensen duidelijk zien: Van Swieten, haar oma en Victor. Ze keken allemaal vol verwachting naar het podium en even gierden de zenuwen door Nienkes keel, maar toen ze eenmaal in het volle licht van het theater stond, vielen alle zenuwen van haar af. Ze wist helemaal zeker dat het goed zou komen.

Nienke begon met een heldere stem aan het eerste couplet van het lied waarmee de musical *"Sarah en het Geheim van de Tombe"* begon.

Na de eerste scène rende Nienke als een dolle het podium af richting kleedkamers, maar Jason hield haar tegen.

'Dat ging schitterend, Nienke,' zei hij, 'Je kunt zelfs nog iets harder...'

'Ik moet plassen,' onderbrak Nienke hem en rende langs Jason naar de deur die toegang gaf tot de gang naar de kleedkamers.

Snel, snel, snel!

Ze griste haar jas van de kapstok en trok die aan. Ze trok hem meteen weer uit. Jurk vergeten! Ze trok de witte jurk uit en hing die over de kapstok.

Waar was haar tas?

Amber kwam binnen. 'Je was super, Nienk!'

'Mijn tas, ik kan mijn tas niet vinden!' Nienke groef zenuwachtig in een stapel kleren.

'Hier, hier!' Amber pakte Nienkes tas onder één van de make-uptafels vandaan.

'Godzijdank.' Nienke gooide haar tas over haar schouder. 'Dan ga ik nu.'

Amber omhelsde haar. 'Succes... Doe je voorzichtig? En let je op de tijd?'

Nienke keek op de klok. 'Het is nu kwart voor negen. Om kwart over ben ik weer terug.'

Toen ze de deur uitrende, botste ze bijna tegen Fabian aan die net van het podium afkwam. Hij keek bezorgd. 'Heb je alles?'

Nienke knikte. 'Maak je niet druk, het komt goed. Ik voel het. Houden jullie het hier in de gaten?' Ze wilde doorlopen, maar

Fabian pakte haar hand.

'Nienke, weet je het zeker?' Hij keek ongerust in haar ogen.

'Laat maar, je gezicht spreekt voor zich,' zei hij snel en hij nam Nienke in een heel stevige omhelzing. 'Succes,' fluisterde hij in haar haren. 'Je bent... je bent echt geweldig.'

'Jij ook! Ik moet nu echt gaan!'

Nienke nam een sprint richting uitgang en draaide zich om bij de deur. Fabian stak zijn hand naar haar op en tikte daarna met gestrekte hand tegen de zijkant van zijn hoofd, alsof hij naar haar salueerde.

Allerlei verwarde gedachtes gingen door Nienkes hoofd heen, terwijl ze zo snel mogelijk probeerde te fietsen. Flarden van zowel de oude als de jonge Sarah gingen door haar hoofd.

Jij hebt de kracht, ik zie het in je ogen...

Ik weet het zeker, het was geen ongeluk...

Kijk uit voor de zwarte vogel...

Zolang de schat is omgeven door de zwarte nacht met zijn fonkelende sterren zal hij nooit ontrafeld worden...

Je mag niet opgeven, je moet doorgaan...

'Ik geef niet op, Sarah,' zei Nienke hardop. Ze trapte nog harder op de pedalen en reed in sneltreinvaart over het grind van de oprijlaan, dat aan alle kanten onder haar banden opspatte.

Het huis kwam al in zicht, al moest je goed kijken om het te ontdekken in het donkere struikgewas. Zelfs de toren leek verzwolgen te worden door het donkerblauw van de hemel en er brandde nergens licht.

Nienke keek omhoog. Er stond geen ster aan de lucht. Ze gooide haar fiets neer tegen het bordes maar bedacht zich toen en gooide de fiets in de struiken, waardoor hij uit het zicht lag. Je kon nooit weten.

Ze rende hijgend de donkere hal binnen, de trap op en gooide met een klap de deur van Victors kantoor open. Ze knipte het licht aan, maar schrok zo van het felle schijnsel, dat ze het snel weer uitdeed. In plaats daarvan haalde ze haar zaklamp uit haar tas. Ze checkte haar horloge: twaalf minuten. Ze moest opschieten. De kluis, waar was de kluis? Ze scheen wild in het rond, haalde toen diep adem en scheen tegen de achterste wand van het kantoor. Daar! Ze liep naar de kluis, trok met trillende vingers haar broekspijp omhoog en draaide aan de schijf van het combinatieslot: 2-6-1-1-1-9-2-2. Een klik.

Nienke zuchtte van opluchting.

De kluis sprong open. Ze duwde het dossier voorzichtig opzij, haalde de wasrol uit de kluis en legde hem op het bureau naast de fonograaf die Victor daar had neergezet. De kap was eraf, hij had blijkbaar geprobeerd de rol af te spelen, maar Nienke wist zeker dat het niet was gelukt, want zonder afspeelkop deed het apparaat het niet.

Ze haalde het missende onderdeel uit haar tas. Haar ademhaling ging gejaagd. Vergat ze niets?

De DAT! Ze haalde de recorder uit haar tas en zette die op scherp, daarna monteerde ze de afspeelkop weer op zijn plaats. Voorzichtig pakte ze de wasrol op. Haar vingers trilden nu zo erg, dat ze hem bijna niet in het apparaat kon vastklikken. Na een paar mislukte pogingen hoorde ze de bevrijdende klik en kon ze aan de hendel draaien.

'Mwoeheohoeeeee,' klonk het uit de ouderwetse speaker.

Nee! Het was niet te verstaan!

Hoe deed Fabian dat ook al weer? Ze draaide met meer geluk dan wijsheid aan de grote zilveren knop in het midden van het apparaat. Ze wierp een vluchtige blik op haar horloge. Vijftien minuten...

Ze draaide weer aan de hendel. Er klonk een zacht gesnik. Nienke zuchtte van opluchting, hij liep in ieder geval op goede snelheid. Was dat Sarah?

Ze schrok op van een geluid, liet de band doorlopen en sloop voorzichtig het balkon op. Niets.

Mijn zenuwen beginnen me parten te spelen, lachte Nienke in zichzelf. Ze liep weer terug naar het kantoor waar ze de stem van Sarah zachtjes maar duidelijk hoorde: "*Ik weet het nu zeker... het was geen ongeluk... het was Victor. Victor heeft mijn ouders vermoord.*"

Nienke voelde al het bloed uit haar gezicht wegtrekken.

Voordat ze er ook maar over kon nadenken, hoorde ze achter zich het krakende geluid van een opengaande deur. Ze draaide zich om en keek naar de zwart-witbeelden van de monitoren.

Alle ruimtes waren leeg, op één na. Op de monitor waar "hal" bovenstond, kwam Victor de voordeur binnengelopen!

Nienke reageerde bliksemsnel. Ze klikte eerst haar zaklamp uit en trok toen de wasrol uit de fonograaf, gooide die in de kluis die nog steeds openstond en duwde de deur dicht. Ze gaf een zwengel aan het slot en keek paniekerig rond. Wat nog meer? De afspeelkop! Ze demonteerde het ding met een ruk en hoopte maar dat ze niets geforceerd had. Toen stopte ze de DAT in haar tas en graaide op het laatste moment nog haar sleutels van het bureau.

Ze kon nog net op tijd om het hoekje van de meidengang gaan staan. Ze spiedde naar de camera die daar hing, maar gelukkig zat die precies boven haar hoofd, dus Victor zou haar niet kunnen zien. Ze hoorde het ding zacht boven haar hoofd zoemen toen hij zijn elektrisch oog door de gang liet gaan. En ze hoorde nog iets anders: Victors zware ademhaling terwijl hij de trap opkwam. Hij leek wel een speurhond op zoek naar z'n prooi.

Nienke dacht na. Stonden de camera's weer goed? Er moest iets misgegaan zijn met de instellingen van Appie! Ze drukte haar tas tegen zich aan en hield haar adem in toen ze Victor de deur van zijn kantoor open hoorde doen. Ze hoorde hem rommelen.

Plotseling begon hij te praten. Nienke voelde een rilling over haar rug lopen.

'Corvuz, er is iets gaande hier... maar wat?' hoorde ze hem zeggen. Ze kneep haar ogen dicht. Ze moest hier weg. Ze moest weg uit het huis voordat hij erachter kwam dat ze hier was.

Ze hoorde de stem van Sarah weer in haar hoofd: *Victor heeft mijn ouders vermoord...*

Wie weet wat hij met haar zou doen als hij haar hier zou vinden? En ze moest ook terug naar school, het stuk was waarschijnlijk al begonnen!

Nienke liet zich zo stil mogelijk op haar knieën zakken en kroop van de trap, totdat ze trillend achter het harnas zat.

'We komen er wel achter,' hoorde ze Victor zeggen. 'Ik hoef alleen maar de opnames terug te kijken.'

Hij had opnames? Hij maakte opnames van wat de camera's registreerden?

Nienke kon nog net een kreet onderdrukken toen het doordringende geluid van de telefoon door de stilte sneed. Victor liet hem overgaan en was duidelijk van plan hem niet op te nemen, maar hij bleef maar rinkelen.

'Roodenmaar,' sprak hij uiteindelijk.

Nienke spiedde om het harnas heen. Victor stond met zijn rug naar haar toe met zijn telefoon tegen zijn oor. Dit was haar enige kans! Ze begon onder de ramen door te kruipen, terwijl ze hem gepikeerd hoorde praten.

'Anubis code red?' Victor was even stil. 'Ja, ik weet dat het de hoogste alarmfase is, ik heb de term zelf ingevoerd... Wat? Het doelwit zit in de zaal?'

Nienke kroop verder. Ze moest nog langs de open deur. Als hij zich nu zou omdraaien, zou hij haar zien. Ze hield haar adem in en deed een schietgebedje.

'Nu?... Elfde rij, stoel twee...'

Ze kroop een paar treden af en kwam een stukje overeind. Ze sloop verder de trap af. De derde trede overslaan want die kraakte...

'Ja, ik kom meteen.'

Nienke raakte in paniek. Tempo maken! Hij kon ieder moment ophangen!

'Ik zal dit voor eens en altijd elimineren!' sprak Victor bars terwijl Nienke een sprint door de hal nam. Ze trok de deur open en rende het bordes op. Ze durfde niet achterom te kijken, maar trok zo snel mogelijk haar fiets uit de bosjes en reed de oprijlaan af.

Ze keek op haar horloge. Het stuk was al tien minuten begonnen. Ze was te laat. Maakte het wat uit? Nee. Wat had ze nou gehoord? Iets over een doelwit en elimineren. Weer hoorde ze Sarahs stem in haar hoofd: *Victor heeft mijn ouders vermoord...*

Het begon te regenen. Met haar hoofd voorovergebogen trapte

Nienke door.

Sneller, sneller, daar was de school al. Ze was te laat, dat gaf niet, ze moest de anderen waarschuwen!

Ze kwakte haar fiets tegen een muurtje en schaafde haar hand, maar ze voelde het niet. Doorweekt rende ze de gang in. Op hetzelfde moment hoorde ze een daverend applaus. Was het al afgelopen?

'Nienke? Nienke!'

Ze draaide zich om. Daar stond Fabian in zijn zwarte cape. Hij holde naar haar toe en omhelsde haar. 'Oh Nienke, weet je wel hoe blij ik ben je te zien? Wat is er gebeurd?'

'Het was Victor...' Nienkes adem kwam in horten en stoten. Ze hyperventileerde.

'Wat? Is alles oké met je?'

Hij zag nu pas hoe bleek Nienke was.

'Nienke! Je bent er!' Amber kwam aanrennen in haar witte jurk. 'We dachten dat je dood was! Hier, snel, je bent nog net op tijd voor de finale!' Ze trok Nienke de kleedkamer in en trok haar witte jurk over haar hoofd. 'Kom, ik help je wel.' Ze hielp de lijkbleke Nienke uit haar natte jas.

'Wacht even, Amber...' Fabian sloeg een arm om Nienke heen. 'Gaat het wel? Je ziet eruit alsof je een spook hebt gezien.'

'Het was Victor... op de rol...'

Nienke probeerde wanhopig haar ademhaling onder controle te krijgen.

Fabian nam haar gezicht in zijn handen en keek haar aan. 'Wat heb je gehoord?'

'Iets vreselijks... Het was Sarah weer... Ze zei dat ze zeker wist dat Victor haar ouders had vermoord...'

Ambers armen bleven halverwege in de lucht hangen. 'Sarahs ouders zijn door Victor vermoord?'

'Dat zei ze. Letterlijk.'

Amber sloeg een hand voor haar mond. 'Dus het is echt waar,' fluisterde ze.

Nienke knikte. 'Dat is nog niet alles... Victor kwam opeens thuis...'

'Wat? Daarom was hij er niet! Heeft hij je gezien?' vroeg Fabian terwijl hij Nienke naar een stoel hielp. Ze kon van spanning niet meer op haar benen staan.

Nienke begroef haar gezicht in haar handen. Ze schudde haar hoofd heftig heen en weer.

'Nee, nee, hij heeft mij niet gezien. Maar hij had wel door dat er iemand was, of geweest was, maar de telefoon ging...' Nienke haalde diep adem.

'Het klonk alsof hij een opdracht kreeg.'

Fabian begreep het niet. 'Een opdracht?'

'Ik kon niet alles horen,' stamelde Nienke.

Ze was even stil, alsof ze de woorden moest zoeken in haar mond, maar uiteindelijk keek ze de andere twee aan.

Ze keek doodsbang.

'Victor gaat vanavond iemand vermoorden.'

Wil je weten hoe het afloopt?
Lees dan deel 2 van Het Huis Anubis!

HET GEHEIM VAN DE TOMBE

Als Nienke er tijdens de musical achterkomt dat Victor iemand moet vermoorden, doet ze er samen met de andere leden van de Geheime Club van de Oude Wilg alles aan om hem te stoppen. Als blijkt dat Joyce in de zaal zat, maar weer plotseling is verdwenen, vrezen ze voor haar leven. En dan verdwijnt Patricia... Nienke, Amber en Fabian staan voor een groot mysterie. Ze proberen wanhopig Patricia terug te vinden en Victor een stap voor te blijven in hun zoektocht naar de schat die nog steeds in Het Huis Anubis verborgen ligt.